Les Noëls blancs

Christian Signol

CE QUE VIVENT LES HOMMES

*

Les Noëls blancs

ROMAN

Albin Michel

IL A ÉTÉ TIRÉ DE CET OUVRAGE
TRENTE EXEMPLAIRES
SUR VÉLIN BOUFFANT DES PAPETERIES SALZER
DONT VINGT EXEMPLAIRES NUMÉROTÉS DE 1 À 20
ET DIX HORS COMMERCE NUMÉROTÉS DE I À X

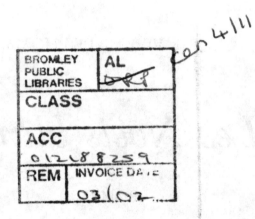
© Éditions Albin Michel S.A., 2000
22, rue Huyghens, 75014 Paris

www.albin-michel.fr

ISBN broché : 2-226-11635-4
ISBN luxe : 2-226-12069-6

A notre petite Manon.

« Enlevé par l'oiseau à l'éparse douleur
Et laissé aux forêts pour un travail
d'amour. »

René CHAR.

« En maintenant la beauté, nous pré-
parerons ce jour de renaissance où la civilisation mettra au centre de sa réflexion,
loin des principes formels et des valeurs
dégradées de l'Histoire, cette vertu
vivante qui fonde la commune dignité du
monde et de l'homme. »

Albert CAMUS.

I

Les enfants du siècle

1

LE jour de ce premier de l'an 1900 se leva dans une étrange lumière. On eût dit que la lueur qui filtrait entre les volets clos était celle d'une rivière prise par les glaces. François comprit qu'il avait de nouveau neigé dans la nuit, et il quitta son lit en toute hâte, prenant soin de ne pas réveiller son frère et sa sœur qui dormaient dans la même chambre que lui. Il posa ses pieds sur les dalles froides, frissonna, se vêtit rapidement, passa dans la cuisine où s'affairait sa mère, fila jusqu'à la porte et l'ouvrit, faisant entrer dans la maison un courant d'air glacé.

– Veux-tu bien refermer tout de suite ! fit sa mère en feignant la colère. Tu vas nous faire prendre mal.

Il obéit, mais il se plaça aussitôt derrière la fenêtre, écarta les rideaux, effaça le givre de la main et contempla cette blancheur superbe qui recouvrait la cour, les chemins et les prés.

– C'est le premier de l'an aujourd'hui, reprit sa mère, une femme aux yeux clairs, au visage étroit, aux cheveux bruns, que l'âge et le travail n'avaient pas encore flétrie. Il est d'usage d'embrasser ses parents et de leur souhaiter une bonne année.

François le savait que c'était le premier jour de l'an. C'était même le premier jour du siècle : le maître d'école le lui avait expliqué, en soulignant l'importance de l'événement. Aussi François n'avait-il pas fermé l'œil de la nuit, espérant secrètement que le jour qui allait naître, ce matin du nouveau siècle, lui apporterait quelque chose de neuf, d'exceptionnel, quelque chose que nul n'avait jamais connu. Il s'écarta de la fenêtre, vint vers sa mère, l'embrassa.

– Bonne année à toi, mon petit, dit-elle, que le bon Dieu te protège toujours.

– Bonne année, dit François, dont le regard revint aussitôt vers la fenêtre.

Etait-il beau, ce blanc parfait, sans tache, qui avait recouvert les toits, les prés et les chemins ! Ce n'était plus la neige sale des derniers jours, une neige que l'on traînait jusque dans la maison comme de la boue, mais une blancheur lumineuse qui courait jusqu'aux bois, et que personne n'avait encore souillée.

– Cette neige ! soupira la mère en versant un peu de lait dans l'assiette de soupe chaude destinée à son fils.

– C'est tellement beau ! dit François en s'asseyant.

– Mon pauvre petit ! Il faudra donc toujours que tu rêves ! Ne vois-tu pas combien le travail est difficile ?

Il le savait très bien, que les difficultés ne feraient que s'accroître jusqu'au printemps, que son père et sa mère surveilleraient la diminution des sacs de seigle et de blé noir dans le grenier, que le foin, pour les bêtes prisonnières à l'étable, allait s'épuiser, qu'il faudrait protéger les sabots avec des chiffons pour ne pas glisser sur le chemin de l'école, que l'on ne reverrait plus la moindre verdure avant Carnaval, mais c'était si beau, cependant... Comment dire à la mère ce qu'il ressentait ? François chercha un moment, puis il murmura :

– C'est comme si le monde commençait aujourd'hui.

Elise Barthélémy leva brusquement la tête de la maie dans laquelle elle pétrissait de la farine de blé noir, regarda son fils avec un soupir, mais non sans tendresse. Cet enfant l'étonnerait toujours. Où allait-il chercher ses mots ? Il lui ressemblait si peu, et si peu à son père, également, qui s'était levé avec le jour et qui, déjà, s'occupait des bêtes dans l'étable qui jouxtait la maison.

– Mange, François, fit-elle, et tu iras aider ton père.

Tout le temps que son fils mit à avaler sa soupe, elle ne cessa de le regarder, heureuse de constater qu'elle-même et son mari, Auguste Barthélémy, fermiers d'une terre rude, pentue, perdue entre les forêts, une terre de montagne à bruyères et à genêts, parvenaient à nourrir leurs enfants convenablement. Du moins jusqu'à ce jour. Certes, les mets ne variaient guère : c'était de la soupe de pain de seigle, des crêpes de blé noir, du lait, des pommes de terre, et surtout des châtaignes, mais aucun de leurs enfants, dans cette maison basse, couverte de lauzes grises, loin de tout, à l'écart des chemins, n'avait un jour eu faim. Elle murmura une courte prière, se

15

signa très vite, et n'eut même pas le temps de retenir François qui enfilait sa veste de laine, enroulait son cache-nez autour du cou et sortait en claquant la porte derrière lui.

Une fois dehors, au lieu d'entrer dans l'étable, il ne put résister au plaisir de marcher jusqu'au bois dans la neige vierge qui craquait sous ses pieds. D'abord il avança lentement, précautionneusement, observant le chapeau qui se formait sur la pointe de ses sabots, puis il s'arrêta et se retourna : les traces, derrière lui, étaient à peine visibles, tant la neige était épaisse. Rassuré, il recommença à marcher, et, au lieu de descendre vers le bois de châtaigniers, il monta vers le sommet de la colline d'où l'on pouvait apercevoir les lointains. Il faisait froid, très froid, mais François s'en apercevait à peine. Il le sentit vraiment quand il déboucha en plein vent, là-haut, en sortant de l'abri de la butte qui protégeait la maison et le petit domaine du vent du nord.

Le ciel s'était dégagé. Sur sa droite, il pouvait deviner, très loin, les dômes des monts d'Auvergne et le puy de Sancy. Devant lui, les grands bois des gorges de la Dordogne, au-dessus desquels tournaient de grands oiseaux de proie, semblaient souligner le ciel aveuglant. Sur sa gauche, les rondeurs de la montagne s'inclinaient doucement vers la vallée, ce bas pays dont on parlait parfois et où l'on n'allait jamais, mais la neige était la même, l'éclat du ciel aussi, sur ces terres à la fois limousines et auvergnates, puisque la ferme des Barthélémy se situait à la limite de la Corrèze et du Puy-de-Dôme, à huit cents mètres d'altitude, au milieu des sapins, des châtaigniers, des chênes, des hêtres, des bruyè-res qu'il fallait défricher pour gagner chaque année un peu plus de terre cultivable.

François examina le capuchon de neige sur ses sabots puis il se baissa pour le faire glisser, admirant une nouvelle fois les sabots neufs qu'il avait reçus en cadeau à Noël. Malgré la pauvreté de ses parents, il avait toujours reçu un cadeau à cette occasion. Oh ! ce n'était pas grand-chose : une papillote, ou une orange, un jouet bricolé par son père, ou bien des sabots, comme cette année, dont le dessus était orné d'une languette noire et de quelques nielles plus claires qui leur donnaient une apparence moins sévère et les faisaient apparaître comme des objets de plaisir plus que de travail.

Du plus loin qu'il se souvenait, aussi, les Noëls, dans ce haut pays, avaient été blancs. La neige faisait son apparition dès le mois des morts, s'en allait, revenait, restaurait la beauté des montagnes en une nuit, rendait le monde neuf, comme ce matin, ce 1er janvier du nouveau siècle, dont François atten-dait ingénument quelque chose d'extraordinaire qui allait changer sa vie. Et il s'étonnait maintenant, là-haut, au sommet de la colline, de ne pas aperce-voir le moindre signe, la moindre lumière diffé-rente, le moindre indice d'un monde nouveau, puisqu'on avait changé de siècle.

C'était pour cette raison : trouver les signes, ce qu'il y aurait de différent, qu'il s'était levé si tôt ce matin-là. Mais non : si tout était blanc, d'une beauté parfaite, rien n'avait vraiment changé : la montagne demeurait aussi immobile, les terres toujours aussi

pentues, les bois aussi épais, le vent toujours aussi
mordant. François se dit que la journée ne venait
que commencer, et qu'il se passerait sûrement quelque chose avant la tombée de la nuit. Il suffisait
d'attendre. Mais il était terriblement déçu car il avait
beaucoup espéré. Qu'est-ce que c'était que ce siècle
qui ne montrait sa présence nulle part ? Il frissonna :
il avait froid, là, maintenant, debout dans le vent
descendu des sommets. Avec une sorte de regret, il
se lança dans la pente et se mit à courir vers la
maisonnette dont la cheminée fumait tout en bas,
en un mince filet qui se perdait dans les blancheurs
mêlées de la terre et du ciel.

Quand il referma la porte derrière lui, sa sœur et
son frère étaient en train de déjeuner. Il s'assit sur
le banc à côté de Lucie, pour la taquiner comme il
en avait l'habitude, puis il dit d'une voix blessée à
sa mère :

– Il n'y a rien.

– Comment ça, il n'y a rien ? Et que veux-tu qu'il
y ait ? Il a encore neigé, c'est tout.

– Pourtant c'est un nouveau siècle, murmura
François, d'une voix qui se brisa sur la fin.

Et il ajouta, plus bas, dans un souffle :

– C'est le maître qui nous l'a dit.

– Eh bien oui, et alors ?

– Il nous a dit que ce siècle apporterait de grands
changements et je ne vois rien.

La mère hocha la tête, soupira en découvrant les
yeux mouillés de son fils :

18

– Mon pauvre enfant ! Que tu es drôle, tout de même ! Quand cesseras-tu de rêver ?

– C'est vrai qu'il nous l'a dit, fit Mathieu, le cadet de François.

De deux ans moins âgé que lui, Mathieu était très brun, râblé, le regard noir, et l'on devinait en lui une force tapie, un caractère décidé, une assurance qui contrastait avec la fragilité apparente de son aîné.

– Que voulez-vous qui change, ici ? fit la mère en versant du lait à sa fille.

– Ça changera, pour sûr, dit François, puisque le maître l'a dit.

– Bon ! En attendant, dépêchez-vous de manger, parce que le père vous attend au séchadour pour surveiller le feu.

François ne répondit pas, attentif seulement à gagner un peu de temps dans la cuisine chaude, au lieu d'avoir à sortir de nouveau. Il s'approcha de Lucie, s'amusa à déplacer l'assiette creuse dans laquelle elle mangeait. La petite allait se plaindre quand la porte s'ouvrit brusquement, poussée par le père qui jeta à l'intérieur un regard de colère.

– Je vous attends depuis longtemps, dit-il à ses garçons.

C'était un homme de corpulence moyenne, très brun, portant moustaches, au regard aussi noir que celui de son fils Mathieu. François, lui, ne lui ressemblait guère : il avait les cheveux châtains, tirant sur le roux, les yeux verts, les traits moins aigus, et une certaine fragilité semblable à celle de sa mère ; une fragilité qui avait le don d'exaspérer le père, dont la voix tonna de nouveau, s'adressant à son aîné :

– Tu as déjeuné, toi ! Alors viens avec moi !

François le suivit jusqu'au séchadour qui se trouvait un peu au-dessus de l'étable, entre deux pommiers. C'est là que l'on faisait sécher les châtaignes qui constituaient l'essentiel des repas, dans cette terre rude où le froment ne venait pas, seulement le seigle et le blé noir. On les pelait à la veillée, à partir du mois des morts, et on les faisait sécher pour mieux les conserver, là, dans ce séchadour où l'on n'avait pas froid mais d'où l'on ressortait suffoquant et noir comme un ramoneur. Le père Barthélémy ordonna à son fils d'alimenter le feu, tandis qu'il montait l'étage, par quelques marches extérieures très glissantes, pour remuer les châtaignes sur la claie.

Bientôt Mathieu rejoignit François et demanda :

– Alors tu n'as rien vu ?

– Rien.

– C'est drôle, ça, dit Mathieu. Le maître se serait-il trompé ?

– Non, dit François, il faut attendre, c'est tout. On remontera quand on aura fini.

Ils alimentèrent le feu pendant un long moment, parlant à voix basse, surveillés par le père qui, làhaut, avec son râteau, remuait les châtaignes. Mathieu paraissait encore plus déçu que François.

– Ça doit se voir, dit-il, c'est impossible autrement.

– On va remonter, dit François. Il n'y en a plus pour longtemps ici.

Mais le père les retint encore une heure avant de

leur rendre la liberté. Toussant et se frottant les yeux rendus douloureux par la fumée, ils se retrouvèrent enfin à l'air libre, et, de peur d'être appelés par leur mère, ils se mirent à courir malgré la neige vers le sommet d'une colline, à l'opposé de celle où François était monté ce matin même, là où une croix noire, située au carrefour de deux chemins aujourd'hui invisibles, tranchait sur la blancheur de la neige. Ils tombèrent, luttèrent un moment, puis, riant et s'époussetant l'un l'autre, ils recommencèrent à monter. Bien que François fût le plus âgé des deux, il devait user de toute son énergie pour prendre le dessus sur son cadet, lequel aimait la lutte. François, lui, préférait exercer son esprit que son corps et, de ce fait, aimait beaucoup l'école. Au contraire, bien sûr, de Mathieu qui y allait, à six ans, pour la première année depuis novembre, c'est-à-dire depuis que la neige avait fait son apparition, rendant la présence des deux garçons moins nécessaire à la ferme.

Ils arrivèrent à la croix à bout de souffle, s'appuyèrent contre le socle de pierres grises, regardèrent de tous leurs yeux les lointains où les bois dormaient sous la neige.

– Non, il n'y a rien, dit Mathieu d'une voix dépitée.

François demeura un moment sans rien dire, puis, d'une voix très basse, comme chargée d'un secret, murmura :

– Si. Là-bas, regarde !

– Quoi ?

– Tu vois les bois, là-haut, à gauche de cette crête

en forme de chapeau, ce sont des bouleaux, et non des châtaigniers. Eh bien, remonte un peu vers la droite, juste après ce petit plateau : là, il y avait un bois, et aujourd'hui il a disparu.

– Tu crois ?

– J'en suis sûr.

– Ça veut dire quoi ? fit Mathieu.

– C'est un passage qui s'est ouvert, dit François.

– Un passage vers quoi ?

– On sait pas, mais on saura bientôt.

– Un passage vers le nouveau siècle ?

– Je crois, fit François gravement.

Et il ajouta aussitôt :

– Il vaudrait mieux ne pas en parler aux parents.

– Pourquoi ?

– Ils ne nous croiraient pas. Peut-être même que le père crierait, et il voudrait monter jusqu'ici. S'il ne voit rien, lui, il sera furieux.

– Oui, tu as raison, dit Mathieu.

Ils demeurèrent un long moment silencieux, Mathieu jetant de temps en temps un regard vers son aîné pour savoir si, par hasard, il n'apercevait pas un autre signe, ne perçait pas un autre mystère. François se retourna vers la maison, et, d'un coup, tendant le bras, lança :

– Regarde !

– Où ?

– En bas, à la sortie du bois, sur le chemin de la maison, il y a quelqu'un.

– Je ne vois pas.

– Mais si, là, fit François en se rapprochant de son

frère pour qu'il devine mieux la direction indiquée par son bras.

– Qui ça peut être ?

Deux formes noires, une grande et une petite, avançaient lentement dans la neige en direction de la ferme. Les deux garçons les observèrent un instant, puis Mathieu demanda de nouveau :

– Qui ça peut bien être ?

– Viens ! dit François.

Ils s'élancèrent dans la pente, se mirent à courir, glissèrent, tombèrent, repartirent aussi vite qu'ils le purent, arrivèrent en bas peu après les deux silhouettes qui, sur le seuil de la maison, menacées par le chien, frappaient à la porte.

– Des cherche-pain, dit François en s'arrêtant brusquement...

– Tu crois ?

– Mais oui, regarde !

La porte s'était entrebâillée, et ils entendirent la voix du père, bientôt relayée par celle de la mère. Finalement, la porte s'ouvrit entièrement pour laisser entrer les deux silhouettes noires, et les deux garçons n'eurent pas le temps de se précipiter avant qu'elle ne se referme. Ils attendirent alors une minute, s'interrogeant du regard, puis ils entrèrent à leur tour, évitant de cogner leurs sabots contre la pierre du seuil, comme si un monstre de légende les guettait à l'intérieur.

Dans la maison, ils se trouvèrent face à une femme et un garçon vêtus de hardes, tremblants de froid,

que la mère avait poussés près du feu, et qui ten-
daient les mains au-dessus des flammes. Ils en
avaient déjà vus, des cherche-pain, mais on les rencontrait surtout au début de l'hiver, quand ils étaient
à la recherche de nourriture et d'un toit pour passer
la mauvaise saison. Ou alors on en croisait au printemps, quand le beau temps revenu les jetait sur les
routes où ils allaient de ferme en ferme, pour trouver du travail. En général, toutefois, ils voyageaient
solitaires, rarement avec un enfant.

Quand François s'approcha, le garçon, qui devait
avoir son âge ou à peu près, lui jeta un regard qu'il
ne devait jamais oublier : plus que de la tristesse, il
exprimait une souffrance, une révolte, mais aussi de
la honte et de la colère. François détourna la tête
rapidement, s'assit à table, tandis que le père disait :

– Vous mangerez avec nous. Il y a assez pour tous,
aujourd'hui. Il ferait beau voir que je chasse une
mère et son fils le premier jour de l'année. Après,
quand vous serez bien réconfortés, il vous faudra
repartir.

La femme remercia. Sous son fichu, on ne voyait
que ses yeux noirs, fiévreux, et des mains couvertes
d'engelures dépassaient de ses manches trouées. On
s'installa à table. François manœuvra pour ne pas se
trouver en face du garçon qui, heureusement, avait
cessé de trembler. Nul ne parlait. Après la soupe, la
mère servit un civet de lièvre avec des crêpes de blé
noir, puis elle demanda, s'asseyant face à la femme :

– Enfin, comment est-ce possible, un malheur
comme ça ?

– Mon mari est mort en novembre, et le proprié-

24

taire nous a chassés, c'est tout. Comme on avait des dettes, il ne nous est rien resté.

François frissonna. Lui qui s'était toujours cru à l'abri du malheur, il venait de comprendre que ce n'était pas vrai, et il s'imagina un instant errant derrière sa mère dans la neige, en compagnie de son frère et de sa sœur.

– Vous n'avez donc pas de famille ? demanda le père.

– Non. Aucune famille.

– Il était où, votre fermage ?

– Plus haut, dans la montagne.

– Et maintenant, vous allez où ?

– J'ai idée de descendre jusqu'à Bort, ou peut-être jusqu'à Tulle pour chercher de l'embauche dans une fabrique. C'est trop dur, ici.

– C'est vrai que ce n'est pas facile, dit le père : quinze louis de ferme au moins, et tant de neige cinq mois par an, il faut pouvoir tenir.

Ils parlèrent encore un peu, puis la conversation se tarit, car les mots étaient impuissants à soulager une telle détresse.

– Peut-être pourraient-ils rester un peu dans la grange, avança la mère timidement.

– Si on avait de l'ouvrage pour eux, bien sûr, dit le père, mais quoi faire avec cette neige ?

– On partira, dit la femme noire, ne vous souciez pas de nous, on partira.

A ce moment, le regard du garçon croisa de nouveau celui de François. Il était froid, implacable, et François baissa les yeux, se sentant coupable sans savoir de quoi.

25

— Ils pourraient peut-être rester jusqu'à demain, souffla-t-il.

— Non, dit la femme d'une voix dure, on va partir. Vous avez beaucoup fait déjà.

— On aurait voulu faire plus, vous savez, dit la mère, mais nous sommes cinq à table tous les jours et ce n'est pas facile.

La femme noire hocha la têtc. Son visage était terrible : les traits tirés, d'une rudesse extrême, les yeux pleins de fièvre, on eût dit que jamais plus elle ne pourrait sourire.

— Chauffez-vous encore un peu, le temps que je débarrasse, dit la mère.

La femme et son garçon se levèrent, s'assirent sur les salières, de part et d'autre du foyer. François remarqua que Mathieu et Lucie ne cessaient pas de les examiner. Ils ne comprenaient pas très bien d'où venaient ces gens qui avaient partagé leur repas et qui, pourtant, leur faisaient peur.

— Vous trouverez le village trois kilomètres plus bas, droit devant vous, dit le père avant de sortir.

François devina qu'il était en colère contre lui-même, et qu'il se reprochait de ne pouvoir les garder plus longtemps. Il sortit derrière lui et le rejoignit dans le séchadour. Le père était assis sur un tabouret, contemplait ses mains ouvertes devant lui, qui tremblaient. Il se reprit vivement en entendant la porte refermée par son fils. François ne sut que dire. Il resta là un instant, debout derrière son père, qui murmura enfin d'une voix sourde :

— On devrait jamais voir des choses comme ça. C'est faire trop de tort aux gens. Ça ne devrait pas exister. Plus tard, si tu le peux, petit, ne reste pas à la merci de ceux qui possèdent la terre. Essaye de te mettre chez toi.

Il ajouta, plus bas :

– Et n'oublie jamais ce que tu as vu aujourd'hui.

François hocha la tête mais ne répondit pas. Il sentit qu'il devait laisser son père seul et il sortit en refermant doucement la porte derrière lui.

Dans la maison, la mère chantonnait, mais il comprit qu'elle se forçait. Elle lui sourit, cependant, et il n'aima pas ce sourire car il lui rappela celui du printemps dernier, le jour où elle avait vendu ses cheveux pour pouvoir acheter du drap au colporteur de passage. C'était aux alentours de Pâques, car il y avait encore de la neige dans les creux exposés au nord. François était allé piocher une parcelle de bruyère avec son père. En rentrant, à la nuit, il avait tout de suite deviné qu'il s'était passé quelque chose. Sa mère portait un fichu alors que d'ordinaire elle était peignée en chignon. Le père ne l'avait pas remarqué tout de suite, puis, levant brusquement la tête vers elle, il avait murmuré :

– Mais qu'est-ce que...

– Rien, avait-elle dit vivement, rien.

– Mais... mais tu n'as plus de cheveux.

– Si, je t'assure.

Le père s'était levé lentement, était venu vers elle, avait tendu la main vers le fichu, et la mère avait doucement retenu son bras, soufflant d'une voix que François ne lui connaissait pas :

27

– Non, je t'en prie.

Le père avait hésité, son regard avait croisé celui de sa femme, puis sa main était retombée, et il s'était assis de nouveau, gardant le silence jusqu'à la fin du repas.

Oui, elle avait ce sourire aujourd'hui, et il tarda à disparaître bien qu'elle se mît à dire des contes à Lucie, assise sur ses genoux. Mathieu, lui, s'essayait à tresser un panier, avec l'osier que coupait le père en automne, dans les creux humides des prés. François s'assit à table, face à sa mère, et chercha autour de lui le réconfort nécessaire. Son univers était là, dans cette grande pièce sombre meublée d'un coffre, d'un buffet, d'une maie, d'une table et de deux bancs polis par les ans, de marmites et de vaisselle en terre cuite éclairées par les flammes de l'âtre qui dessinaient des ombres mystérieuses jusqu'au plafond noir de suie. Cela sentait les crêpes de blé noir et les pommes que l'on gardait dans la souillarde, sous l'évier.

– Vous souvenez-vous de notre veillée de la Saint-Luc, en octobre, avant la neige ? demanda la mère, et tout ce monde, ici, et comme nous avons dansé après avoir pelé les châtaignes ?

– Oui, dit François.

– Vous rappelez-vous les contes de Jean du Bos ? Eh bien, moi aussi il m'est arrivé une aventure pareille quand j'avais douze ans. Ce devait être vers la fin septembre, puisque les arbres avaient encore leurs feuilles. J'allais porter des œufs chez nos voisins de la Roche quand il m'a fallu traverser les bois. Il faisait sombre et je n'étais pas fière. J'ai marché un long moment, puis j'ai senti la présence de quelque chose qui me suivait et je me suis mise à courir. J'ai tellement couru que je me suis perdue. Alors je suis arrivée dans une clairière où il y avait une cabane abandonnée par les charbonniers et c'est là que je l'ai vue...

Mathieu avait délaissé son ouvrage, levé la tête.

– Qui donc ? demanda-t-il.

– La Bère.

La mère laissa passer un moment, puis ajouta à voix basse :

– Elle était dressée sur ses pattes de derrière, elle me regardait approcher.

– Comment était-elle ? demanda François.

– Une sorte de grande chèvre, avec des cornes immenses mais vêtue comme une femme, d'une longue robe brune.

– Qu'as-tu fait ?

– J'ai attendu un peu et elle m'a fait signe d'approcher. Elle s'est accroupie devant moi et m'a demandé de monter sur son dos, comme font les enfants, en mettant mes bras autour de son cou.

– Et alors ? fit Mathieu.

– Je savais que si je montais elle m'emporterait dans son repaire et me dévorerait. Je me suis approchée mais, au lieu de monter sur son dos, j'ai fait trois fois le signe de la croix, très vite, en disant : « Bère, Bère, tu ne m'attraperas jamais et tu seras clouée comme Jésus-Christ l'a été sur cette croix ! »

La mère se tut un instant, reprit :

– Alors elle a poussé un grand cri et elle s'est enfuie.

29

– Encore, dit Lucie, encore !

Le sourire de la mère avait changé. Il était plus gai. Elle était redevenue celle que François aimait par-dessus tout, celle qui apportait le bonheur et la joie. Elle raconta comment le Drac emmêlait les chaînes des bêtes dans les étables, comment elle avait entendu la Chasse volante pendant les brumes d'automne, et elle parla aussi de ce petit chien blanc qui courait parfois sur les talons des voyageurs, dans les chemins de la forêt. Ses trois enfants en oubliaient presque de respirer. Elle raconta aussi son mariage avec le père, les toiles tendues dans la grange pour dissimuler la paille et le foin, la grande table sur tréteaux recouverte d'une nappe blanche, les branches de sapins, les bouquets de genêts que l'on avait cloués pour décorer les murs, et ils avaient mangé, chanté, dansé jusqu'au lever du jour.

Elle riait, heureuse à ce souvenir comme si ce mariage eût daté de la veille, et François avait tout oublié de ce qui s'était passé pendant la matinée. Elle s'apprêtait à chanter quand la porte s'ouvrit brusquement. Le père entra, se planta devant sa femme et ses enfants et dit :

– Je vais pétrir le pain. Un pain du premier jour de l'an, comment ne serait-il pas le meilleur de l'année ?

– Oui, dit la mère en se levant, et cela sent si bon.

– J'allumerai le feu quand la pâte lèvera.

La table fut nette en un instant, et le père commença à pétrir la farine de seigle avec le levain. On ne mangeait pas de pain de froment, seulement celui du seigle que l'on cultivait. François savait, pour l'avoir entendu raconter à son père, que, les mauvaises années, certaines familles avaient même dû mélanger des pommes de terre ou des châtaignes à la farine de seigle. Le père, qui avait relevé ses manches jusqu'aux coudes, pliait et repliait la pâte consciencieusement. A la fin, il la coupa et en fit une douzaine de boules grises qu'il porta dans la chambre, sous les couvertures, pour les mettre à lever. Cela sentait bon : pas tout à fait l'odeur du pain encore, mais celle de la pâte, douce, suave, dans laquelle il y avait une promesse de bonheur rare.

Mathieu et François sortirent avec lui pour l'aider à allumer le four qui se trouvait derrière la grange : une bâtisse en demi-cercle couverte de lauzes, où l'on accédait au foyer par une porte basse, à peine à hauteur d'homme. Là, étaient entreposés des genêts et des fagots de châtaigniers bien secs. Le père alluma le feu avec les genêts, puis il introduisit les fagots avec précaution, veillant à les répartir de manière à chauffer la sole aussi bien que la voûte du four. Quand ce fut fait, il envoya ses enfants chercher les tourtes levées à point, les glissa dans le four avec sa longue pelle, puis il signa la fournée de sa main droite, et resta là à surveiller le feu. Lui seul savait à quel moment elles seraient cuites, ces tourtes qui devaient durer quinze jours, et qui, à la fin, deviendraient aussi dures que du bois, ou presque, mais que l'on mangerait jusqu'à la dernière miette.

Moins d'une heure plus tard, il appela sa femme et ses enfants pour l'aider à transporter les tourtes brunes dans la maison, et ils les placèrent dans une sorte de râtelier suspendu au mur. Une délicieuse odeur emplit alors la cuisine. Au-dehors, la nuit était tombée. François avait l'impression d'être seul au monde avec les siens, dans cette maison basse perdue dans la neige, tandis que soufflait le vent de la montagne. Le père et la mère souriaient. On était à l'abri, autour d'un grand feu, et on avait du pain. Que demander de plus ? N'était-ce pas là le seul bonheur auquel on aspirait ?

D'ordinaire silencieux, le père se mit à parler : de sa jeunesse, là-bas, en Auvergne, de grandes foires, de fêtes joyeuses, de belles moissons. Ensuite, il ouvrit une bouteille de cidre, l'une de celles qu'il gardait soigneusement à la cave pour les jours où l'on avait des invités et il voulut de toute force entamer une tourte de pain chaud.

– Allons ! ce n'est pas raisonnable, dit la mère, il en reste du vieux.

Mais il ne voulut pas l'écouter. C'était délicieux, ce pain dans la sauce du civet qui restait de midi, et François comme Mathieu ne parvenaient pas à s'en rassasier. Ils burent eux aussi un verre de cidre, et tout, soudain, dans la grande cuisine, leur parut plus beau, plus chaud, plus lumineux.

C'était la mère qui parlait maintenant, en reprisant des frusques. Elle racontait l'histoire d'une bête mystérieuse qui, dans une contrée d'Auvergne, s'était attaquée à des brebis mais aussi à des enfants, faisant régner la terreur pendant des années. Le père, lui, taillait des branchettes pointues pour en faire des dents de râteau.

– Et si tu chantais ? dit-il à la mère. C'est le premier jour de l'an aujourd'hui.

Elle sembla interroger ses enfants du regard, puis la voix que François aimait tant s'éleva, fragile et haute, comme si elle allait casser :

> *Quand ils furent entrés*
> *Dedans cette étable*
> *Marie enfanta*
> *Jésus tout aimable...*

Mais elle ne se brisa pas, cette voix tant aimée, au contraire : elle continua de chanter une bonne partie de la soirée, tantôt triste, le plus souvent gaie, jusqu'à ce qu'arrive l'heure d'aller dormir. L'odeur du pain était encore présente, jusque dans les lits au fond desquels la pâte avait levé. François, ce soir-là, s'endormit en rêvant que la terre entière sentait aussi bon qu'une tourte bien cuite, qu'il n'avait rien à en redouter, que ce premier jour du siècle avait chassé le malheur loin du Pradel, et pour toujours.

Dans la semaine qui suivit, ce fut Mathieu qui le fit repenser aux mendiants du 1er janvier. Ils en parlèrent sur le chemin de l'école, leurs sabots protégés par de vieux chiffons pour ne pas glisser, portant chacun une bûche destinée au poêle de la classe.

– Et si le père mourait ? disait Mathieu. Que se passerait-il ?

– Il est fort, répondait François.

– Je ne crois pas que M. Delassale nous chasserait.

D'ailleurs nous serons capables avant longtemps de travailler comme le père.

– Pour sûr, disait François.

La route descendait vers Saint-Julien, le village où se trouvait l'école, à trois kilomètres de la ferme du Pradel, où vivait la famille Barthélémy. Elle traversait un bois, puis un autre, remontait un peu le long de quelques prés où, à partir du printemps, paissaient des moutons, puis elle basculait en haut d'une côte, longeait une forêt de sapins, tournait à gauche vers Saint-Julien, un village d'une vingtaine de feux qui dormait au fond d'un vallon.

Chaque fois qu'ils traversaient les bois, François s'amusait à faire peur à Mathieu en lui parlant des loups, qui, l'hiver, auparavant, étaient nombreux dans ce haut pays.

– Il y a belle lurette qu'il n'y en a plus, de loups ! répondait Mathieu.

– Le père en a vus, lui.

– Oui, mais il y a longtemps.

– Et pourquoi ils ne reviendraient pas ?

– Il n'y en a plus, c'est tout, répliquait Mathieu en haussant les épaules. Mais il hâtait le pas, jetant à droite et à gauche des regards inquiets.

A cause de la neige, il leur fallait plus d'une heure pour gagner l'école. Aussi partaient-ils et rentraient-ils munis d'une lanterne, l'hiver, tandis qu'aux beaux jours, alors qu'ils auraient pu s'en passer, ils n'allaient plus à l'école. Le père avait besoin d'eux. François le regrettait car il aimait l'école : en deux ans, il avait appris à lire, à écrire et à compter. Mais ce qu'il aimait par-dessus tout, c'étaient les livres que le maître lui confiait chaque début d'année, surtout ceux de lecture et d'histoire, dont il lisait quelques pages, le soir, à la veillée, ébloui de pouvoir quitter son monde et aborder à d'autres, tellement différents, tellement mystérieux...

Quand ils arrivèrent, ce matin-là, le maître les attendait, malgré le froid, sur les marches d'accès à la cour, pour leur souhaiter une bonne année. C'était un vieil homme aux yeux très clairs, à la moustache jaune paille, coiffé d'un béret, qui portait des lunettes rondes et une longue blouse grise. Les deux garçons remercièrent et se hâtèrent de rentrer pour se réchauffer autour du poêle. Il y avait là une trentaine d'élèves, filles et garçons mélangés. Quand tous furent arrivés, le maître, une nouvelle fois, leur parla du siècle qui venait de naître, et François ne put s'empêcher de lui faire part de sa déception : il n'avait aperçu aucun changement dans sa vie ni dans le monde qui l'entourait. Le vieux maître sourit et répondit :

— Vous êtes jeunes, tous, et vous verrez des choses que moi je ne verrai jamais.

Les yeux illuminés, il ajouta :

— Vous irez sans doute travailler dans des villes plus grandes que toutes les forêts de chez nous. Vous monterez dans des voitures automobiles qui ne sont pas tirées par des chevaux mais qui avancent toutes seules grâce à un moteur. Vous utiliserez même ces aéroplanes qui volent comme des oiseaux et qui vous emporteront de l'autre côté de la Terre.

Comme des oiseaux ? De l'autre côté de la Terre ? Il fallait expliquer, montrer qu'avec la vitesse les aéroplanes devenaient plus légers que l'air, décrire à ces enfants qui n'avaient jamais quitté la montagne ce que serait probablement leur vie. Ils avaient bien du mal à l'imaginer et pourtant ils croyaient sur parole ce vieux maître qui possédait le savoir auquel ils aspiraient.

Plus tard, ceux qui savaient lire apprirent une poésie de Théophile Gautier :

> *Pas une feuille qui bouge*
> *Pas un seul oiseau chantant*
> *Au bord de l'horizon rouge*
> *Un éclair intermittent...*

François aimait la poésie. Elle lui ouvrait des horizons dont il n'avait jamais soupçonné l'existence, et il se sentait emporté vers une beauté à la fois redoutable et sacrée. Il lui arrivait même de se réciter des vers, le soir, dans son lit, avant de s'endormir.

Pendant la récréation, les filles restaient prudemment le long des murs, à jouer à la princesse et au chevalier, tandis que les garçons, grands et petits, s'affrontaient en violentes cavalcades, sous l'œil indulgent du maître. A midi, l'on mangeait près du poêle le fricot contenu dans les gamelles que l'on avait apportées dans des paniers, puis c'était de nouveau les jeux et les affrontements dans la cour, jusqu'au signal du maître qui actionnait la cloche au moyen d'une chaînette, devant la porte d'entrée.

François aimait le moment où le vieil homme s'asseyait sur la première table de l'allée et racontait l'Histoire de la France. Il savait si bien expliquer que même les plus petits levaient la tête pour l'écou-

36

ter, renonçant à leurs dessins. Et puis venait l'heure des problèmes à résoudre, des leçons de choses passionnantes, des découvertes sans cesse renouvelées, et déjà il fallait repartir dans la neige et le froid.

En cette saison, il faisait nuit. François tenait la lanterne, s'amusait de nouveau à faire peur à Mathieu en lui affirmant que la Bère les attendait dans les bois. Mais Mathieu n'avait pas peur. Jamais. Il se saisissait d'un bâton et criait, brandissant son arme :

– Moi aussi je l'attends ! Qu'elle y vienne ! Qu'elle y vienne et elle comprendra qui je suis !

Alors ils couraient et François ne pensait plus qu'à la porte qu'ils pousseraient bientôt et au sourire de la mère qui dirait :

– Venez vite vous réchauffer. Et goûtez donc ces crêpes que je vous ai préparées. J'y ai fait couler un rayon de miel.

Le printemps était loin. La neige étouffait les bruits, adoucissait le silence, et François se disait que toute sa vie était là, que ces heures lentes et précieuses dureraient toujours.

2

LE printemps revint, cependant, allongeant les journées, illuminant les chemins, les bois, les prés redevenus verts, les sommets dorés par le soleil de mai. Le vent du haut pays avait perdu ses griffes acérées de l'hiver, laissant place à des souffles tièdes où dominait le parfum de l'herbe neuve, des fleurs sauvages sur les talus, des étables enfin ouvertes. Mathieu et François ne se pressaient pas au retour de l'école et profitaient autant qu'ils le pouvaient des attraits de la belle saison.

Pas un arbre, ou presque, qui n'eût son nid. Les deux frères y grimpaient comme des écureuils, dénombrant les œufs qui allaient éclore. Dès que les petits étaient nés, ils les surveillaient, puis, quelques jours avant leur envol, ils attachaient leurs pattes aux branches d'en bas, à travers les brindilles. Les parents continuaient à nourrir les petits qui ne pouvaient pas s'envoler. Une fois qu'ils étaient bien gros, dodus à point, François et Mathieu les ravissaient cruellement à leurs géniteurs et les emportaient. C'étaient des geais, des grives, des merles que l'on mangeait à la broche, bardés de lard, dont le jus coulait dans une oule à châtaignes.

– N'est-ce pas délicieux ? disait la mère, en suçant ses doigts.

Et pourtant elle les plaignait, hésitait longtemps avant de les plumer, ces pauvres petites bêtes, si bien que le père devait s'en charger.

Mathieu et François ne traquaient pas que les oiseaux. Ils tentaient de surprendre les lièvres au gîte, les lapins dans leur terrier, les biches dans leur refuge, mais c'était beaucoup plus difficile. Ainsi, plus les jours devenaient longs et plus ils rentraient tard.

– Où étiez-vous passés ? demandait la mère. Regardez-les donc ! Ne dirait-on pas deux vagabonds ?

Ils revenaient sales, hirsutes, avec, parfois, quelques menus trésors glanés en cours de route : des champignons de printemps, de l'oseille sauvage, des pissenlits. D'autres fois ils ne ramenaient rien, n'ayant pas quitté la route où les rencontres n'étaient pas rares en cette saison. Il y avait les montagnards, certes, qui descendaient de plus en plus nombreux vers la vallée, portant des fruits ou des légumes, mais aussi des ramoneurs, des colporteurs en mercerie ou en tissus, des chemineaux de toutes sortes, avec qui les deux frères liaient conversation, se faisaient raconter les plaines d'en bas, ce qu'on y trouvait, comment on y vivait.

Ils attendaient plus particulièrement l'un d'entre eux qui passait toujours par là vers la fin du mois de mai : c'était « le planteur de caïffa », qui vendait des épices et du café, et qui les laissait conduire à tour de rôle sa voiturette à trois roues, dont les deux frères gardaient le souvenir ébloui pendant de longs jours. Après son passage, chaque année, ils tentaient de construire une voiturette aux roues en bois, mais ils n'y parvenaient pas, car il n'était pas question de toucher aux outils du père, et surtout pas à ses pointes, à ses clous, tout ce qu'il comptait précautionneusement pour éviter des dépenses.

En outre, avec les beaux jours revenus, il n'était pas question non plus de manquer le catéchisme du dimanche matin, comme cela arrivait souvent en hiver. En effet, si le père ne fréquentait pas l'église, la mère était très pieuse et priait souvent, durant la journée, ou le soir, à la veillée. François voyait ses lèvres remuer, et dans son regard passer une ferveur qui l'intriguait beaucoup. Car lui-même comprenait mal ce qu'enseignait le curé à l'église, avant la messe, tous ces mystères auxquels il fallait croire pour ne pas être frappé par la foudre divine. Le curé était un homme grand, froid, sévère, qui prêchait du haut de son perchoir, à Saint-Julien, avec une extrême véhémence, menaçant les pécheurs des feux de l'enfer. François regardait sa mère assise près de lui, s'interrogeait. Comment eût-elle pu être tentée par le démon ou brûler en enfer, cette femme qui n'était que bonté, douceur et affection ? Il en tirait la conclusion que les discours du curé ne concernaient pas sa famille, et il se refusait de tout son être aux menaces de l'homme en noir qui lui semblaient insultantes.

Mathieu aussi était hostile au curé, et ne le cachait pas.

– Je n'aime pas cet homme, répétait-il à sa mère, je ne veux pas l'écouter.

– Allons ! répondait-elle, c'est l'homme du bon Dieu.

– Non, disait Mathieu, ce n'est pas vrai.

– Et pourquoi ?

– Parce que ce curé est méchant.

– Allons ! Allons ! disait la mère, ce n'est pas raisonnable de parler comme cela.

Mathieu, cependant, ne se privait pas de vider les burettes de vin blanc chaque fois qu'il en avait l'occasion. Si bien qu'un jour il fut pris sur le fait et n'eut pas le temps de trouver un salut dans la fuite. Enfermé dans la sacristie, penaud de s'être fait prendre, il resta une heure à genoux sur les dalles froides, face au curé qui le délivra enfin en disant :

– Tu diras à ta mère que je veux la voir dimanche après la messe.

Les deux frères rentrèrent très inquiets, ce jour-là, et redoutèrent la réaction de la mère, mais elle ne parut pas étonnée que le curé veuille lui parler. Le dimanche venu, il fallut attendre dans le chœur qu'il eût reçu tous ceux qui désiraient s'entretenir avec lui après l'office. Il était midi passé quand il fit signe à la mère d'entrer dans la sacristie. Elle fit alors un pas, seule, dans sa direction, mais le curé l'arrêta en disant :

– Avec vos enfants, s'il vous plaît.

La mère se tourna vers ses garçons et donna la main à Lucie. Une fois dans la sacristie, le curé

41

demeura un moment à les considérer tous les quatre d'un regard sévère, puis il raconta à la mère ce qui s'était passé et dit d'une voix outragée :

– J'ai été très déçu, madame, de la manière dont vous élevez vos enfants.

François jeta un regard vers sa mère qui, devenue très pâle, baissait la tête avec humilité.

– Comment se comportera plus tard un enfant qui agit si malignement aujourd'hui ? Pouvez-vous me le dire ?

La mère releva la tête et dit d'une faible voix :

– Nous le punirons comme il se doit, monsieur le curé.

– C'est un enfant mauvais, qui a le vice dans le sang.

– Oh, je ne crois pas, fit la mère.

– Est-ce que par hasard vous lui donneriez raison ?

– Non, monsieur le curé, il n'aurait jamais dû agir ainsi, et il sera puni.

– Vous me direz comment, s'il vous plaît.

– Oui, bien sûr, fit la mère. Dès dimanche prochain.

– De mon côté je le punis en le privant de caté-chisme. Il n'a plus le droit de venir ici, et je ferai savoir pourquoi aux fidèles de notre paroisse.

– Oh non, gémit la mère. Ce n'est qu'un enfant.

François la sentait trembler contre lui. Il n'en pouvait plus de la voir ainsi humiliée, ne sachant comment se défendre.

– Moi non plus, je ne viendrai pas, dit-il.

– Dans ce cas, madame, fit le curé, excédé, ce

n'est pas la peine d'envoyer votre fille. Gardez donc vos enfants chez vous, dans le vice et dans le péché.

La mère chancela, comme si elle avait été frappée.

– Il n'y a pas de vice, chez nous, dit-elle doucement.

– Le démon n'entre jamais chez les enfants par hasard, fit le curé, inflexible.

La mère ne bougeait pas : elle tremblait toujours. François la prit par la main :

– Viens, dit-il, viens !

On voyait qu'elle cherchait à comprendre, ou peut-être à s'expliquer, mais elle ne le pouvait pas, tant elle était mortifiée.

François la tira vers la porte qui se referma violemment derrière eux, comme s'ils étaient chassés du paradis. Ils sortirent de l'église dans le grand soleil éblouissant du mois de mai. Lucie pleurait. Mathieu ne disait rien. François marchait devant, faisant presser sa mère qui gardait un air éperdu, comme si la faute de son fils l'avait salie à tout jamais.

Le retour au Pradel fut silencieux. Le père, qui attendait depuis longtemps, était en colère. La mère lui expliqua en quelques mots ce qui s'était passé. Il s'approcha de Mathieu et demanda, la main levée :

– Pourquoi as-tu fait ça ?

– Parce que c'est lui qui est mauvais, répondit Mathieu en se protégeant de son coude droit. Il nous fait rester à genoux plus d'une heure.

Le père se tourna vers François, demanda :

– C'est vrai ?

43

– Oui, pour ceux qui apprennent mal.

– Ça, par exemple !

La main du père retomba sans frapper.

– Tu lui feras porter une bouteille de vin blanc, dit-il à la mère. J'en ramènerai une à la première occasion. Je ne veux rien devoir à cet homme.

Et, se tournant de nouveau vers Mathieu :

– Quant à toi, petit, si tu recommenccs à t'en prendre à ce qui appartient aux autres, je te dresserai avec mon bâton. Tu m'as bien compris ?

Ce fut tout. Mathieu hocha la tête et se réfugia à l'autre bout de la cuisine, puis la mère mit la table. En constatant qu'elle ne tremblait plus, François prit enfin conscience d'avoir faim, très faim même. Mais il sut qu'il n'oublierait jamais le tremblement du bras si doux, dont la vibration avait pénétré en lui jusqu'au cœur.

Juin était là, déjà, avec ses matins clairs, ses longs jours pleins de lumière, ses soirées interminables sous les étoiles. Il fallut quitter l'école avant l'heure pour aider aux foins. François regrettait fort de ne pouvoir étudier jusqu'à la fin de l'année scolaire : il lui semblait qu'il allait perdre irrémédiablement quelque chose de très précieux et il ne s'en consolait pas. Mathieu, au contraire, était ravi, même si la perspective de travailler près de son père – qui l'avait à l'œil depuis l'affaire du catéchisme – ne l'enthousiasmait guère. Tous deux savaient qu'après les foins il faudrait semer le blé noir, puis viendraient les moissons, le regain, les pommes de terre et les châtaignes. C'étaient donc cinq mois de travail qui les attendaient, sous l'autorité du père. Si bien qu'en octobre, pour François et pour Mathieu, l'école sonnerait comme une délivrance.

Les foins, cette année-là, n'étaient pas très beaux car il avait trop plu en avril et en mai. Après les avoir coupés, il fallut les retourner et les laisser sécher trois jours au soleil avant de les rentrer. Vint la Saint-Jean, à laquelle ne cessaient de penser les deux frères, car ce jour-là le père s'en allait et ils échappaient enfin à son autorité. Il devait en effet se rendre à Bort payer le loyer de la ferme et ne rentrait qu'à la nuit. Il en profita, ce matin-là, pour emporter avec lui deux agneaux qu'il comptait vendre au marchand avec qui il avait l'habitude de traiter, car il n'avait pas assez d'argent pour payer le terme.

Pendant ce temps, Mathieu et François se rendirent à Saint-Julien pour rapporter les livres d'école, entre midi et deux heures. Le maître les remercia et leur dit qu'il passerait voir leurs parents en juillet, ce qui intrigua François et inquiéta beaucoup Mathieu. Que voulait-il ? N'allait-il pas, comme le curé, faire des reproches ou les accuser d'une faute qu'ils ignoraient ?

– Non, rassura François, si c'était grave, il nous l'aurait dit.

– Tu crois ? fit Mathieu, perplexe.

– Mais oui, j'en suis sûr.

L'après-midi, la mère ayant à faire, ils durent emmener Lucie avec eux dans la pâture où ils gardaient les moutons, en bordure des bois où ils comptaient poser des pièges. Ils n'aimaient pas du tout se charger de Lucie, car elle ne cachait rien à la mère, et ils devaient se méfier d'elle. Aussi cette journée ne fut-elle pas aussi belle qu'ils l'avaient espéré, bien qu'ils n'eussent pas à travailler dans les champs. Ils rentrèrent tôt pour s'occuper de l'eau et des bêtes, de manière à ce que le père n'eût pas à s'en soucier à son retour.

C'était un crépuscule d'une grande beauté, avec un ciel de dragée et de fins nuages couleur de lait. On eût dit, ce soir-là, que la nuit ne tomberait jamais. La mère, pourtant, s'inquiétait, connaissant les relations tendues entre son mari et le propriétaire. Elle espérait surtout que le père avait bien vendu les agneaux, sinon il n'aurait pas pu payer le terme, et il faudrait trouver l'argent avant huit jours – c'était le délai qu'avait déjà consenti une fois M. Delassale, non sans menacer de déchirer le bail. Mais que pouvait-il arriver de mauvais, en ce soir si beau, si parfumé, où l'air, maintenant, s'adoucissait délicieusement ? François le dit à la mère qui répondit :

– Puisses-tu avoir raison, mon petit.

Le père arriva enfin juste avant la nuit, dans le soir plein d'échos profonds, de murmures de feuilles, de souffles tièdes. Il souriait. La mère le considéra avec surprise, se demandant comment il se faisait qu'il fût de si belle humeur.

– Tu as bien vendu ? demanda-t-elle en s'approchant.

Il gardait les mains cachées dans son dos, mais on devinait qu'il portait quelque chose.

– Assez bien, ma foi.

Et tout à coup il fit apparaître un carton gris de forme rectangulaire, qu'il donna à la mère en disant :

– Tiens ! C'est pour toi.

Elle fut si surprise qu'elle n'osa prendre le paquet et se contenta d'essuyer ses mains à son tablier.

– Qu'est-ce que c'est ?

– Tu le sauras si tu ouvres.

Elle se saisit enfin du carton, demanda :

– Tu n'as pas fait de folie, au moins ?

Il ne répondit pas. Il souriait toujours, et François se demanda pourquoi il ne souriait pas chaque jour de la sorte.

– Allons ! fit-il, qu'attends-tu ?

Elle s'essuya les mains une dernière fois, dénoua le cordon vert qui entourait le carton, ouvrit doucement, comme si elle avait peur.

– Mon Dieu ! fit-elle, une robe.

Elle paraissait paralysée, n'osait la toucher.

– Eh bien prends-la ! fit le père, elle ne va pas te brûler.

La mère hésita encore une seconde, puis elle prit la robe du bout des doigts, et la leva à hauteur de son visage. C'était une robe d'été de couleur bleue à fleurs blanches, très simple mais très belle, avec un petit col de dentelle. La mère, de stupeur, en avait perdu la voix. Les enfants aussi, qui la regardaient bouche bée.

– Et si tu allais l'essayer, dit le père, on verrait si elle te va ou s'il faut la reprendre.

– Oh ! Non ! Pas ce soir, dit-elle.

– Si ! Si ! dirent les enfants. Ce soir ! Maintenant !

Elle ne bougeait pas, tournait et retournait la robe entre ses mains.

– Allons ! dit-il, tu vas leur faire plaisir.

Elle sourit enfin, soupira :

– Eh bien ! Puisqu'il le faut !

Elle passa dans la chambre, hésitant une dernière fois avant de pousser la porte.

– Vite ! dit François.

Tout le temps qu'elle resta dans la chambre, le père feignit de s'intéresser à la table qui était mise, et qui n'avait nul besoin de lui. Puis la porte s'ouvrit doucement et la mère entra, dans la belle robe bleue dont François remarqua qu'elle laissait un peu les chevilles découvertes. Un grand silence l'accueillit. Elle semblait confuse, baissait la tête, comme une jeune fille.

– Hein, les enfants, qu'en pensez-vous ? fit le père. Est-elle belle, tout de même !

La mère regarda ses enfants un à un, puis son mari, avec un air un peu douloureux, comme si elle était coupable de frivolité.

– Tu n'aurais pas dû, fit-elle, ce n'était pas nécessaire.

– Mais si, dit-il. Je voulais l'acheter depuis longtemps.

Elle s'approcha, se blottit un instant très bref contre son mari qui entoura ses épaules du bras, la serra contre lui. Ils se séparèrent très vite, mais François eut le temps d'apercevoir dans les yeux de son père, qui lui faisait face, une lueur chaude comme un soleil.

Ensuite, tout le temps que dura le repas, une fois

que la mère eut remis sa robe de tous les jours, le père raconta comment s'était passée sa journée : la belle vente des agneaux, l'achat de la robe dans la boutique devant laquelle il était passé plusieurs fois en se disant qu'elle irait si bien à « quelqu'un de sa connaissance ». Même le propriétaire avait été aimable, ce jour-là. Le père parlait, parlait, et la mère le regardait de tous ses yeux, songeant sans doute à l'argent qu'il avait dépensé et qui allait leur manquer dans le mois à venir. Elle souriait pourtant, et François se disait qu'elle était belle mais qu'il ne s'était jamais rendu compte à quel point. Il se demanda si le père, qui parlait toujours, n'avait pas un peu bu, à Bort, avant de remonter vers le Pradel. Mais qu'importait cela ? La nuit de juin se refermait doucement sur la maison du bonheur inoubliable. Il y avait maintenant dans l'armoire, soigneusement suspendue, une robe qui ferait souvenir à François, chaque fois qu'il la verrait, de ce soir de juin où l'on avait été si heureux.

Dès le lendemain, cependant, il fallut reprendre le travail, en l'occurrence préparer la terre pour semer le blé noir. Cela leur demanda une semaine, car le père veillait à ce que ne fût pas perdue la moindre surface de terre en bordure du bois. Il en prit d'autant plus soin que le seigle n'était pas beau, à cause des pluies du printemps : les épis étaient charbonneux et les grains très petits. Ils avaient versé, même, par endroits, sous l'effet des bourrasques d'avril. Pourtant, avec les beaux jours, ce soleil qui durait, ces longues journées pleines de lumière, peut-être pouvait-on espérer un meilleur mûrissement. C'est à cet espoir que s'accrochait le père, chaque fois qu'il rentrait à midi et le soir, pour s'asseoir à table.

Un jour de juillet, vers une heure de l'après-midi, alors qu'on achevait de manger, le maître d'école, comme il l'avait annoncé aux enfants, apparut devant la porte restée ouverte. Il était en costume et non plus en blouse, portait un chapeau de ville à la place de son béret habituel, ce qui le rendit à Mathieu encore plus redoutable.

– Entrez, entrez ! dit le père, surpris.

– Vous n'avez pas fini, je vois, dit le maître après avoir serré la main des parents. Vous voudrez bien m'excuser, j'espère, d'arriver à une heure pareille, mais c'est parce que je sais que vous avez du travail en cette saison et je ne voudrais pas vous faire perdre du temps dans votre après-midi.

Ce qu'il ne disait pas, c'était qu'il avait pris soin de ne pas arriver avant midi, pour ne pas se faire inviter à une table où l'on mangeait déjà à cinq.

– Vous boirez bien un peu de café avec nous, proposa la mère.

– Si vous voulez, ce sera avec plaisir.

François et Mathieu étaient tout étonnés de le voir là, chez eux, alors qu'ils ne l'avaient jamais vu que dans son domaine, et il leur paraissait quelque peu étranger, avec sa chaîne de montre barrant sa poitrine, son costume trois-pièces, le gilet d'un gris très clair sous la veste beige. François se demandait ce qu'il venait faire là, au Pradel, ce maître vénéré,

50

dont le regard se posait tour à tour sur chaque membre de la famille avec bienveillance. Il dut attendre longtemps, car le maître, comme il se devait, parla d'abord du temps, de l'état des cultures, de la santé des uns et des autres avant d'en venir à ce qui motivait sa visite.

– Je voulais vous parler de votre fils François, dit-il d'une voix calme, s'adressant au père Barthélémy.

François se sentit rougir, baissa la tête.

– Faut-il qu'il reste ou qu'il s'en aille ? demanda le père.

– C'est comme vous voulez, répondit le maître. De toute façon, vous pourrez toujours lui faire part de notre conversation si vous le jugez utile.

Le père hocha la tête et dit :

– Vous pouvez aller, les enfants.

Ils sortirent. Mathieu le premier, car il redoutait de devenir à son tour le sujet de la conversation. Quand les enfants eurent disparu, la mère versa le café, puis le vieux maître reprit :

– C'est une démarche assez délicate, mais je me devais de la faire, même si je sais qu'elle a peu de chance d'aboutir. Voilà : il faudrait que François fasse des études, plus tard. Je suis sûr qu'il en a les capacités.

Le maître soupira, poursuivit :

– Comment vous dire ? Cet enfant a une intelligence remarquable, et ce serait dommage qu'il...

– Qu'il devienne paysan, comme nous ? demanda le père.

– Non, fit le maître, très vite, ce n'est pas ce que je voulais dire. Je suis sûr qu'il serait très heureux, d'ailleurs, d'exercer le métier de son père et de sa mère, mais il me semble qu'il a l'intelligence nécessaire pour étudier et pour vivre mieux ensuite. Vous me comprenez, n'est-ce pas ?

– Très bien, fit le père d'une voix froide.

Il réfléchit un instant, puis ajouta :

– Vous pensez bien, monsieur l'instituteur, que c'est ce que nous souhaitons, mais vous savez aussi comment la vie est dure pour nous qui n'avons même pas l'assurance de manger l'an qui vient. Pas un sou devant nous, mais du travail et de la peine. Des châtaignes, du pain, et c'est déjà beaucoup.

– Justement, murmura l'instituteur.

– En effet, justement. Si je vous disais oui aujourd'hui, je ne serais pas sûr de pouvoir tenir parole. Et cet enfant, si je lui faisais une telle promesse et que je ne puisse pas la tenir, ça me tuerait, monsieur l'instituteur. Vous pouvez comprendre ça, j'en suis sûr.

– Je comprends très bien. Mais ce n'est pas une promesse ou une parole que je suis venu chercher. Je suis simplement venu vous dire que votre fils aîné – je ne parle pas de Mathieu, qui, lui, restera à la terre, je crois –, que François, donc, peut réussir dans les études. Le reste, évidemment, ne m'appartient pas.

Il se tourna vers la mère qui écoutait, un pâle sourire sur les lèvres.

– Nous en avons parlé, de tout ça, monsieur l'instituteur, dit-elle. Et croyez bien que nous y pensons tous les jours, mais on ne sait même pas de quoi

sera fait demain. Alors, s'il vous plaît, ne dites rien
à François.

– Je ne lui aurais rien dit sans vous voir avant, vous
le pensez bien.

– Nous vous en remercions, dit le père. Nous
ferons tout ce que nous pourrons.

– Bien, dit le maître, et il répéta : Bien, bien, d'un
air gêné, puis il soupira et ajouta : En tout cas, il
m'a semblé que c'était mon devoir.

– Merci, monsieur Boisserie, dit la mère, c'est très
aimable à vous, et nous sommes très touchés que
vous vous soyez déplacé jusqu'ici.

Le maître hocha la tête et parut soudain pressé
de repartir. Il refusa l'eau-de-vie offerte par ses
hôtes, prétextant des maux d'estomac. Dehors, il
salua rapidement les enfants, et François remarqua
qu'il n'était vraiment pas le même qu'à l'école.
« Que s'est-il passé ? » se demanda-t-il jusqu'au soir,
sans trouver la moindre réponse. Pendant les jours
qui suivirent, il constata que le père avait perdu son
sourire de la Saint-Jean. François questionna sa
mère, mais il ne put rien savoir de ce qui s'était dit,
ce jour-là, au Pradel, et il en garda l'impression
d'une menace indéfinissable.

Autant le printemps avait été pluvieux, autant le
plein été était ensoleillé, avec des aubes rougeoyan-
tes, des matins clairs, des après-midi d'un bleu de
gentiane, des soirées pleines d'échos profonds. Pour
Notre-Dame d'août, on avait moissonné et battu le
seigle. C'était maintenant la fin des grands travaux

de la saison chaude, et l'on pouvait prendre un peu de repos. La mère se rendit à l'église avec ses trois enfants, mais ne s'y attarda pas. Ce fut pourtant une belle messe, où elle pria pour que le curé accepte ses enfants au catéchisme à l'automne suivant. Elle n'évoquait pas ce sujet, qui la préoccupait, devant le père. Elle craignait qu'il ne se mette en colère et ne lui interdise de les y envoyer, bien qu'elle eût fait remettre au curé une bouteille de vin blanc, pour effacer la faute de Mathieu. Mais il n'était pas temps, encore, de s'en inquiéter vraiment.

Cette semaine de trêve s'achevait toujours par la fête de Saint-Julien, le dimanche qui suivait le 15 août. D'ordinaire, les Barthélémy ne s'y rendaient pas, mais le père avait décidé que l'on irait cette année, pour faire plaisir aux enfants qui avaient bien travaillé.

– Et tu mettras ta robe, avait-il ajouté pour la mère, qui avait souri.

François aussi avait compris : le père voulait que l'on pût admirer sa femme et comprendre qu'ils avaient de quoi acheter des beaux vêtements. Ils prirent leur repas plus tôt, ce dimanche-là, le premier jour où le beau temps montrait quelque faiblesse : il faisait soleil encore, mais on sentait dans l'air des odeurs de feuilles mortes que le vent, bientôt, ferait tournoyer dans une explosion de couleurs.

Ils partirent pour Saint-Julien dès que la mère eut fait la vaisselle. Mathieu et Lucie couraient devant, sur le chemin, mais François, lui, marchait derrière, feignant de chercher des champignons dans les bordures. En fait, c'était pour mieux observer son père

et sa mère. Elle lui donnait le bras, et sa robe semblait attirer toute la lumière du ciel, chaque fois
qu'ils sortaient des sous-bois, jetant des reflets qui
paraissaient irréels. François, soudain, s'arrêta,
brûlé jusqu'aux os par l'idée que cet instant, cette
vision, ne se reproduiraient plus. Il eût fallu, cependant, pour que la vie fût belle à tout jamais, que ne
disparût jamais cet instant magique où sa mère, dans
cette robe superbe, donnait le bras à son père et
riait avec lui, au milieu de leurs enfants, ce dimanche d'août, à deux heures de l'après-midi, sur le
chemin de Saint-Julien. Mais non, ils s'éloignaient
des sous-bois, déjà, et rejoignaient la route, plus bas,
sans s'arrêter, sans entrer dans une éternité qui les
eût protégés, empêchés de vieillir, d'altérer les couleurs de la robe comme celles des feuilles, qui tom-
beraient bientôt.

Tout cela n'était pas clairement exprimé dans la
tête de François, mais plutôt ressenti comme une
blessure d'une extrême gravité. Il repoussa un
spasme de douleur et se mit à courir, rattrapa ses
parents, leur sourit, puis il rejoignit Mathieu et
Lucie en s'efforçant d'oublier cette souffrance inex-
plicable qui s'était insinuée en lui en ces instants de
bonheur. Et tout le temps que dura le trajet jusqu'au
village, il s'efforça de ne pas se retourner, poursui-
vant tour à tour Mathieu ou Lucie, pénétrant dans
les bois où pointaient les cèpes de la première
pousse, celle de la gloire de l'été, à laquelle succé-
derait bientôt la véritable pousse, celle d'octobre et
de ses brumes fraîches.

A Saint-Julien, il y avait déjà du monde sur la

place, entre les jeux de boules, le mât de cocagne et l'estrade où les violoneux feraient danser à partir de trois heures. En attendant, François et Mathieu participèrent à une course en sac, que gagna le cadet, doué pour tous les exercices physiques. Le maire lui remit des nougats qu'il partagea avec François et Lucie. Mathieu tenta aussi de décrocher la bouteille de vin qui était suspendue au sommet du mât, mais il glissa et dut se laisser redescendre, les mains en feu, la honte au front, car il ne supportait pas l'échec. Il disparut aussitôt dans la fête qui battait son plein, tandis que les parents se mettaient à discuter avec des gens de leur connaissance.

François s'approcha de l'estrade où trois violoneux en costume de velours et foulard rouge accordaient leurs instruments. Il les examina un long moment, les envia. Il aurait bien voulu, lui, apprendre la musique et faire danser les gens. Mais peut-être convenait-il de commencer par les observer, tâcher de comprendre comment ils s'y prenaient. Il s'y efforça dès que les trois hommes se mirent à jouer, puis son regard se porta vers les danseurs parmi lesquels il reconnut ses parents. Son père était presque méconnaissable dans son costume de droguet. La robe de sa mère volait autour de ses chevilles, et François regretta que la poussière de la place vienne se poser sur elle. Mais comme elle était belle, et comme elle dansait bien ! Elle passa près de lui sans le voir, car elle fermait les yeux. Dans son visage étaient inscrits toute la douceur du monde, et le bonheur aussi, mais un bonheur fragile, celui dont on se hâte, inconsciemment, de profiter.

François sentit monter en lui la même sensation que sur le chemin, mais elle ne dura pas. Ici, maintenant, c'était du soleil, du soleil et encore du soleil. Il emmena Lucie se promener et la surveilla pendant qu'elle jouait avec des fillettes du village. Ensuite Mathieu prit sa place et François revint vers le bal où ses parents dansaient toujours. Quand le soir arriva, épuisés qu'ils étaient les uns et les autres par la chaleur, le père les emmena à l'auberge où il paya une bouteille de cidre. Sur le chemin du retour, à sept heures passées, François regarda un long moment danser devant ses yeux la belle robe aux fleurs blanches, intacte, comme neuve, que la poussière n'était pas parvenue à souiller.

Ils en parlèrent pendant des jours et des jours de cette belle fête du mois d'août, de la musique des violons dans le soleil couchant, du cidre doux bu à l'auberge. Septembre, déjà, raccourcissait les jours et l'air devenait plus profond, plein d'échos sonores, de parfums épais, d'éclats de rouille et de cuivre, de vent plus frais. François et Mathieu avaient aidé à récolter les pommes de terre, à rentrer le regain, à ramasser les premières châtaignes. Que c'était difficile d'écarter les feuilles déchues avec un balai de genêts, de ne pas se piquer les doigts sur les bogues, de dégager le fruit d'un marron brillant et très doux, de demeurer courbé tout un après-midi ! Mathieu ne laissait passer aucune occasion de se distraire, prenait prétexte d'un oiseau aperçu pour quitter la châtaigneraie, et François n'avait pas le cœur de le lui reprocher. Lucie aussi était là, mais elle ne travaillait guère et repartait souvent vers la maison sous prétexte de confier des secrets à sa mère.

Heureusement, l'école approchait. Elle avait d'ailleurs commencé depuis huit jours, mais il n'était pas question d'y aller avant d'avoir mené à bien la récolte des châtaignes. Plus que huit jours, plus que sept, six, cinq, bientôt François s'assoirait de nouveau sur le banc de l'école. Il en rêvait, en parlait à la mère dont le visage se fermait inexplicablement à cette occasion. Alors il n'insistait pas, s'imaginait seulement qu'elle regrettait l'aide que ses garçons apportaient à leur père.

Un soir, elle revint du village et annonça à ses enfants qu'elle avait revu le curé par hasard sur la place et qu'il les attendait le dimanche matin au catéchisme. Le père lui jeta un regard suspicieux, mais ne dit rien. Pourtant, après le repas, alors que Lucie et Mathieu dormaient, François entendit des éclats de voix, de l'autre côté de la cloison. Il se leva sans bruit, écouta. C'était le père qui parlait.

– Tu n'avais pas à aller le voir, disait-il. On ne lui demande pas l'aumône.

– Je l'ai fait pour les enfants.

– Ils ont plus besoin de pain que de catéchisme.

– Il ne sera pas dit qu'on les aura élevés hors de la religion. S'il leur arrivait malheur un jour, je ne me le pardonnerais pas.

Le père soupira, comprenant que sur ce sujet il n'aurait pas le dernier mot. Il reprit néanmoins d'une voix égale :

– Je ne savais pas qu'on pouvait acheter l'attention du bon Dieu et de ses représentants.

– Oh ! soupira la mère, le prix d'une messe est bien moins élevé que celui d'une robe.

Il y eut un bruit de chaise qu'on repousse violemment, et François en profita pour regagner son lit, fou de rage. Car il avait compris que la mère avait payé le prix d'une messe pour obtenir le pardon du curé. Et elle avait osé mettre sa robe en balance avec cette indigne capitulation. Il écouta encore un moment, le cœur battant. Un inquiétant silence régnait maintenant dans la cuisine. François, craignant le pire, se releva, regarda à travers le trou de la serrure : sa mère était assise à côté de son père, la tête posée sur son épaule et il lui caressait les cheveux. François crut entendre les mots qu'elle murmurait d'une voix douce : « Cette nuit, si tu veux, je la mettrai rien que pour toi. » Mais il se dit qu'il se trompait, et revint prestement se coucher, définitivement rassuré.

Deux jours plus tard, il y eut un soir un orage terrible qui éclata subitement, alors que l'on avait à peine entendu tonner. Le père n'était pas encore rentré de la châtaigneraie qu'il était en train de nettoyer. La mère se leva d'un coup en entendant la pluie crépiter sur le toit et voulut sortir. A l'instant où elle ouvrait la porte, il y eut un grand éclair aussitôt suivi d'un coup de tonnerre assourdissant, qui lui arracha un cri. Elle tourna sur elle-même, faillit tomber, s'appuya au mur, très pâle, si bien que François dut l'aider à s'asseoir. Et là, sur le banc, même assise, elle garda la main sur son cœur, oppressée, les yeux vides, ne cessant de trembler. Elle s'apaisa un peu quand le père poussa la porte, jurant contre les colères du ciel. Il était tout mouillé, malgré le sac posé en capuchon sur sa tête et sur ses épaules. Il dut venir près d'elle pour lui parler et la calmer.

– Ce n'est rien, dit-elle, j'ai eu peur, c'est tout.

Mais ses yeux gardèrent toute la soirée une sorte d'effroi qui étonna beaucoup François et le tint éveillé une partie de la nuit.

Le lendemain, elle parut avoir oublié. Comme si de rien n'était, elle se mit à coudre un sarrau pour Lucie et allongea les ourlets de ceux des garçons. Puis elle commença à tricoter des vestes avec la laine filée l'hiver précédent. Vint enfin le fameux matin du retour à l'école. Elle réveilla ses trois enfants de bonne heure, leur donna leur petit déjeuner, fit ses recommandations aux deux garçons afin qu'ils s'occupent bien de leur sœur dont c'était la première année d'école. Quand ils sortirent sur le seuil pour se mettre en route vers Saint-Julien, Lucie donnant la main à ses deux frères, la mère sortit derrière eux et les regarda s'éloigner. François se retourna, devina son sourire, tandis que, dans un geste machinal, elle essuyait les mains à son tablier. Il se dit que ce sourire avait remplacé définitivement la peur de la veille, et il l'emporta avec lui comme un trésor auquel il pourrait songer tout au long de la journée.

3

LES printemps, les étés firent fondre la neige des hivers et le temps de l'enfance. On était au début de mai, François Barthélémy avait douze ans. Un soir, il eut froid jusque dans son cœur. En lui donnant son pain au retour de l'école, sa mère s'assit face à lui, et il remarqua que la lumière de ses yeux n'était plus la même.

– Ecoute, mon petit, dit-elle, la Saint-Georges est passée. Il y a eu les louées. Ton père t'a trouvé une place à Ferrière, dans une bonne famille, où tu seras très bien.

Le temps de comprendre les mots et François, incrédule, murmura :

– A Ferrière ? Dans une famille ?

Elle hocha la tête, eut un pauvre sourire. François regarda Mathieu qui était assis au bout de la table, comme pour l'appeler au secours. Celui-ci dévisageait la mère avec des yeux ronds, en oubliait de manger.

– Tu comprends, reprit-elle, il le faut.

– Pourquoi ?

– Parce que je vais avoir un autre enfant, bientôt.

Elle ajouta, aussitôt, comme pour se faire pardonner :

– Ce sera mieux pour toi. Tu apprendras chez les autres ce que l'on ne peut plus t'enseigner ici.

La voix de François s'étrangla à l'instant où il murmura :

– Je ne veux pas vous quitter.

– Je sais, mon petit, je sais, mais il le faut.

Il fut sur le point de se rebeller, mais il vit briller les yeux de sa mère, et il y renonça. Il pensa au certificat d'études qu'il n'aurait jamais, il pensa aux contes de sa mère à la veillée, au baiser du soir, à ses folles équipées en compagnie de Mathieu, aux repas tous les cinq autour de cette même table, et quelque chose en lui se noua. Malgré ses efforts, il ne parvenait pas à accepter.

– Et le père ? demanda-t-il.

– Il n'a pas pu.

Cela signifiait, il le comprit : il n'a pas pu te parler, c'est moi qui ai dû m'en charger, et François en ressentit comme une trahison. Mais non, il ne fallait pas songer à cela, au contraire : c'était trop dur pour lui aussi.

– Il te conduira, dit la mère.

Et encore, plus bas, comme si les mots ne comptaient plus désormais :

– Tu seras bien, là-bas.

– Oui, dit François.

Il n'en pouvait plus de la voir ainsi accablée, et, prenant sur lui, essayant de se montrer fort, il demanda :

– Il faut partir quand ?

– Demain.

Ainsi, elle n'avait pu se résoudre à lui parler plus tôt et avait attendu le dernier moment. Elle ne le regardait plus, à présent : son regard se perdait au-delà de lui, et cependant il avait envie de se blottir dans ses bras.

– Demain ? Si vite ?

Elle hocha la tête, eut un pauvre sourire, mais cette fois c'était lui qui ne la regardait plus.

– Ils te donneront quarante francs, c'est d'accord avec l'homme. Te rends-tu compte ? Quarante francs !

Non, François ne se rendait pas compte, mais il n'osait plus respirer, tellement la voix de sa mère devenait douce.

– Alors, c'est entendu, n'est-ce pas ?

– Oui, s'entendit-il répondre, c'est entendu.

Elle murmura encore quelque chose, très vite, avant de se lever, et il crut que c'était un « merci ». « Pourquoi me dit-elle merci ? » se demanda-t-il, mais il préféra ne pas poser de question et sortir, la laissant se détourner vivement et s'occuper de la marmite qui réchauffait sur le trépied.

Dehors, il fit quelques pas en direction de l'étable, mais il craignit d'y rencontrer son père et il prit la direction de la croix, au sommet de la colline. Il n'avait pas fait dix pas qu'il entendit courir derrière lui : c'était Mathieu, qui marcha un moment en silence à côté de lui.

– Je viendrai te voir, moi, dit le cadet.

– Si ça se trouve, c'est très loin.

– Non, une demi-journée seulement. Je viens de le demander à la mère.

François se sentit un peu rassuré.

– Tu sais, dit Mathieu, s'ils te font du mal, je viendrai avec mon bâton.

Ils arrivèrent à la croix, s'assirent sur le socle, l'un près de l'autre. La nuit tombait, assombrissant les lointains sur lesquels pesaient de gros nuages de laine. Les bois commençaient à se fondre dans cette obscurité qui parut à François ensevelir le monde entier. Le vent ne venait pas du nord, mais de l'ouest, et préparait ses grandes lessives de printemps.

– Peut-être qu'on ne se verra plus jamais, dit Mathieu, qui ajouta, aussitôt, effrayé par ces quelques mots qui lui avaient échappé : Non, non, c'est pas vrai.

– Je sais bien que c'est pas vrai, dit François.

Il réfléchit un instant, reprit :

– Il te faudra les aider et veiller sur eux. Tu me le jures ?

– Je te le jure, fit Mathieu en tendant la main devant lui et en crachant par terre.

– Et si ça n'allait pas ici, tu me préviendrais.

– Oui, dit Mathieu, je te préviendrais.

Que dire de plus ? Les bois noirs, sans la moindre feuille encore, paraissaient faire jaillir l'ombre de la nuit. Ils entendirent appeler en bas, reconnurent la voix de la mère. Ils se levèrent, et, sans un mot, ils redescendirent lentement, comme s'ils mesuraient l'un et l'autre la gravité de ces minutes au-delà desquelles, pour la première fois de leur vie, ils se trouveraient séparés.

Le lendemain matin, bien avant l'aube, la mère vint réveiller François, posant le dos de sa main sur sa joue. Une fois seul dans la chambre, au moment de s'habiller, il se refusa à ce qui l'attendait de l'autre côté de la porte. Etait-ce possible ? Quitter le Pradel, ses parents, son frère et sa sœur ? Recommencer une autre vie avec des gens qu'il ne connaissait pas, qui ne lui étaient rien ? Il faillit se recoucher, mais la voix de son père résonna dans la cuisine. C'était la première fois qu'il l'entendait depuis l'avant-veille. Lors du repas du soir, il n'avait pas prononcé un mot, comme s'il avait vraiment perdu la parole.

François s'habilla, se pencha sur le lit de Mathieu et sur celui de sa sœur en retenant son souffle, puis il poussa la porte et s'assit sur le banc de bois, dans la cuisine, pour déjeuner.

— Je t'attends dehors, dit aussitôt son père, qui était déjà prêt à partir.

François ne parvenait pas à déglutir. Sa mère s'affairait devant le foyer, dans son dos, ne parlait pas. D'ailleurs, qu'aurait-elle pu dire qu'il ne savait déjà ? Il réussit quand même à avaler un peu de soupe, se leva. La mère lui tendit son baluchon où elle avait placé quelques frusques, puis elle le serra un instant contre elle et murmura :

— Va ! Ne le fais pas attendre.

Allait-il seulement trouver la force de marcher

jusqu'au seuil ? Comme son père, après avoir fermé la porte de l'étable, revenait vers la maison, François sortit à sa rencontre.

– Bon ! dit celui-ci, allons-y !

Ils prirent le chemin qui descendait vers Saint-Julien, et François ne put s'empêcher de se retourner une fois, une seule, car ce qu'il vit, ou plutôt ce qu'il entendit, le terrassa : la mère, là-bas, retenait Mathieu qui criait :

– François ! François !

Le père le prit par l'épaule et pressa le pas jusqu'au bois, où, enfin, ils disparurent. François serrait les dents : les cris de son frère retentissaient à ses oreilles, ne cessaient pas. Et son père qui ne parlait pas, qui ne lui était d'aucun secours, se contentant de marcher très vite, dans l'odeur puissante de la mousse, des fougères corrompues par l'hiver, des écorces humides. Que n'eût-il pas donné, cependant, François, pour entendre un seul mot, une seule parole d'encouragement !

Bientôt le jour se leva. Ils allaient sur le large plateau qui dominait Saint-Julien, entre deux pâtures rousses. Le père n'avait toujours pas prononcé le moindre mot. Des brouillards épais montaient vers le ciel que l'on apercevait par endroits, d'un bleu très vif, et comme pris par le gel. Il ne faisait pas froid, pourtant, en ce début du mois de mai, les bourgeons commençaient à s'ouvrir sur les chênes, les charmes et les châtaigniers, entre l'émeraude des sapins.

Ils marchaient depuis plus d'une heure quand le

père dit enfin, après avoir hésité au carrefour de deux chemins :

– Ils s'appellent Massalve : il y a la grand-mère, sa fille et son gendre, Martin, qui mène la maison, ou enfin qui essaie, car elles lui en font voir, toutes les deux. Il ne faudra pas te mêler de ça et obéir aussi bien à elles qu'à lui.

Le père laissa passer une minute, le temps de grimper une petite côte dont les bas-côtés étaient couverts de bruyères et de genêts, puis il ajouta :

– Il y a aussi une fillette un peu plus âgée que toi, et un valet. Ne t'approche pas trop de cette demoiselle, et aide comme il faut le valet avec qui tu dormiras dans la grange.

– Dans la grange ?

– Oui, ne t'inquiète pas, tu auras chaud l'hiver.

Et le père, d'une voix gaie, se mit à raconter comment, lui aussi, à douze ans, avait été placé et avait dormi dans une grange. Il en fit même un récit plaisant, mais quelque chose sonnait faux dans sa voix, et il s'arrêta brusquement, se rendant compte, sans doute, qu'il parlait trop maintenant, après être resté si longtemps muet.

Le chemin descendait entre des taillis où dominaient des rejets de châtaigniers, vers un vallon dans lequel on devinait un petit ruisseau bordé de frênes. Les bois se faisaient plus rares, en tout cas moins épais.

– Ferrière est un peu moins haut que chez nous, dit le père. Et ce n'est pas isolé ; c'est un hameau, tu verras.

Après quoi il ne parla plus, et le chemin parut

bien long à François, malgré le soleil qui avait fait fondre la brume du matin. Vers le milieu de la matinée, ils firent une courte halte sous des pommiers, burent chacun leur tour à la bouteille qu'avait emportée le père, qui, refermant sa musette, murmura :

– C'est dur, je sais.

Et, dans un souffle, se relevant en même temps :

– Pour moi aussi, petit.

Enfin les mots que François attendait ! Il prit la main de son père qui fit comme s'il ne s'en apercevait pas. « C'est la dernière fois, songea François, la dernière fois que je peux le faire », et quelque chose en lui se brisa, comme si son enfance en cet instant s'en allait à la manière de cette route vers sa fin, vers l'inconnu, vers ce qui ne serait plus jamais. Il en eut si fort conscience qu'il étouffa un sanglot et lâcha la main. Voilà. C'était fini. Ils allaient arriver et le monde ne serait jamais plus le même.

Le père pressa le pas. Ils traversèrent encore un bois très sombre entre de magnifiques sapins, puis le chemin caillouteux se mit à descendre vers un hameau de quatre maisons entre des poiriers. Des cheminées fumaient dans le matin blanc. Le père, alors, s'arrêta brusquement, se pencha vers son fils :

– C'est là-bas, dit-il.

Il soupira, reprit, tout bas :

– Il ne faut pas nous en vouloir. La vie est comme ça pour nous, mais elle ne le sera peut-être pas pour toi et tes enfants. Moi, je n'ai pas pu faire autrement, mais toi, tu réussiras.

Il planta ses yeux noirs dans ceux de son fils, répéta :

– Oui, je suis sûr que tu réussiras, toi.

Puis il se releva vivement et, assurant sa musette sur son épaule, il reprit la route sans se retourner.

C'était allé très vite. François était seul, désormais, face à des inconnus dont il sentait le regard lourd peser sur lui, assis à leur table. Le père avait refusé la soupe qu'on lui avait proposée : il ne voulait pas s'attarder. François l'avait suivi jusqu'au chemin, espérant encore un mot, un geste dont il pourrait se souvenir, mais son père n'avait rien dit. Il ne pouvait pas. Il l'avait serré un bref instant contre lui, puis il était parti. Et maintenant François était seul face à la vieille mère Massalve aux yeux aigus, au visage de fouine. Sa fille, Léone, aussi noire qu'elle, mince comme une branche d'osier, mangeait debout, entre l'âtre et la table en bois brut. Martin, le gendre, un colosse roux, avalait sa soupe en bout de table, tandis que le valet, un homme long aux grands yeux gris qui se nommait Louis, semblait vouloir se faire oublier. Mais celle dont le regard intimidait le plus François, c'était Mathilde, la fille de Martin et de Léone, qui était plus âgée que lui et dont le regard ne le lâchait pas. Il comprit ce jour même qu'il avait tout à redouter de cette fille qui ressemblait à son père, forte, rousse comme lui, et qui était vêtue comme une demoiselle de grande famille.

Après le repas, il fut soulagé de se retrouver dehors en compagnie des deux hommes, Martin et le valet, qui lui montrèrent la grange, l'étable, le fenil, les fermetures des portes, et la fontaine, dans un vallon derrière la maison, où il devrait aller chercher l'eau du ménage. Après quoi les deux hommes partirent bêcher les pommes de terre, tandis que Léone conduisait le troupeau de brebis en compagnie de François pour lui faire voir les limites du pacage qui se trouvait à deux kilomètres, sur un coteau longé par une route, elle-même dominée par un bois épais de chênes et de châtaigniers. Elle lui expliqua qu'ils avaient de mauvais voisins et qu'il devait veiller aux bornes. Il fallait aussi se méfier du chien qui avait tendance à mordre les bêtes. Elle lui dit enfin qu'il ne devait rentrer qu'au soleil couchant, et elle s'en alla, toujours pressée, sans un mot d'encouragement, avec un haussement d'épaules dont François ne sut à qui il était destiné.

Il était seul, maintenant, occupé à se remémorer ce que lui avait dit Léone au sujet des limites, et à surveiller le chien autant que le troupeau. Il s'appelait Labri, ce chien noir, aux oreilles droites et au museau blanc. François essaya de l'apprivoiser en lui donnant des châtaignes cuites qu'il avait emportées du Pradel, et la vue de ces châtaignes le submergea de chagrin. Il avala une salive amère, caressa le chien pour s'efforcer d'oublier qu'il était loin de chez lui, sans doute pour toujours. Il comprit que l'animal était méfiant et sournois parce qu'il était frappé. Il lui parla, parvint à l'amadouer quelque peu, puis il monta au bord de la route pour dominer le coteau et mieux surveiller le troupeau. Elle contournait le bois, plus haut, puis redescendait vers un ruisseau qui était la limite basse de la pâture. L'herbe n'était pas très bonne, parsemée de touffes de jonc, et même de quelques fougères.

Qu'il était loin du Pradel, François ! Tout son être se révoltait à cette pensée. Que faisait la mère, là-bas, et le père, et Mathieu ? Il se demanda s'il pourrait s'habituer, s'il n'allait pas reprendre la route, un matin, pour retrouver ceux qui lui manquaient tant. Il était perdu dans ses rêveries quand il y eut une soudaine débandade dans le troupeau, qui le fit bondir, mais trop tard. Le chien ne se trouvait plus près de lui. François l'aperçut, là-bas, qui rampait derrière un taillis, et il se mit à courir vers lui, le bâton levé. En même temps il aperçut la brebis à l'écart, qui boitait. Il faillit abattre son bâton sur le dos du chien, mais se retint. Il s'agenouilla, tendit une main vers lui, lui parla comme il avait entendu son père le faire à un animal rétif. Le chien rampa, gémit, ne bougea plus. Alors François se releva et s'occupa de la brebis qui saignait. Il lui fit un pansement d'herbe qu'il noua avec des joncs en se promettant de ne pas la perdre de vue et de songer à enlever le pansement avant de rentrer. Puis il s'évertua à ne pas laisser le chien s'éloigner de plus de dix mètres et il fit tourner lui-même le troupeau quand les bêtes arrivèrent au ruisseau.

Il songea à l'école, à sa place qui devait être libre, à ses livres que Mathieu avait sûrement rendus au maître, puis il chassa ces pensées de son esprit, parce qu'elles lui faisaient trop mal. Il se demanda pourquoi il ne passait jamais personne sur cette route et le regretta : voir quelqu'un lui aurait apporté un peu de réconfort. Il lui semblait que l'après-midi ne s'achèverait jamais. Il s'acheva, pourtant, et il rentra, veillant sur le chien autant que sur le troupeau, et personne ne s'aperçut qu'une brebis boitait légèrement. Il n'eut d'ailleurs pas le temps de s'en inquiéter, car, déjà, Léone lui tendait deux seilles pour aller chercher l'eau.

— Tu feras trois voyages, lui dit-elle. Quand tu auras fini, tu t'occuperas de rentrer du bois dans la cuisine et tu iras aider les hommes à l'étable.

Cinquante mètres de descente et autant pour remonter le long d'un étroit sentier de terre glissante ! La fontaine coulait mollement au bout d'un canal grossièrement maçonné, sous un taillis de ronces. Au dernier voyage, François était épuisé.

— Ce n'est rien, lui dit Léone. En été, quand la serbe est vide, il faut monter de l'eau aussi pour les bêtes. Il fait nuit tard, à ce moment-là, ça te laissera tout le temps.

Que répondre ? Rien, sans doute, sinon penser que peut-être en été il ne serait plus là. Mais non. Il ne devait pas garder en tête cette idée. Il devait s'habituer, ne pas se laisser aller, faire honneur à ses parents qui avaient obtenu cette place pour lui. Il rentra donc du bois pour le soir et le lendemain matin, rejoignit les hommes dans l'étable, monta dans le fenil pour faire tomber le foin, les aida de son mieux.

Quand ils eurent terminé, il faisait nuit depuis longtemps et François avait très faim. C'est à peine s'il se soucia du regard de ceux qui étaient attablés près de lui pendant qu'il mangeait sa soupe. A l'instant où il releva la tête, tous le regardaient. Il eut honte d'avoir mangé si vite, devina qu'il y avait comme un reproche dans le regard des uns et des autres : un jeune domestique devait se satisfaire de peu. Aussi se contrôla-t-il pour manger plus lentement un peu de ragoût de pommes de terre et un mince morceau de fromage. Ce fut tout. Ensuite, Louis, le valet, le conduisit dans la grange et lui montra le coin où il pouvait dormir. Lui-même s'installa un peu plus loin, contre le mur, en disant :

– Ne te fais pas de souci. Ce ne sont pas de trop mauvaises gens.

François se coucha, chercha le sommeil, mais ne réussit pas à s'endormir. C'était si différent de la chambre du Pradel où il n'entendait que la respiration paisible de Mathieu et de Lucie. Ici, il y avait le cliquetis des chaînes des vaches, la course des rats sur les poutres, les ronflements du valet près de lui. Comment dormir ? Il aurait tellement voulu, pourtant. Il eût ainsi oublié tout ce qu'il venait de perdre aujourd'hui, il n'eût plus entendu le pas de son père sur le chemin ni les cris de Mathieu sur le seuil, retenu par la mère. Quand les reverrait-il ? Et pourrait-il seulement s'habituer ? Il ne fallait surtout pas pleurer. Il n'avait plus l'âge de pleurer. Mais plus il tentait de s'en persuader, et plus ses yeux laissaient couler sur ses joues le sel de cette enfance qui, aujourd'hui exactement, dans ce hameau perdu, venait de s'achever.

Il s'habitua ou plutôt apprit à ne pas montrer sa peine. Les durs travaux des beaux jours l'aidèrent à ne pas penser : les semailles du blé noir à la Saint-Jean, les foins, les moissons, autant de travaux auxquels il participa jusqu'à l'épuisement. Mathilde, la fille de la maison, gardait à sa place le troupeau, puisque c'étaient les vacances. A la mi-août, Léone l'appela un soir, et lui confia d'un air embarrassé que sa mère avait perdu l'enfant qu'elle attendait.

– Il vaut mieux, lui dit-elle, ça leur fera moins de bouches à nourrir.

François reprit espoir : son père n'allait-il pas venir le chercher ? Il se consuma dans une attente fébrile, puis les travaux, de nouveau, l'emportèrent dans leur tourbillon de sueur et de peine : les regains, les récoltes de pommes de terre et de blé noir, les labours d'automne, et, enfin, de nouveau, le troupeau. Personne n'était venu le chercher. Les trois femmes de la maison se montraient de plus en plus dures, de plus en plus exigeantes avec lui : surtout la grand-mère, qui, depuis son fauteuil, dirigeait tout et faisait en sorte de ne pas lui laisser la moindre minute de répit. Heureusement, Martin et Louis n'avaient pas envers lui la même attitude.

– Reste loin d'elles, lui dit Martin, un soir où François, épuisé, remontait la huitième seille d'eau, et tu verras que tu t'en trouveras mieux.

L'automne alluma dans les bois des foyers de toutes les couleurs. Les après-midi demeuraient agréables dans la pâture au bord de la route, d'autant que François n'avait plus de problème avec le chien, au contraire : Labri était devenu un compagnon dévoué. Parfois un attelage apparaissait et François courait aussi vite qu'il le pouvait : c'étaient des gens de la montagne qui descendaient vers les foires et les marchés de la vallée. Quelques-uns s'arrêtaient, parlaient un peu, puis repartaient. Partir. Partir. François en rêvait. Il savait bien où il irait. Il retrouverait facilement la route du Pradel. Mais, ce soir, dès qu'il rentrerait, il faudrait, en plus de la corvée d'eau, aller ramasser les châtaignes, puis aider les hommes à l'étable. Il se sentait de plus en plus contraint par des forces hostiles qui le dépassaient, le faisaient se flétrir au lieu de s'épanouir comme il l'aurait dû à son âge.

La neige fit son apparition vers le milieu du mois des Morts, et le troupeau resta à l'étable. La nouvelle qu'il espérait lui fut annoncée un soir par Léone : ses parents l'attendaient pour Noël. Un fol espoir se mit à palpiter en lui : trois jours au Pradel, avec les siens. Allons ! Tout n'était pas si noir ! Il avait été convenu que Martin et le père feraient chacun la moitié du chemin, car ce ne serait pas facile à cause de la neige. Mais il fallait encore attendre plus d'un mois. Les veillées, qui venaient de commencer avec les voisins de Ferrière, aidèrent François à patienter. On y pelait les châtaignes et les femmes filaient, ou reprisaient, tandis que les vieux racontaient des légendes ou des histoires de brigands, de loups, de disettes ou d'hivers catastrophiques.

Enfin, vint le jour tant espéré. Martin emmena François sur la charrette et il retrouva son père qui l'attendait à l'endroit prévu, à mi-chemin, au lieu dit la Mazière Haute. Le père ! Son regard noir, sa voix chaude, ses grosses mains sur les épaules de François.

– Tu as grandi, mais tu as souffert, dit-il. Allons ! ces quelques jours te feront du bien.

Ils n'arrivèrent au Pradel qu'à la nuit, mais le temps ne parut pas long à François. Il raconta comment ça se passait à Ferrière, et le père dit à plusieurs reprises, parlant des siens :

– Ils t'attendent, tu sais.

Oui, ils l'attendaient tous impatiemment : Mathieu qui avait grandi, Lucie de plus en plus rieuse, et la mère, un peu plus courbée, amaigrie mais souriante elle aussi, qui l'embrassa, le garda un instant contre elle, ses bras refermés sur ses épaules.

– François, dit-elle, tu es presque aussi grand que moi !

Il ne devait jamais oublier ce Noël-là, cette halte dans sa vie, ce bonheur de chaque instant, la tourtière aux salsifis, les crêpes de blé noir que seule la mère savait cuire comme il le fallait, le cidre doux, la veillée, les histoires et les rires. Au matin, dans l'un de ses sabots, François trouva un magnifique couteau blanc à plusieurs lames, avec une croix rouge sur chaque côté.

– Il faut que tu nous donnes un sou, dit le père, c'est l'usage.

François donna un sou, puis il sortit dans la neige avec Mathieu et ils montèrent à la croix comme ils en avaient l'habitude, avant que le monde ne change de couleur.

– Elle se languit beaucoup de toi, dit-il à François en parlant de la mère. Elle a été malade, mais ça va mieux maintenant.

Il ajouta, la voix changée :

– Il y a des chicanes avec le propriétaire. Il voudrait vendre, ici, mais on ne peut pas acheter.

Ç'avait été de tout temps le grand rêve du père : acheter, ne plus dépendre de personne, mais comment y parvenir ? Il n'avait jamais pu. Ils parlèrent aussi de cet enfant qui n'était jamais venu, que la mère avait perdu, comme si on pouvait perdre un enfant par inattention. Pas encore totalement au fait des mystères de la nature, les deux garçons ne comprenaient pas très bien ce que cela signifiait, sinon qu'elle avait dû en souffrir dans sa chair et, pour cette raison, ils ne s'attardèrent pas là-dessus.

A midi, pour le grand repas de Noël, ils avaient mangé du boudin aux châtaignes, du civet de lièvre, de la flognarde aux poires, puis ils étaient restés autour du foyer, à raconter des histoires, à rire, et à chanter. Comme la mère aimait chanter ! François ne s'en était pas lassé. Et que l'on était bien, là, tous ensemble, dans la douce chaleur de la cuisine, comme si jamais l'on ne devait être séparés, comme si dès demain il ne faudrait pas repartir, ne plus voir ces yeux humides de rire, de trop de cidre, peut-être, mais surtout d'un désir fou que le temps s'arrête, que cela ne cesse jamais.

Il fallut repartir, cependant, le couteau serré au fond de la poche, dans la neige toujours aussi épaisse, après avoir écouté les mots d'encourage-ment, des mots d'espoir qui cachaient ce qu'il fallait garder au fond de soi, parce que les vraies douleurs doivent rester à l'intérieur. François n'avait pu demeurer seul à seul avec la mère une minute, comme il l'avait souhaité. Quelque chose lui disait en effet qu'il devait prendre garde à bien savourer les moments qu'il passait près d'elle, mais il n'avait pas pu. En chemin, il revoyait ses yeux trop brillants, la maigreur de ses bras qu'elle prenait pourtant soin de cacher, sous des manches épaisses, et il essayait de se rassurer auprès du père.

– Le plus dur est passé, lui dit-il. Elle va se remet-tre, avec le temps.

Elle se remit, effectivement, et François s'habitua à vivre loin d'elle, loin de son père, de son frère, de sa sœur, puisqu'il le fallait bien. Des mois passèrent, avec de grands étés pleins de lumière, des automnes brefs et flamboyants, d'interminables hivers et des printemps attendus impatiemment. François gran-dissait, apprenait à faucher, à moissonner, à labou-

rer, à chanter dans les veillées, à danser même, lorsque les tables étaient repoussées contre les murs,
que toute la jeunesse du hameau se retrouvait pendant les longues soirées de l'hiver.

Quand il eut seize ans, un jour d'été, Martin l'emmena à la foire de Bort. Ils partirent sur la charrette
bien avant le jour qui se leva au-dessus des sapinières
dont les pointes vives égratignaient le ciel rose vers
l'est. Il leur fallut presque trois heures pour atteindre le bourg, où, tant il y avait de monde, ils durent
attendre encore une heure avant de pouvoir monter
vers le foirail encombré de charrettes, de bétail, de
volailles, d'hommes en blouse et de femmes en
tablier noir. A neuf heures, les cloches de la belle
église gothique se mirent à sonner à la volée, provoquant un début de panique dans le bétail. Martin
était venu vendre dix agneaux. Ils étaient là, entre
quatre cordes, serrés les uns contre les autres, semblant interroger François du regard. Les accordailles
avec le marchand durèrent longtemps, puis, une fois
le marché conclu, il fallut encore patienter jusqu'à
ce qu'il vienne chercher les bêtes.

Martin semblait content. Il emmena François à
l'auberge où ils mangèrent tous les deux face à face,
buvant du vin et non pas du cidre, si bien que François en eut la tête lourde et pleine de brume. Dans
la grande salle enfumée de l'auberge, ce n'étaient
que cris, rires, jurons, va-et-vient des servantes
débordées, dont l'une, une brune à chignon, regardait François d'un drôle d'air chaque fois qu'elle
passait. A la fin, Martin commanda deux cafés et de
la vieille poire, si bien qu'à l'instant où ils sortirent

ils durent aller s'allonger au fond du foirail, à l'ombre de deux sapins.

Un peu plus tard, ils descendirent dans les rues du bourg où il y avait toujours autant de monde, y compris des femmes portant des toilettes très belles. Elles paraissaient hautaines, issues d'un monde dont François n'avait jamais soupçonné l'existence. Certains hommes, en gilet, veston et chapeau noir, fumaient le cigare et tenaient grande conversation au milieu de la rue sans se garer d'un pouce. Martin acheta ce qu'il lui fallait : des courroies, un joug, une faux, et, à la mercerie, toute une liste d'aiguilles, de boutons, que lui avait confiée Léone.

Avant de repartir, sur la place de la mairie, ils furent arrêtés par le cortège d'un mariage dont les invités et les futurs époux étaient encore plus élégamment vêtus que les hommes et les femmes rencontrés dans les rues. François se demanda où il se trouvait. Même dans ses livres d'école, même dans ses rêves les plus secrets, même dans son imagination, il n'avait jamais aperçu un tel luxe, une telle beauté, une telle grâce des femmes, une telle élégance des hommes. Quelque chose se noua en lui, qui n'était pas de la jalousie ni du dépit, mais la blessure que lui infligeait la certitude de ne jamais accéder à ce monde-là, où, lui semblait-il, le malheur ne pouvait pas entrer. Comment le malheur, en effet, eût-il pu frôler de son aile tant de charme et d'élégance ? Sur le chemin du retour il demeura silencieux, bouleversé par la découverte de la richesse matérielle qui ne pouvait aller de pair qu'avec celle de l'esprit – cela lui paraissait évident –, une manière de vivre, en somme, qui lui demeurerait toujours interdite.

Ainsi, François, au fil des mois, puis des années, devenait un homme. Mathilde aussi grandissait, mais elle n'était pas belle et elle restait souvent assise pendant que les autres dansaient. C'était un bon parti, pourtant, mais son visage ingrat, ses cheveux épais, ses mauvaises manières de fille unique, prétentieuse, faisaient qu'on ne la courtisait guère. Bientôt, l'attitude de la grand-mère, de Léone et de sa fille changea à l'égard de François. Il n'eut pas à se demander longtemps pourquoi. Comprenant que Mathilde ne trouverait peut-être pas à se marier, les trois femmes avaient décidé que François ferait pour elle un bon mari : il était travailleur, honnête, courageux, et l'on pourrait toujours le mener à sa guise puisque les terres ne lui appartiendraient jamais. Mathilde vint garder le troupeau avec lui, et les deux autres femmes lui firent comprendre qu'il était bon qu'ils fussent souvent ensemble.

Au début, il laissa faire, gardant seulement ses distances et répondant juste ce qu'il fallait pour ne pas les contrarier. Ces manœuvres indisposaient Martin qui lui disait :

– Mon pauvre, fais à ton idée.

Son idée, c'était de ne s'engager avec personne avant d'avoir fait son service militaire – surtout pas avec cette fille qui, au début de son arrivée à Ferrière, avait fait de lui son souffre-douleur – et de continuer à travailler comme il savait le faire. Mais Mathilde s'obstina, sa mère et sa grand-mère aussi, et, un jour où le valet était absent, elle rejoignit François dans la grange. Il dut la repousser, lui faire comprendre qu'il ne voulait pas d'elle. Dès le lendemain, la vie redevint difficile pour François, les corvées lui tombèrent sur le dos, et aussi les remarques, les critiques, les vexations qu'à son âge, désormais, il lui était difficile d'accepter.

A la Noël de cette année-là, il en parla à ses parents, tout en leur demandant de ne pas s'inquiéter : il trouverait de lui-même une autre place. Ce qu'il fit dès le printemps, à trois kilomètres de Ferrière, en direction du Pradel, au lieu dit la Ramière dans une ferme où le domestique venait de partir pour l'armée. La terre appartenait à un couple : les Rougerie, qui étaient âgés et qui avaient beaucoup de mal à tenir en activité la propriété. Autant dire que le travail ne manquait pas à François, mais il se trouvait beaucoup mieux là qu'à Ferrière d'où il avait dû partir sans ses gages, la grand-mère ayant refusé de les lui donner, prétextant qu'il partait avant la fin de son engagement et que donc on ne lui devait rien.

Une nouvelle vie commença pour lui, avec plus de responsabilités, mais aussi plus de considération, même si la solitude dans les champs, la journée, ou bien le soir à la veillée, le laissait un peu désemparé. Il songeait alors au Pradel dont les nouvelles n'étaient pas très bonnes, la mère déclinant beaucoup, le père se heurtant de plus en plus avec le propriétaire, hésitant à chercher ailleurs un autre fermage. François s'y rendait plus souvent que du temps où il vivait à Ferrière. Presque chaque diman-

che, en fait, surtout pendant la belle saison. Il se
mettait en route de bonne heure, arrivait pour midi,
repartait vers trois heures, heureux d'avoir retrouvé
une infime parcelle du bonheur d'avant, évitant de
songer que, bientôt, il devrait partir au service militaire et, une nouvelle fois, s'éloigner de ceux qui lui
manquaient tant.

4

Au Pradel, la fin juin de cette année-là fut belle comme elle ne l'avait pas été depuis longtemps : de longues journées bien chaudes, avec des parfums de genêts et de pommiers en fleurs, des soirées interminables et d'une grande douceur, des nuits crépitantes d'étoiles que l'on eût aimé prendre à pleines mains. En ce jour le plus long de l'année, pourtant, le père ne pouvait pas travailler : comme chaque année, il devait porter le terme du loyer de fermage au propriétaire qui habitait à Bort, et il lui fallait la journée pour aller et revenir. A son départ, le matin, la mère lui avait recommandé de ne pas se fâcher, d'éviter de heurter M. Delasalle, même si, comme à son habitude, il trouvait à redire sur les légumes et les fruits qu'on devait lui porter, en plus du loyer.

Le père partit donc, de fort mauvaise humeur comme chaque fois, laissant à la mère, à Mathieu et à Lucie le soin de retourner les foins pour les faire sécher avant de les rentrer. A seize ans, Mathieu travaillait comme un homme et son père pouvait se reposer sur lui. Lucie aussi avait grandi : à quinze ans, elle était très belle, avec un visage aux traits fins et réguliers, des cheveux noirs, des yeux verts, menue mais forte, on le sentait, on le devinait à la vivacité qu'elle mettait en toute chose. Elle s'entendait très bien avec Mathieu, dont la présence, l'énergie la rassuraient. Il avait su combler l'absence de François, qui venait de partir au service militaire à Limoges, et dont on n'avait pas de nouvelles depuis un mois.

Vers dix heures du matin, comme il faisait très chaud, Mathieu proposa à sa mère de rentrer à la maison : il finirait de retourner le foin avec Lucie. Elle s'en fut préparer le repas de midi, tandis que sa fille et son fils écartaient les andains de la veille, l'un près de l'autre, sans parler, désireux d'en finir avant la grosse chaleur. Sans les connaître, on les eût devinés frère et sœur, tant ils étaient bruns tous les deux, avec le même air farouche sur le visage, une expression de cette volonté affirmée qu'ils tenaient de leur père, l'un comme l'autre, à la différence de leur aîné, qui avait plutôt hérité de la fragilité apparente de leur mère.

Depuis que François avait été placé, il avait été question à plusieurs reprises qu'il en fût de même pour Mathieu, mais le père n'avait pu s'y résoudre. C'était un tel échec, pour lui, de ne pouvoir nourrir sa famille, qu'il s'était évertué à défricher toujours plus de terres à bruyères pour y planter du seigle ou du blé noir. Cette tâche l'avait épuisé car il manquait de temps, de matériel, si bien que la jeunesse et la force de Mathieu lui étaient devenues indispensables.

Il n'avait jamais été question, au contraire, que Lucie s'en aille chez les autres. La mère avait trop besoin d'elle, de sa présence, de sa gaieté, de cette manière qu'elle avait de faire face aux difficultés sans jamais se plaindre. Ainsi, Lucie avait grandi dans sa famille, se contentant de peu, heureuse d'un ruban, d'un coupon de tissu, d'une robe qu'elle retaillait dans celles de sa mère, même si elles se trouvaient à la fin dans un piteux état. Elle avait passé avec succès le certificat, au contraire de Mathieu qui ne se plaisait pas du tout à l'école. Quelquefois, le soir, dans des vieux almanachs, elle faisait la lecture à toute la famille et en concevait une secrète fierté.

Quand ils eurent fini, ce matin-là, ils se reposèrent un moment à l'ombre d'un châtaignier, près duquel Lucie, s'épongeant le front, murmura :

– J'ai un mauvais pressentiment. Cela fait si longtemps que les chicanes durent avec ce Delassale.

– On verra bien, dit Mathieu.

– Le père a tellement changé ces derniers mois, reprit Lucie, il ne faudrait pas qu'il se mette dans son tort et que nous ayons tous à le regretter.

– Mais non, dit Mathieu, il n'est pas fou, tout de même.

Ils rentrèrent, l'un et l'autre préoccupés par ce qui pouvait se passer à Bort, entre le père et le propriétaire. Pendant le repas, la mère, sans rien en dire, y songeait aussi. On voyait qu'elle était inquiète, et qu'elle craignait les conséquences de la visite du père à la ville. L'après-midi leur parut très long, malgré le travail qui les attendait dans le pré où il fallait rassembler en petits tas le foin qui avait séché. Comme l'orage menaçait, ils hésitèrent à le rentrer, car ils savaient qu'une journée supplémentaire de soleil lui ferait du bien. Finalement, ils y renoncèrent, et, vers sept heures, ils partirent pour s'occuper, les femmes de la maison, Mathieu des bêtes à l'étable. Puis ils attendirent, sans en parler, le retour du père qui tardait. Un peu plus tard, comme ils s'apprêtaient à manger, ils entendirent son pas et se tournèrent vers le seuil. Auguste Barthélémy apparut, le visage défait, méconnaissable, épuisé par sa marche sous la chaleur.

Il entra, ne dit rien, alla se laver les mains à l'évier taillé dans la pierre, s'aspergea le visage, s'assit à table, but un grand verre de cidre, puis il dit, d'une voix qu'il voulut détachée mais qui leur parut accablée :

– Alors voilà, nous allons partir.

Seul le silence lui répondit. Il se servit, puis Mathieu fit de même, enfin la mère et Lucie. De longues secondes passèrent, que nul n'osa troubler. Le père se redressa, but un autre verre, ajouta :

– Il a voulu nous augmenter le loyer de cent francs. Cinq louis, vous vous rendez compte ? Alors qu'on lui donne déjà quatre cents francs !

Nul ne répondit.

– La vérité, c'est qu'il a vraiment un acheteur, cette fois, et qu'il veut nous chasser. Je le lui ai dit et il m'a répondu qu'il était libre d'augmenter le loyer comme il le voulait.

– Pas à ce point, tout de même, fit la mère.

– Si, dit le père ; il prétend qu'il en a le droit.

Puis, d'une voix pleine de colère :

— De toute façon, je ne veux plus parler avec cet homme.

Il ajouta, plus bas, tête baissée vers son assiette :

— Je pourrais le tuer.

Il y eut encore un lourd silence, puis Mathieu se reprit le premier en disant :

— On n'aura pas de mal à trouver mieux, d'ici la Sainte-Catherine.

— Oui, dit la mère, et c'en sera fini de toutes ces disputes.

Le père releva la tête lentement et son visage s'éclaira quelque peu. Les siens étaient de son côté, lui donnaient raison. Il avait bien fait de ne pas céder. Ils trouveraient un autre fermage et ainsi, sans doute, ils pourraient vivre mieux.

— On cherchera dès qu'on aura moissonné le seigle, fit-il avec détermination.

— Oui, dit Mathieu, et qu'il aille au diable ce Delassale !

Il souriait ; le père aussi, maintenant, qui demanda à Lucie :

— Et toi, tu ne dis rien ?

— Moi je dis qu'on aurait dû partir depuis longtemps.

— A la bonne heure ! s'exclama le père.

Et le repas continua dans la confiance retrouvée. Ils en firent des projets, ce soir-là, chacun voulant montrer sa foi dans l'avenir, dans la force qui était en eux tant qu'ils étaient réunis, ainsi, pour travailler et gagner leur vie !

Ce fut l'orage qui fit cesser brusquement la

conversation, ou plutôt ses prémices : un violent coup de tonnerre qui courut longtemps sur les sommets avant de s'éteindre. Mathieu et le père se levèrent d'un même élan, et sortirent. Il ne faisait pas nuit, encore, on avait même devant soi une bonne heure de jour.

– Rentrons le foin, dit le père, on doit pouvoir y arriver avant l'orage.

Laissant là leur repas, ils allèrent atteler la jument à la charrette, puis tous se dirigèrent vers le pré, alors que de magnifiques éclairs creusaient des lézardes lumineuses sur l'horizon d'un violet très sombre. Ils travaillaient vite, chargeant à trois la charrette tandis que le père, tout en haut, entassait le foin. L'orage se rapprochait. Il s'écoulait de moins en moins de temps entre les éclairs et les coups de tonnerre. Ils rentrèrent un premier chargement, hésitèrent à repartir, mais le père se montra rassurant :

– Il n'en reste qu'une demi-charrette, nous avons le temps.

Ils repartirent. La nuit était presque tombée, mais la succession des éclairs faisait qu'on y voyait encore. Bientôt, quelques gouttes épaisses s'écrasèrent sur le sol.

– Vite, dit le père, vite.

Les éclairs zigzaguaient maintenant sans discontinuer. Il y eut une énorme bourrasque de vent chaud et la pluie se mit à tomber vraiment à l'instant où ils levaient la dernière meule de foin.

– Allez à l'abri ! cria le père aux deux femmes qui se mirent à courir.

Mathieu, lui, fit avancer la jument, tandis que le père, pour ne pas perdre de temps à descendre, restait en haut de la charrette. Il se fit à ce moment une sorte d'accalmie, un grand silence, puis, tout à coup, un terrible ébranlement du ciel succéda à un éclair d'une extrême blancheur. Mathieu se retrouva par terre, mais parvint à se relever dans les deux secondes qui suivirent. Il se retourna vers la charrette, ne vit plus son père. Il cria en pure perte : la foudre avait couché Auguste Barthélémy pour toujours sur le foin qui commençait à brûler. Quand Mathieu monta sur la charrette, il était trop tard pour tenter quoi que ce soit. Aux deux femmes accourues, il fit glisser le corps du père, un corps qui, ils le découvrirent une fois qu'ils l'eurent porté à l'intérieur, était devenu méconnaissable, noir comme un brandon sorti du feu.

François avait pu venir aux obsèques, après que l'on eut envoyé un télégramme depuis Saint-Julien. « Il est venu, il est venu », répétait sans cesse la mère, comme si le fait d'avoir vu son fils aîné la consolait de tout le reste. Les obsèques avaient eu lieu au cimetière de Saint-Julien, tandis que des orages grondaient encore sur les crêtes, où les forêts, lustrées par la pluie, jetaient des éclats de faux. Mathieu et Lucie avaient fait face de leur mieux, soutenant la mère qui ne parlait plus qu'à voix très basse, mais souriait, parfois, d'un sourire que l'on eût préféré ne pas voir, tant il portait de tristesse. Elle restait la journée en compagnie de Lucie, tandis que Mathieu courait la contrée pour trouver un fermage ou un métayage où ils pourraient rentrer à l'automne.

Les propriétaires le trouvaient bien jeune pour prendre une telle charge et demandaient :

– Tu n'as pas fait ton service militaire. Qu'est-ce qui se passera quand tu devras partir ?

– Mon frère reviendra et il me remplacera.

Mais on commençait à parler d'une nouvelle loi de trois ans, de réarmement, de l'Alsace et de la Lorraine qu'il faudrait reprendre un jour à ces voleurs de Prussiens. Aussi les propriétaires se montraient-ils réticents, et les recherches de Mathieu demeurèrent-elles vaines. Il trouva un petit fermage dans la vallée, mais le bien était trop petit pour faire vivre trois personnes, et ils durent y renoncer.

Les grandes journées d'or et de lumière de l'été s'épuisèrent dans une canicule inhabituelle. En septembre, il y eut de profonds silences dans les bois et sur les hautes pâtures complètement grillées par le soleil. Le blé noir souffrait beaucoup, et ce ne serait pas une année de châtaignes. D'ailleurs, aurait-on seulement le temps de ramasser les châtaignes avant de quitter le Pradel ? Il l'eût bien fallu, pourtant. Au moins, on aurait eu de quoi manger l'hiver d'après, si l'on ne trouvait pas de fermage.

Lucie aussi cherchait de son côté. Elle pouvait laisser la mère seule, à présent, du moins une partie de la journée. On lui proposa une place de lingère au château de Boissière situé sur la route de l'Auvergne, dans une clairière au milieu des bois, et qui gouvernait un grand domaine. Elle en parla à

Mathieu et à la mère, le soir, et ils décidèrent qu'elle attendrait un jour ou deux avant de porter sa réponse, le temps que Mathieu revienne voir le propriétaire du petit fermage de Lavalette pour savoir s'il était encore libre. Il l'était, mais le domaine parut, ce jour-là, encore plus mince à Mathieu que lors de sa première visite : un bois de châtaigniers, un champ de blé noir, un autre à légumes, mais pas de prés, et il était donc impossible d'y tenir des bêtes.

– Ça ne fait rien, dit Mathieu, le soir, à son retour. Le toit de la maison est bon, nous aurons du bois, des châtaignes, du blé noir et des pommes de terre. On peut vivre avec ça.

Il ajouta, plus bas, comprenant que l'accord qu'il avait donné scellait aussi la dispersion de la famille :

– De toute façon, c'est la fin d'octobre et on n'a plus le choix.

Non, ils n'avaient plus le choix. Un moment même, sans en parler, ils avaient tous craint de devoir partir sans avoir de toit pour l'hiver, et ils s'étaient souvenus des cherche-pain d'un premier de l'an très lointain. Alors chacun d'eux feignit de se réjouir de ce qu'ils avaient trouvé, même Lucie qui, pour la première fois de sa vie, allait vivre chez les autres.

Cependant, plus le moment de la séparation approchait et plus il leur était difficile de l'envisager.

– Est-ce possible, ma fille ? murmura la mère le dernier soir, tandis qu'ils prenaient leur dernier repas dans la grande cuisine où ils avaient vécu si longtemps et où les ombres de ceux qui n'étaient plus là continuaient de frôler les vivants.

– Tu ne seras pas seule, dit Lucie, tu auras Mathieu. Et bientôt François reviendra.

– J'aurais tellement voulu vous garder tous les deux, soupira la mère.

– C'est comme ça, dit Mathieu. Du moins pour le moment. On verra plus tard ce qu'on peut faire.

Ils avaient pu ramasser presque toutes les châtaignes avant de partir. Il leur restait aussi de la farine et des pommes de terre, le temps d'attendre de nouvelles récoltes. Mathieu avait loué deux charrettes pour emporter leur mobilier. Lucie se montrait forte, souriait, mais on comprenait bien qu'elle redoutait les jours qui venaient.

Ils partirent la veille de la Sainte-Catherine, comme ils en avaient l'obligation. La neige, déjà, menaçait. Une brume épaisse baignait les terres hautes ce matin-là, quand les charrettes arrivèrent. La mère voulut éteindre le feu, mais elle ne put s'y résoudre : il fallut que Lucie lui vienne en aide, qu'elle écrase les braises une à une, puis accroche les volets, et entraîne la mère au-dehors. Il était entendu qu'ils feraient un bout de chemin ensemble, puis Lucie prendrait le chemin du château de Boissière, un peu après Saint-Julien. Ainsi fut fait. Mathieu marchait devant, et la mère derrière, au bras de sa fille.

Au sommet d'une côte, ils firent une courte halte. A cet instant, la brume se déchira d'un coup et le soleil apparut. La mère leva la tête vers le ciel, sourit.

– Vois, ma fille, dit-elle, c'est le soleil qui nous

montre la route. C'en sera fini de nos peines : il faut nous dire que le pire est derrière nous.

– Oui, dit Lucie, c'est ce qu'il faut penser.

Ils repartirent dans un éclaboussement de lumière qui allumait des foyers roux sur les arbres qui perdaient leurs feuilles. Oui, malgré l'hiver déjà en route, le monde était beau en ce matin d'automne. Aussi eurent-elles moins de mal à se séparer au carrefour du chemin qui remontait vers la montagne.

– Va, ma fille ! dit la mère, et n'oublie pas de venir nous voir.

– Comment pourrais-je oublier, dit Lucie, alors que je n'ai que vous ?

Elle l'embrassa, puis Mathieu, et elle se mit en marche lentement, se retournant à plusieurs reprises.

– Et elle n'a que quinze ans, soupira la mère.

– François en avait douze, lui, fit Mathieu.

La mère ne répondit pas. Elle ferma les yeux pour repousser loin d'elle la pensée que peut-être elle ne reverrait jamais celle qui, d'un dernier signe de la main, disparaissait maintenant derrière un bosquet flamboyant d'érables et de bouleaux blancs.

Mme de Boissière avait reçu brièvement Lucie dans son cabinet du rez-de-chaussée, l'avait jaugée un moment du regard, lui avait parlé de ses gages, enfin expliqué ce qu'elle aurait à faire dans une propriété où il n'y avait pas moins de dix domestiques, en comptant le cocher et le jardinier. C'était une femme brune, grande, aux lèvres minces, mais qui souriait facilement, si bien que l'on ne savait pas trop à qui l'on avait affaire. Lucie resta donc sur ses gardes, remercia, et partit prendre son service, accompagnée de Rosine, une femme de cinquante ans, qui était chargée, en plus de son travail de cuisinière, de veiller à la bonne marche de la maison.

Autant que de lingère, Lucie devait faire aussi office de chambrière, c'est-à-dire, chaque matin, s'occuper des huit chambres de l'étage, des lits, du ménage, des draps, du linge de ces messieurs et dames, de leur lessive et de leur entretien. Dès le premier jour, elle fut éblouie par ce qu'elle découvrait : les grandes chambres aux murs couverts de tissu de couleur, des parquets cirés, des dorures, des meubles cossus, soigneusement entretenus, qui contenaient de magnifiques robes avec des cols à franges, des manches bouffantes, des ceintures drapées, des jupes garnies de volants, toutes sortes de vêtements, ombrelles, gants, chapeaux, et des chaussures, enfin, bottines ou souliers à boucles, qui lui donnèrent l'impression d'être entrée dans un monde extraordinaire.

Elle s'habitua d'autant mieux à sa nouvelle vie qu'elle découvrait chaque jour quelque chose de nouveau et disposait d'une heure de temps libre, le soir entre cinq et six, pour se promener dans le parc du château peuplé de massifs de fleurs et d'allées soigneusement entretenues, et aussi de grands arbres où dominaient les charmes. Au reste, la vie était plutôt gaie à Boissière où tout le monde s'entendait bien chez les domestiques. On voyait très

souvent M. de Boissière qui parcourait quotidienne-
ment ses terres, mais il ne parlait guère aux femmes.
Il s'entretenait des problèmes du domaine sur le
perron avec son régisseur, qu'on appelait Noé, un
homme de cinquante ans redouté de tous, y compris
de ceux qui n'étaient pas directement placés sous
son autorité.

Les de Boissière avaient deux enfants : Aurore,
qui demeurait au château avec sa mère et se consa-
crait à organiser des fêtes qui attiraient toute la
bourgeoisie de la région, et Norbert, qui étudiait à
Paris mais revenait aux vacances et courait la campagne à cheval, le plus souvent aux côtés de Noé, le
régisseur, avec qui, apparemment, il s'entendait
mieux qu'avec son père. Le domaine comportait
plus de deux cents hectares de bois, de terres cultivables, de prés, de friches, et comptait plus de dix
fermiers répartis sur quinze kilomètres de distance.
Noé et les domestiques du château s'occupaient de
la réserve, c'est-à-dire des terres qui étaient exploi-
tées directement par le château, selon les directives
de M. de Boissière.

Lucie fit sa première lessive dans la grande buanderie du sous-sol, une semaine après son arrivée.
Elle n'eut même pas à transporter l'eau ; deux hommes s'en chargèrent : le jardinier, que l'on appelait
Jean de la lune, tant il rêvait, tardant toujours à
répondre aux questions qu'on lui posait, et le
cocher, un homme d'une trentaine d'années,
appelé Emile, dont, d'emblée, Lucie se méfia. Ils
transportèrent l'eau des deux puits dans des seilles
vers les baquets de la buanderie, puis retournèrent

à leur ouvrage. Tout, ici, était minutieusement réglé, et chaque domestique savait ce qu'il avait à faire. Sans quoi on avait à rendre des comptes à Noé, et nul n'y tenait : cet homme noir, au visage de loup, était capable de tout, y compris de chasser le coupable dans l'heure.

Sous l'autorité de Rosine, c'était plus simple. Cette grosse femme à chignon était débonnaire et ne se contentait pas de regarder travailler : elle mettait la main à la pâte, une fois sortie de sa cuisine, où une femme plus jeune, appelée Jeannette, l'aidait. On faisait la lessive dans la buanderie l'hiver, mais, l'été, on lavait le linge dans un bassin en forme de lavoir et recouvert d'un toit qui se trouvait de l'autre côté du parc, derrière le château, dans un coin ombreux entre des chênes superbes.

De découverte en découverte, et malgré la neige au-dehors, le temps passait vite pour Lucie. Elle put se rendre à Lavalette voir Mathieu et la mère, non pas pour Noël mais pour le premier de l'an, et elle y resta deux jours. Ce qu'elle leur raconta de sa vie les rassura, et elle put même voir briller une lueur de plaisir et peut-être d'envie dans les yeux de sa mère quand elle parla des robes des femmes du château. En revanche, ils ne parlèrent guère du père disparu, tant la douleur était encore là, toute proche, à peine endormie. Mathieu et la mère ne souffraient pas trop de l'hiver. Ils se chauffaient, ils avaient à manger : tout allait bien. Une lettre de François était arrivée, dans laquelle il annonçait une permission pour bientôt. Lucie repartit et ne pensa plus qu'au printemps, aux fêtes qu'on se promettait

97

au château, à François, au soleil, aux beaux jours qui lui permettraient de retrouver le parc et ses magnifiques frondaisons.

Mais le printemps tarda, cette année-là. Pour Pâques, la neige n'avait pas totalement fondu, et le vent d'Auvergne continuait à souffler en rafales glacées. Un jour, en fin de matinée, Lucie se trouvait dans la chambre de Norbert en train de changer les draps, quand elle entendit du bruit derrière elle. Elle se retourna vivement et l'aperçut qui la considérait d'un air amusé. Elle voulut s'excuser, dit qu'elle avait pour instruction de ne pas entrer dans les chambres avant onze heures, ce qui était le cas, mais il l'arrêta de la main en demandant :

– Comment vous appelez-vous ?

– Lucie.

– Il y a longtemps que vous êtes ici ?

– Presque cinq mois.

Elle n'osait pas lever les yeux vers lui, demeurait immobile. Même sans le voir, pourtant, elle devinait ses longs cheveux noirs, son front haut, son teint mat, qu'elle avait aperçus plusieurs fois et qui, sans qu'elle comprît pourquoi, la troublaient étrangement.

Il s'approcha d'elle, prit son menton dans sa main, la força à relever la tête.

– Et quel âge avez-vous donc ?

– Seize ans.

– Seize ans, seize ans, murmura Norbert. On dirait une pomme pas tout à fait mûre mais dans laquelle on voudrait pourtant croquer.

Elle se dégagea brusquement d'un mouvement

de tête, se détourna, ne sut quel parti prendre : répondre, partir, feindre l'indifférence ?

– Ah ! Lucie, Lucie, si vous saviez...

– Si je savais quoi ?

– Mais elle parle ! s'exclama Norbert. Une Lucie qui parle ! Voilà une journée qui commence bien !

Il s'amusait, paraissait content de se trouver là, lui tapota l'épaule droite de la main. Elle recula vivement, ce qui le fit rire de nouveau, puis il se dirigea vers une table de nuit, se saisit d'un livre qu'il avait oublié là, repassa devant elle sans paraître la voir et sortit.

Elle demeura inquiète mais éblouie de cette rencontre. Elle n'eût jamais supposé que M. de Boissière ou son fils daigneraient lui adresser un jour la parole. Elle devinait qu'il y avait là un danger, mais c'était un danger qui lui faisait battre le cœur, et elle se surprit à espérer un bruit de pas derrière elle, en pénétrant dans les chambres, chaque matin.

Le véritable printemps arriva au début du mois de mai, faisant jaillir, dans les massifs, des fleurs de toutes les couleurs qui soulignaient le vert brillant des arbres. La fête que Lucie attendait était fixée au 20 mai. Ce serait la première de l'année, « mais pas la dernière », lui avait dit Rosine. Lucie compta les jours, impatiente d'assister enfin aux réjouissances dont toutes les domestiques parlaient avec des lueurs d'excitation dans les yeux.

Ce jour-là, les premières voitures arrivèrent vers cinq heures du soir, et, très vite, ce ne fut qu'un défilé ininterrompu de calèches, de tilburys et de cabriolets que le cocher faisait garer dans le parc, à gauche du perron. Tout à coup il y eut un bruit insolite, comme une succession de coups de fusil, et une voiture automobile apparut, qui tremblait sur ses roues, mais qui avançait miraculeusement, sans chevaux pour la tirer. Lucie, qui était en train de passer entre les invités un plateau d'amuse-gueules, n'en crut pas ses yeux : c'était la première fois qu'elle en voyait une. L'un des invités, un monsieur à faux col et redingote, précisa qu'il s'agissait d'une De Dion-Bouton de huit chevaux. Les invités firent cercle autour du conducteur et de sa passagère qui venaient de quitter leurs grosses lunettes, et les saluaient un à un, avec des airs de revenir du bout du monde. Ils finirent par s'asseoir à l'une des tables que l'on avait disposées dehors, devant le perron, où deux joueurs de violon accordaient leurs instruments.

En faisant le service, Lucie sentait des parfums inconnus qui l'enivraient, lui donnaient l'impression de faire un peu partie de ce monde, où les hommes comme les femmes semblaient ne pas connaître de problèmes, obéir à des préoccupations d'une futilité qui la ravissait. Elle pensa fugacement à sa mère et à Mathieu, mais chassa rapidement cette pensée de son esprit : le monde qu'elle avait connu et celui dans lequel elle vivait aujourd'hui ne pourraient jamais communiquer, elle le devinait, elle en était sûre. Mais cela lui paraissait naturel : il ne le fallait pas. L'un eût peut-être sali l'autre et c'eût été dommage. Comment ces robes de soie, ces châles de belle couleur eussent-ils pu entrer dans les cuisines noires des fermes ou dans les étables si sales ?

C'était impensable. Inimaginable. C'était impossible.

Ainsi, cette soirée, où l'on dansa au son des violons dans le soir tombant, fut pour Lucie la plus belle de sa vie. De la cuisine aux tables des invités, elle fredonna les airs entendus devant le perron, se surprit même à tourner, tenant sa robe, une fois dans sa chambre, tous les lampions éteints, en prenant des mines et en s'imaginant dans les bras de celui dont elle avait une fois croisé le regard sombre, miraculeusement revenu de Paris pour embellir davantage cette première fête de l'année.

A Lavalette, les mois avaient passé tant bien que mal, dans la petite maison située à mi-pente, à une vingtaine de mètres d'un bois de châtaigniers. Ces arbres sentaient bon, en juin, avec leurs feuilles nouvelles et le pollen qui s'en dégageait, rappelant à la mère et à Mathieu ceux du Pradel, les splendides journées de juin, les longues soirées assis devant le seuil à regarder les étoiles, au temps où la vie n'avait pas encore séparé les membres de la famille.

S'ils mangeaient à leur faim et ne se souciaient guère de l'hiver, ils avaient beaucoup de mal à payer le loyer, pourtant peu élevé, car ils ne pouvaient rien vendre. Lucie leur donnait une partie de ses gages, et François, revenu en permission l'été d'après leur installation, leur avait laissé toutes ses économies. La mère avait refusé, mais ils avaient trouvé l'argent le lendemain de son départ, dans la maie à farine, et ils l'avaient gardé puisque François déjà était loin.

101

Pour tenter d'en gagner un peu, Mathieu s'était engagé à la journée dans une scierie qui se trouvait à cinq kilomètres de la maison, mais il n'aimait pas laisser sa mère seule et rentrait le plus souvent en courant, malgré sa fatigue.

Elise Barthélémy, de santé déclinante, montrait malgré tout de la gaieté et se forçait à sourire. Quand elle restait seule à la maison, elle s'occupait à de menus travaux : peler les châtaignes, bêcher le jardin, faire la cuisine et le ménage, mais ses occupations ne l'empêchaient pas de se soucier de l'avenir. Que deviendrait-elle quand Mathieu partirait au service militaire, si François ne revenait pas ? On parlait en effet de plus en plus de la loi de trois ans, et il n'était pas impossible que Mathieu s'en aille avant que François ne soit de retour. La mère n'en disait rien, mais à l'idée de se retrouver seule, sans toit et sans ressources, il lui venait comme un sentiment d'injustice qui la minait, la renvoyait continuellement au temps où son mari était à ses côtés, au Pradel, dans la maison du bonheur.

Il y eut un hiver terrible, durant lequel les arbres se fendirent avec des plaintes sèches comme des coups de fouet. Mathieu trouvait des oiseaux morts – autant de soif que de faim – sur la neige qui paraissait ne jamais devoir s'en aller. Eux-mêmes durent faire fondre la neige pour boire, car la fontaine était prise par la glace. Le facteur ne put les joindre qu'en février pour leur porter une lettre de François qui datait de janvier : il allait bien, se trouvait en manœuvres en Corse et ne pensait pas revenir avant la fin de l'année. Mathieu et la mère se retrouvèrent tous deux face à face au coin du feu, lui à fabriquer des outils pour les beaux jours, elle à cuire les crêpes de blé noir, tous deux à ressasser des pensées qu'ils ne pouvaient exprimer. Car, si elle redoutait le départ de Mathieu, lui ne rêvait que de quitter ce haut pays, de s'en aller loin, vivre ailleurs une autre vie que celle de ses parents : instruit par ce qui leur était arrivé, il ne tenait pas à se retrouver dans le dénuement le plus complet à leur âge. Il rêvait de terres lointaines, d'un pays neuf, sans jamais de neige, et il regrettait de ne pas pouvoir en parler.

Cette année-là, il se rendit plus souvent à la scierie, rentrant, le soir, bourré de remords, éperdu d'amour pour cette femme qui lui souriait, lui donnait toute l'affection qu'elle portait en elle. Il n'osait même pas évoquer ses projets devant Lucie qui, pourtant, lors de chacune de ses visites, en racontant sa vie au château, lui donnait à entrevoir un autre monde que celui dans lequel il se débattait. Elise Barthélémy soupçonna-t-elle ces désirs d'ailleurs ? Elle n'en donna rien à deviner, continua de sourire, mais quelque chose en elle se brisa définitivement.

A l'automne qui suivit, un soir, alors que Mathieu n'était pas encore rentré, elle continua de ramasser les châtaignes jusqu'à la nuit, dans le vent du nord qui s'était levé. Le lendemain, elle tremblait de fièvre sous les couvertures. Mathieu comprit tout de suite qu'il s'agissait d'une congestion pulmonaire, car il était fréquent d'en être frappé, sur ces hauteurs, après un chaud et froid. On savait quoi faire en attendant le secours : chaque famille gardait dans un bocal des sangsues à poser sur la peau, sous un verre renversé, pour faire saigner et laisser s'écouler une partie du mal. C'est ce que fit Mathieu, puis il se mit en route vers Bort, afin d'y chercher un médecin. Il avait l'habitude de marcher vite, arriva à la ville un peu avant midi. A deux heures, il repartait sur le cabriolet d'un jeune médecin, alors que la neige, déjà, menaçait.

– Vous l'avez sauvée, dit le jeune homme à lunettes, en examinant la mère dès son arrivée, mais elle est très faible. Il faudra lui donner des médicaments.

Il écrivit des noms savants sur une feuille de papier et s'en alla. Le lendemain, Mathieu repartit vers la ville et rapporta ce qu'il fallait pour soigner sa mère. Elle guérit, mais ne se remit jamais vraiment. Il y eut pourtant un très beau Noël blanc en compagnie de Lucie, à l'occasion duquel ils retrouvèrent une parcelle de leur bonheur enfui. Ensuite, très affaiblie, Elise Barthélémy continua de sourire, d'un sourire qui transperçait Mathieu, résolu à ne jamais revivre une pareille détresse : il détestait le malheur. Elise Barthélémy s'éteignit doucement au printemps, sans souffrir, comme la flamme d'une bougie trop usée. Autant la mort du père Barthélémy avait été violente, autant celle de sa femme fut d'une extrême douceur. Même sur son lit de mort, elle souriait.

Mathieu et Lucie l'accompagnèrent jusqu'à sa dernière demeure dans le cimetière de Saint-Julien, sans François, qui se trouvait de nouveau en manœuvres. Dès lors, Mathieu travailla à la scierie jusqu'à l'automne et négligea le fermage, car il savait qu'il ne resterait plus longtemps à Lavalette. Le printemps d'après, il fut convoqué devant le conseil de révision et n'eut aucun mal à se faire passer pour une forte tête. Il empoigna un gradé, ce qui lui valut de rentrer chez lui après huit jours de prison. Mais il avait obtenu ce qu'il souhaitait ; sur son livret militaire était inscrite la mention : « Chasseurs d'Afrique. » Il régla les affaires avec le propriétaire, vendit les meubles, paya le loyer, donna l'argent qui restait à Lucie et n'eut pas à attendre longtemps pour réaliser son rêve : fuir loin de cette terre qui l'avait vu naître, mais dont il croyait, sincèrement, qu'il n'y avait rien à espérer.

5

FRANÇOIS entra dans la forêt avec la nuit. Le vent se débattait là-haut, à la cime des arbres, avec de lourds claquements d'ailes et de brusques silences qui préparaient d'autres colères. De grandes ombres glissaient entre les sapins et les chênes, soulevant des parfums de mousse et d'aiguilles sèches. François chancela, s'appuya au tronc d'un hêtre. Depuis qu'il avait quitté la vallée, il avait peu mangé et ses jambes, de temps en temps, se dérobaient sous lui. D'abord la route blanche, puis des chemins traversiers l'avaient hissé vers ces plateaux de ciel et de grand vent. Monter. Monter. Il en avait ressenti le besoin, comme un appel de solitude, de vérité, de retrouvailles. Il en avait rêvé depuis des mois : les plateaux, la montagne, la forêt. « Là-bas, se disait-il, là-bas. »

Il s'avança lentement vers les sapins devenus plus noirs que la nuit. L'ombre, tout contre lui, caressait ses jambes, l'invitait à s'étendre. « Encore un peu », se dit-il. Il continua d'avancer, courbé vers la mousse, tandis que la sapinière s'ouvrait sur des bouleaux qui dressaient leurs colonnes blanches dans la nuit. L'odeur d'une fumée perla sous les branches, puis elle s'envola. Le vent creusait maintenant sa litière pour la nuit à grands coups de hanche. Les bouleaux se plaignirent puis finirent par s'endormir. « Là », se dit François. Il était au milieu de petites fougères qui émergeaient à peine de la mousse. Il s'agenouilla, s'enroula dans sa couverture, s'allongea et ferma les yeux.

Il revit la vallée, la rivière, les gorges de roches froides et les langues de bois sombres qui avaient peu à peu dévoré les coteaux. Il revit des toits de lauzes, des maisons basses, des femmes noires sur les seuils, des charrois lents, des éperviers dans le soleil, et, devant lui, le haut pays. « J'y suis, songea-t-il, les hommes sont paisibles et la forêt les garde. »

Il s'endormit.

Le jour coula en même temps sur les crêtes et dans ses yeux. Il se dressa, s'ébroua, ruisselant comme une source dans le soleil. Ses yeux semblaient vastes comme le ciel et son visage anguleux devenait d'une douceur de miel dans les sourires. Ses cheveux, d'un châtain roux, coupés très court, accentuaient les lignes droites et fières de sa tête. Il enjamba les fougères, suivit le sentier bordé de bruyères, déboucha sur une orée aux reflets blonds, se retourna et regarda, tout en bas, la vallée, la rivière qui creusait un sillon d'un argent vif entre les trouées des arbres. Elles paraissaient très lointaines, si lointaines que François se demanda si elles existaient vraiment. Il se sentit très heureux. Il était presque arrivé, il le savait. On lui avait dit : « Là-haut, quand vous aurez cessé de monter, vous trouverez le hameau. »

Devant lui, le sentier achevait de grimper vers un plateau qui émergeait, sous le ciel, des vagues vertes de la forêt. Là-bas, quelques pâtures dévalaient vers les arbres, entre de très beaux genêts. C'était un pays sombre et grave. Malgré les feux de l'automne, les châtaigniers paraissaient noirs à la lisière des futaies. Des filets de fumée montaient vers le ciel d'un bleu très clair, suscitant chez François une folle envie de café.

Il pressa le pas. Des chiens vinrent à sa rencontre, flairant ses mollets, mais ils n'aboyèrent pas. « La maison est au bord de la route, lui avait-on dit ; c'est la première, vous ne pouvez pas vous tromper. » François la trouva sans la chercher et n'eut même pas à frapper à la porte : elle était ouverte. A son pas, une femme vint vers lui, demanda si elle pouvait lui rendre un service.

– C'est pour la place de domestique, dit François. Je viens de la part de Marius Sauveplane.

– Entrez, dit la femme. Vous devez être fatigué.

François la suivit, s'assit sur un banc, ne remarqua pas tout de suite la fille qui travaillait devant l'évier taillé dans la pierre. Un vaisselier, une maie, un coffre à sel et une grande table en noyer occupaient l'espace face à la cheminée. La femme le servit. Elle était noire, sans âge, plutôt forte, avec beaucoup de volonté dans le regard. Il remercia, but une gorgée, vit la fille quand elle se retourna brusquement. Elle avait un visage grave et un front haut couronnés par des cheveux très bruns. Dès que les yeux d'un violet à la fois sombre et très lumineux rencontrèrent les siens, François comprit qu'il ne serait plus jamais seul au monde. Il la vit tressaillir puis se retourner de nouveau, tandis qu'il gardait présents devant lui la beauté de ses yeux, la gravité de son regard et quelque chose de plus grand, de plus terrible que toutes les tempêtes de l'univers. Il n'arrivait plus à boire son verre. Au bout d'un moment, il s'aperçut que la femme se tenait devant lui et le dévisageait. Elle hésita un instant, dut lire en lui ce qui se passait, murmura :

– C'est ma fille, Aloïse.

Comment allait-il pouvoir vivre une minute loin d'elle ? Il ne put s'empêcher de regarder de nouveau dans sa direction, mais elle ne se retourna pas.

– Marius vous a dit pour les gages ? demanda la femme. Nous sommes d'accord ?

– Nous sommes d'accord, dit François.

– Bon, fit-elle. Ce qui presse le plus c'est de couper le bois avant l'hiver.

Elle réfléchit quelques secondes, ajouta :

– Il faut commencer par débiter un tronc de châtaignier. Je vais vous le montrer.

Il se leva, suivit la femme jusque dans l'enclos. Elle lui montra le tronc, lui donna une hache, une masse, un coin aussi affûté qu'une lame, puis elle repartit. François commença à cogner tout en se répétant, avec la sensation de prononcer des mots portés jusqu'à lui par un vent qui avait traversé d'immenses terres vierges : Aloïse. Aloïse Chanourdie. Et les yeux violets, couleur de lilas, étaient devant lui, le brûlaient. Avait-il seulement existé, avant ce matin d'octobre ? Il n'en fut pas très sûr, soudain, et il lui sembla que le plateau, le ciel, la forêt avaient changé de couleur.

A midi, malgré ses efforts, il n'était pas venu à bout du tronc vieux de plusieurs siècles. On mangea de la soupe blanchie au lait et des crêpes de blé noir. Il se demanda s'il avait posé des questions sans s'en rendre compte, quand la mère expliqua :

– Mon mari est mort il y a six mois, écrasé par un rouvre. C'est pour ça que j'ai demandé un domestique à la louée. Le bien n'est pas très grand, mais nous avons des coupes dans la forêt.

François se retint de poser des questions. Son regard se posa de nouveau sur la fille qui ne s'asseyait pas mais cuisinait dans l'âtre. « Un drôle de nom, Aloïse, lui avait dit Sauveplane le jour de la louée. C'est son père qui a voulu l'appeler comme ça... Une idée qu'il avait... secrète comme un puits, mais des yeux, des yeux... »

Ils burent du café, puis de l'eau-de-vie de poire.

– J'ai pas fini, dit François.

– Prenez votre temps, dit la mère, je vous montrerai les coupes demain.

François, en s'en allant, sentit monter en lui une belle flamme rouge qui brûlait comme un soleil.

Il cogna comme un fou sur le tronc jusqu'au milieu de l'après-midi, finit par en venir à bout, rangea les bûches contre le mur. Quand il se retourna, elle était là. Il ne l'avait pas entendue arriver, mais il n'en fut pas étonné. Les yeux, tout de suite, le reprirent dans leur lumière étrange. Et puis la voix, chaude et lisse, très calme, si calme qu'il fut certain de n'en avoir jamais entendu de pareille.

– Vous voulez boire ?

Il vit le ciel, au-dessus d'elle, si bleu, si bleu, puis il la vit, elle, ses cheveux noirs, sa bouche large, ses pommettes hautes, ses épaules rondes, ses mains qui tremblaient un peu en lui tendant le verre. Quand il le prit, sans le faire exprès, ses doigts touchèrent ceux d'Aloïse. Elle ne parut pas s'en apercevoir, mais il n'en fut pas certain. Il but, s'essuya les lèvres d'un revers de main, tendit le verre. Ses doits, de nouveau, touchèrent ceux d'Aloïse.

– Merci, dit-il.

Puis, comme elle ne bougeait pas et semblait attendre quelque chose :

– La vie est dure, ici, reprit-il.

– C'est que nous sommes seules, fit-elle.

– Plus maintenant.

Quand les yeux se levèrent sur lui, il se demanda si elle avait compris ce qu'il avait voulu dire et il fut soulagé, quand elle souffla, dans un sourire dont il s'aperçut qu'il était le premier :

– Je le savais.

– Vous le saviez ? fit-il, mais déjà elle se retournait et s'éloignait d'un pas qui semblait caresser la terre du chemin.

Peu après, alors qu'il achevait d'empiler le bois, la mère arriva et dit :

– Vous coucherez dans l'étable, si vous voulez bien. C'est plus convenable.

– C'est entendu, dit-il.

Elle lui montra dans la paille le coin qui lui était réservé.

– Ça ira très bien, dit-il, j'ai l'habitude.

Il n'avait qu'une hâte : qu'arrive vite l'heure du repas pour revoir Aloïse.

– Je vais vous montrer les coupes, dit la mère, nous avons le temps avant la nuit.

Elle s'engagea sur le chemin qui basculait là-bas, vers les grands arbres, et François la suivit. Ils passèrent devant les portes ouvertes des maisons mais nul n'apparut sur les seuils. Ils entrèrent dans la forêt par une brèche sous des charmes, longèrent le coteau sur deux cents mètres, trouvèrent les chênes.

– C'est là, dit la mère. Il faut couper, ébrancher, dégager une saignée et faire descendre vers la rivière.

Il approuva de la tête, et ils remontèrent le sentier. Les pommiers étaient lourds de fruits dans les enclos. C'était déjà un peu comme si François se sentait chez lui. Quand il partit se coucher, après dîner, Aloïse lui sourit et lui dit :

– Surtout, faites attention aux arbres quand ils tombent.

En provenance de Marseille et après une traversée sans histoires, Mathieu avait été ébloui par la lumière d'Alger dès que le bateau transporteur de troupes avait pénétré dans la baie. Sous la verdure de la Bouzaréa, la ville arabe, de cubes blancs entre coupoles et mosquées, dominait la ville européenne

en cours de construction, où les palmiers, les eucalyptus, les arbres de Judée formaient des îlots de
couleur entre les maisons basses, dont l'éclat répondait au bleu superbe du ciel. Mathieu ne devait
jamais oublier cette première impression d'un
monde où la luminosité, la clarté de l'air lui sem-
blèrent infiniment plus belles que celles de son haut
pays.

A peine débarqués sur le port encombré, les soldats avaient reçu leur barda et traversé une place
envahie de mulets, de chameaux, d'ânes, de fruits,
de légumes de toutes les couleurs que des hommes,
assis par terre, proposaient à des femmes entièrement voilées de blanc, dont on devinait à peine le
regard. A des Européennes, aussi, qui, elles, ne se
détournaient pas au passage des soldats, mais souriaient, comme si leur présence apportait de la fierté
et de la joie. Il régnait en ces lieux des odeurs mêlées
de jasmin, d'huile et d'épices, de crottin, que la
chaleur de la matinée exacerbait, tandis que la
troupe se frayait un passage pour sortir de la ville et
prendre la direction de Blida, à pied, comme il se
devait, encadrée par des officiers à dolman rouge,
qui faisaient cabrer leurs chevaux en hurlant des
ordres et des menaces.

Cette marche sous le soleil de mai n'avait pas
effrayé Mathieu qui avait l'habitude de se déplacer
de la sorte. Contrairement à ses compagnons acca-
blés, il avait pris le temps d'observer les hauteurs
vertes de la proche banlieue d'Alger au-delà desquelles sa compagnie avait basculé vers l'immense
plaine carrelée de cyprès de la Mitidja. Ils avaient

marché jusqu'à un village appelé Birtouta, où le sergent avait décidé d'une halte, afin de remplir les gourdes à un puits, puis ils étaient repartis en direction de Boufarik, Mathieu gardant la tête haute pour ne rien perdre de ces immenses étendues de vignes, d'orangers, d'orge et de tabac qui se perdaient au loin, très loin, contre une chaîne de montagnes que l'on devinait dans la chaleur ondulante de l'après-midi, sous l'éclat terrible du ciel.

A la nuit, la troupe avait fait halte à Boufarik, plus exactement au-delà de la ville constituée de gourbis et de quelques habitations européennes, dans un camp militaire, où, enfin, les soldats avaient pu s'allonger à l'ombre, et, pour la plupart, sombrer dans le sommeil sans même trouver la force de manger. Mathieu, lui, avait un long moment respiré les parfums de la nuit, rêvé à cette plaine qui paraissait sans limites, et où toutes les cultures semblaient possibles. Dès le premier jour de son arrivée, ce pays lui était entré dans le cœur, et il n'avait qu'une hâte, ce soir-là, c'était de se retrouver vite au lendemain, pour apercevoir de nouveau la plaine dont il se répétait le nom en lui-même – Mitidja, Mitidja – comme s'il était celui d'une terre promise.

Ils étaient repartis avant le jour en direction de la montagne, longeant des fermes aux cultures toujours bien ordonnées entre des canaux d'irrigation. Vers midi, Blida était apparue, derrière un massif d'oliviers, toute blanche et piquetée de bouquets de verdure. Après une halte sur la place d'armes égayée par un kiosque à musique à délicates mosaïques, ils étaient repartis vers la garnison située dans la ban-

114

lieue de la ville, à Joinville, exactement, où les soldats avaient posé leur barda, et pris un repos très provisoire.

Dès le lendemain matin, en effet, les manœuvres avaient commencé à la fois dans la plaine et sur l'Atlas blidéen qui lui succédait, pour une instruction féroce et sans pitié qui avait laissé plus d'un homme sans force et démoralisé. Cinq mois avaient passé ainsi, à crapahuter dans les montagnes, au-delà de Chréa, durant cet été de feu que Mathieu découvrait, étonné de cette chaleur suffocante après la douceur d'un bref printemps, surtout les jours où soufflait le sirocco qui rendait les soldats haletants au fond des oueds, à la recherche de la moindre petite ombre, y compris les officiers pourtant habitués au climat.

Mathieu avait profité de ses cinq mois pour se faire remarquer du sergent Renquin, un homme dur, sévère, qui admirait sa résistance à la fatigue, son esprit d'initiative et, malgré son mauvais livret militaire, son sens de l'obéissance et de la hiérarchie. Comment eût-il pu soupçonner que Mathieu Barthélémy ne s'était montré indiscipliné que pour être envoyé loin de ses montagnes, sur la terre d'Afrique où il espérait bâtir une vie différente de celle qu'il avait connue et dont il avait tant souffert ?

Un soir du mois d'octobre, son sergent le conduisit devant le lieutenant Batistini, qui l'interrogea un long moment, avant de lui intimer l'ordre de se rendre dès le lendemain dans la ferme d'El Salah, à une vingtaine de kilomètres de Blida, près du village de Chebli, où il demeurerait de garde pour veiller sur les troupeaux et les cultures car l'on avait constaté des vols.

– Le sergent Renquin vous y conduira, dit le lieutenant, un homme noir, sombre, au regard de rapace, scrutant Mathieu impassible.

Il ajouta, lui donnant congé de la main :

– Il vous expliquera.

Ils partirent le lendemain à cheval bien avant le jour, en direction de la grande plaine qui s'ouvrait peu à peu à la lumière. En chemin, le sergent expliqua à Mathieu que la ferme d'El Salah était dirigée par un régisseur nommé Ramdane, pour le compte d'un propriétaire français qui avait ses entrées au ministère des Armées. Ce propriétaire soupçonnait son intendant de détourner le produit des cultures et le bétail à son profit. Il était possible que Ramdane organisât lui-même les vols. Il s'agissait ou bien de le confondre ou bien de l'empêcher de nuire. Mathieu n'avait pas posé de questions. Il avait compris.

Ils passèrent les villages de Souma, de Bouïnan, puis ils tournèrent à gauche en direction de Ben Sari, au cœur de la grande plaine accablée de chaleur. Quand ils arrivèrent en vue d'El Salah, en apercevant les vastes bâtiments couverts de tuiles rousses dans un îlot de cyprès et de figuiers lourds de fruits, Mathieu eut la conviction d'avoir trouvé le lieu dont il avait toujours rêvé.

« Elle est tout près », ne cessa de se répéter François chaque heure et chaque jour de la semaine qui suivit son arrivée au hameau de Puyloubiers. Souvent il tournait la tête vers la maison et lui parlait. La nuit, deux mots dansaient devant ses yeux tandis qu'une voix chuchotait près de son oreille : « Aloïse. Aloïse. » Dès son réveil, il travaillait comme pour se punir. « J'ai dû rêver, se disait-il, qu'est-ce qui m'arrive ? » Il cognait, sciait, frappait, ébranchait, s'épuisait pour oublier le temps qui ne passait pas assez vite. Encore deux jours, encore un jour et ce serait fini : il serait de nouveau près d'elle.

Le samedi soir, il regagna le hameau dans le vent plein de soupirs et de chuchotements. Les femmes attendaient François devant la porte. Ils discutèrent un moment sur le seuil, puis ils rentrèrent. Pour la première fois, Aloïse s'était assise face à lui. Ses lèvres rouges s'ouvraient à peine, mais ses yeux, oui. Il eut l'impression que, chaque fois qu'il mangerait près d'elle, tout serait meilleur dans sa bouche. Ils ne parlaient pas, la mère non plus. Elle allait de l'âtre à la table, de la table à l'âtre sans se presser. De temps en temps Aloïse se levait et la remplaçait. Quand elle se rasseyait, ses yeux sombres ensoleillaient François. « J'ai tout », se disait-il, et il l'écoutait respirer en souhaitant follement que ce cœur qui battait près de lui ne s'arrête pas avant le sien. « Moi d'abord, songeait-il, qu'est-ce que je deviendrais sans elle ? »

Le repas s'acheva avec du fromage et du café.

— Vous avez eu assez ? demanda la mère.

— Oui, dit François, merci bien.

Aloïse se leva, débarrassa la table, posa les assiettes dans l'évier.

— Alors vous aimez le haut pays, dit la mère.

— Oui, dit François.

— Et vous venez de loin ?

— Je viens du Pradel, plus bas, où mes parents étaient fermiers. Au retour de l'armée, je me suis loué, et me voilà.

— Il y a longtemps que vous êtes rentré ?

— Début septembre.

— Et vous avez voulu venir ici, en montagne ?

— J'en avais besoin, dit François.

Et il ajouta, comme la mère n'osait le questionner davantage :

— J'aime les arbres et la forêt.

La mère hocha la tête.

— Oui, dit-elle, je comprends.

Après dîner, François s'attarda un peu dans la cuisine, tandis que la mère lui servait un fond d'eau-de-vie. Il le fit durer le plus longtemps possible, puis il s'en alla, leva la tête vers le ciel, offrit son visage à la pluie tiède. La forêt chantait sur sa droite. Le vent passait très haut avec des rires et des colères. « L'hiver est proche », se dit François.

Bientôt, en effet, les gelées emprisonnèrent l'herbe et les fougères au bord des fossés et la forêt se mit à craquer jusque dans son cœur. On avait à peine eu le temps de nettoyer les châtaigneraies et de ramasser les pommes. Des lames de faux descendaient en rangs serrés de la montagne. On n'en sentait pas le fil dans la forêt, mais les pointes aiguisées de l'air coupaient la peau dès qu'on sortait à découvert.

Les veillées avaient commencé. On se rendait

dans les maisons à tour de rôle. François avait fait connaissance avec ceux du hameau : cinq feux et seize âmes vivaient là, à Puyloubiers. La route s'en allait vers Saint-Vincent-la-Forêt, où l'on assistait à la messe et aux vêpres le dimanche, et puis, au-delà, vers des massifs très sombres qui montaient jusqu'au ciel. De l'autre côté, elle descendait vers la vallée, en croisait d'autres qui longeaient la rivière, puis toutes remontaient vers Sainte-Croix, Avèze, Villars, et de nouveau la montagne dont les épaules rondes roulaient au-dessus des plateaux. Tout autour, la forêt, le vent et les nuages. Un pays de granit, des hommes et des femmes avec beaucoup de force au fond des yeux. « Un pays pour le bonheur », songeait François.

Un soir, Aloïse chanta. Elle se leva, se tourna vers l'assemblée, sa voix coula dans l'ombre tiède. François sentit ses poings se serrer. « Elle est à moi », se dit-il. Elle avait une voix qui venait d'un pays inconnu. Elle disait à François qu'il avait vécu plus de vingt ans pour rien. La nuit était loin, et le froid aussi. Quand la voix s'arrêta, la nuit revint. François eut froid. Aloïse s'assit de nouveau, le regarda, quêtant une approbation, un signe de lui. Il fit « oui » de la tête, mais comme il avait froid !

Le reste de la soirée, elle demeura un peu penchée sur le côté, comme si elle souffrait. « C'est de chanter, se dit François, son cœur est trop fragile. » Et il eut peur. Après, il sortit dans la nuit crépitante d'étoiles avant d'aller se coucher. La forêt ne respirait plus. Elle attendait. La lune était prise par les glaces.

– Le grand froid est proche, murmura François.

Il s'enfonça dans la paille, tendit l'oreille : un cœur battait dans la nuit, là-bas, et la forêt lui répondait. Le lendemain, la neige enveloppa les terres et les arbres. Des vols de grands oiseaux passèrent en silence. On entendit crier sous les sapins puis il y eut des froissements de branches le long des coteaux : les sangliers. Des jours de gel se succédèrent, au long manteau glacé. L'avant-veille du 25 décembre, la mère demanda :

– Vous passez la Noël avec nous ?

– Oui, dit François.

– On réveillonnera au retour de la messe.

Ce soir-là, François se rasa soigneusement, enfila ses habits de velours, sa limousine noire, gagna la maison dès la nuit tombée. Ils attelèrent la charrette à la jument grise. La mère alluma la lanterne et prit les rênes. Aloïse était au milieu et François tout contre elle. Il y avait trois kilomètres pour aller à Saint-Vincent. La neige craquait comme du feutre sous les roues. De chaque côté de la route, les arbres se serraient les uns contre les autres en gémissant. Le vent était tombé et l'air, sans odeur, coupait le souffle.

La jument s'arrêta brusquement quand les cloches se mirent à appeler. On les entendait se répondre avec beaucoup d'allégresse : celles de Saint-Vincent, d'Avèze, de Port-Dieu, et cela formait comme des oriflammes dans la nuit. On rencontra d'autres charrettes en approchant de l'église, puis il y eut une brèche dans la forêt et François aperçut des lumières sur la place. La mère couvrit la jument et l'attacha à un grand bouleau blanc. Aloïse donna le bras à Pauline, sa mère, et François les suivit. Il resta au fond de l'église avec les hommes, songeant aux Noëls du Pradel, à son père, à sa mère, à tous ceux qui étaient loin aujourd'hui, et son cœur se serra.

Il y eut de très beaux chants sous les lustres dorés. Aloïse se retourna une fois, une seule, puis elle alla prendre la communion, la tête recouverte d'un châle noir. Les cloches se remirent à sonner. François les entendit courir sur le plateau désert puis revenir vers le village, tourner au-dessus de l'église et s'envoler vers la montagne.

Sous le porche, Aloïse et sa mère parlèrent à des femmes très droites, vêtues de lourds manteaux et encapuchonnées. François s'en fut réveiller la jument qui dormait et l'on put repartir. Aloïse se serra contre François, ne bougea plus. Bientôt la neige se remit à tomber. Ses pattes menues coururent sur la route et sur les fossés. La nuit, maintenant, s'épaississait. Comme la jument hésitait, François descendit et prit le licol d'une main ferme. « Je les conduis », se dit-il et il se sentit chargé d'âmes. La neige craquait sous ses souliers ferrés et il parlait à la jument pour la rassurer. Dans un tournant, on faillit verser, mais François retrouva très vite les limites après avoir cherché le vide avec ses pieds. Puis la route s'éclaircit et des chiens aboyèrent. On arrivait. François détela la jument dans l'étable.

Quand il revint dans la maison, le feu flambait. Ils mangèrent une soupe de seigle, du porc confit, des châtaignes blanchies et burent du cidre. François comprit qu'il devait parler.

– Si vous aviez un peu d'amitié pour moi, dit-il en se tournant vers Aloïse.

Elle le regarda avec ses grands yeux sombres.

– J'ai mieux que ça, François, répondit-elle.

Alors il demanda à l'épouser et ajouta :

– Je vous serai toujours d'un bon secours et je ne vous manquerai pas de respect. Vous me voulez ?

– Oui, François, dit Aloïse.

– Ce sera pour le mois de mai, dit Pauline. On invitera la parenté.

– C'est bien comme ça.

Il fallut partir. François leur souhaita le bonsoir et sortit. Il marcha un moment sur la route, dépassa l'étable où il dormait, continua vers la forêt, s'enfonça dans la neige jusqu'aux genoux, tomba, se releva. Sous les arbres, la neige était moins épaisse. Il toucha les troncs, reconnut un charme, s'y adossa. Il ferma les yeux et dit en serrant les poings :

– Je l'ai trouvée.

Lucie attendait impatiemment le printemps. A Noël, elle avait espéré un signe de François, une visite, mais non, il n'était pas venu. Mathieu non plus, qui se trouvait de l'autre côté de la mer, en Algérie, et ne donnait guère de nouvelles. Autour du château, l'hiver s'éternisait entre neige et gel. En mars, il y eut un grand tumulte au fond de l'horizon. Le vent avait enfin tourné et apportait des nuages mous comme des toisons d'agneaux. L'hiver s'en allait sans se presser. Il y eut encore deux ou trois jours de neige, puis la pluie balaya tout et le printemps se manifesta dès le début d'avril. Des langues tièdes léchèrent le plateau, la terre s'ameublit et la vie au-dehors reprit comme l'année d'avant, laissant espérer de nouvelles fêtes, de nouvelles rencontres.

Pour Lucie, ces cinq mois d'hiver avaient été bien longs. Elle avait partagé son temps entre les chambres, la buanderie et la cuisine, près de Rosine, où elle avait chaud et se sentait en sécurité. Ses dix-huit ans, en effet, attiraient les hommes dont elle avait appris à se méfier. Elle n'ignorait rien des secrets de la nature et des dangers qu'elle courait. Or les domestiques, l'hiver, vivaient eux aussi davantage à l'intérieur des communs et il n'était pas rare qu'ils passent par la buanderie, le plus souvent, comme par hasard, quand elle se trouvait seule. C'était le cas de Jean, le jardinier. De lui, elle n'avait rien à redouter, au contraire : il l'avait prise sous sa protection. Elle avait même parfois l'impression qu'il remplaçait son père disparu, ayant à peu près le même âge, et l'appelant « ma fille », avec une affection sincère qui faisait beaucoup de bien à Lucie.

Elle recherchait tout ce qui pouvait lui rappeler le passé, la vie au Pradel, comme pour se persuader que tout cela n'avait pas totalement disparu. Il lui arrivait d'entrer dans les étables ou dans les écuries, pour retrouver les odeurs qui avaient accompagné son enfance, fermer les yeux, sentir se lever en elle une vague merveilleuse et désespérée qui l'abandonnait au bord des larmes. Toutefois, elle n'abusait pas de ces retours vers le passé, sachant qu'elle devait penser à sa vie future, à ce mari qu'il faudrait bien trouver un jour pour avoir des enfants, puisque telles étaient la loi et la condition du bonheur.

Elle dut d'ailleurs y renoncer après une mésaventure dont elle eut du mal à se remettre : c'était un soir de janvier, à la tombée de la nuit. Elle avait décidé d'aller faire un tour dans les écuries avant de gagner la cuisine où Rosine lui avait promis des crêpes de froment. Elle avançait dans l'allée centrale quand elle se sentit saisie par deux bras vigoureux qui la poussèrent vers la paille, entre deux stalles. Elle se débattit, sans parvenir à dégager totalement ses bras. Les mains de l'homme palpaient sa poitrine, descendaient vers ses cuisses. Elle se sentit perdue, mordit profondément une épaule, arrachant un cri à l'homme qui lui dit :

– Que tu es sotte ! Laisse-toi donc faire.

Avant même d'entendre sa voix, elle avait compris qu'il s'agissait d'Emile, le cocher, qui la poursuivait de ses assiduités depuis le jour où elle était arrivée au château. Elle était sur le point de succomber quand sa main droite rencontra le manche d'une fourche plantée dans la paille. Dans un effort ultime, elle l'arracha et frappa de toutes ses forces sur la tête du cocher qui poussa un cri, la lâcha, et roula sur le côté, la libérant de son poids. Elle s'enfuit, courut jusqu'à la cuisine où Rosine s'efforça de la réconforter. A partir de ce jour, elle renonça à se rendre dans les étables ou dans les écuries, mais elle garda de l'aventure une blessure qui mit du temps à cicatriser.

Un seul homme trouvait grâce à ses yeux : Norbert, qui revenait aux vacances et qui, une nouvelle fois, durant la période de Noël, lui avait parlé avec une douceur et une prévenance qui l'avaient étonnée. Comment un homme tel que Norbert de Boissière pouvait-il s'intéresser à elle ? C'était à la fois impensable et merveilleux. Il lui semblait qu'il n'y avait pas dans sa voix la moindre menace, le moindre désir de lui nuire, mais, au contraire, un intérêt sincère, dont elle ne s'expliquait pas la raison. Ce matin-là, il avait surgi dans son dos comme la première fois, et murmuré :

– Voilà ma fée du logis.

Elle s'était retournée, surprise, troublée, incapable de parler.

– Tout va bien, ma petite fée du logis ?

Elle avait réussi à avaler sa salive, balbutié :

– Oui, monsieur Norbert, tout va bien.

Il s'était avancé jusqu'à elle, avait tendu la main, caressé sa joue, repris :

– Vous vous plaisez ici ?

– Oui, je suis bien.

Que lui voulait-il ? Elle leva la tête vers les yeux noirs aux éclats dorés, le sourire qui creusait deux sillons profonds aux commissures des lèvres, les longs cheveux tombant de chaque côté du visage en mèches qu'il relevait machinalement de la main, en un geste qui, elle ne savait pourquoi, l'émouvait. Il l'avait observée comme à son habitude un long moment sans rien dire, avait esquissé un pas vers elle, mais s'était arrêté.

– Lucie, Lucie, avait-il murmuré, et il y avait eu dans sa voix comme un regret.

Elle avait détourné la tête, trop impressionnée par son regard, la fièvre qui brillait dans ses yeux, quelque chose d'inconnu et de terriblement familier à la fois : le sentiment, la conviction que se trouvait dans cet homme tout ce qu'elle cherchait, ce qu'elle espérait depuis des années. Elle avait fermé les yeux à l'instant où il avait dit, dans un souffle :

– S'appeler Lucie et être si jolie... Regardez-moi, n'ayez pas peur.

Elle avait fait un effort sur elle-même, rouvert les yeux.

– Si vous avez besoin de quelque chose, Lucie, n'hésitez pas à me le dire.

– Oui, avait-elle répondu. Merci, monsieur Norbert.

Il avait souri de nouveau, s'était retourné et avait disparu.

Trois mois de cela. Depuis, sans oser se l'avouer, Lucie comptait les jours qui la séparaient des vacances de Pâques et de la venue de Norbert. Elle se le reprochait souvent, sachant que ce n'était pas bien de sa part, qu'elle n'en avait pas le droit, mais elle ne pouvait empêcher ses pensées de voguer avec lui. Ainsi, à partir d'avril, elle guetta chaque jour la voiture qui le ramènerait au château, et, quand il fut là, elle ne se hâta point, le matin, d'exécuter son travail dans les chambres de l'étage, espérant entendre son pas dans le couloir.

Ce qu'elle souhaitait follement et redoutait en même temps se produisit à la mi-avril. Sans l'avoir entendu, ce matin-là, elle sut qu'il était là. Il travaillait en effet sur l'écritoire située près de la fenêtre de sa chambre qui donnait sur le parc.

– Tiens, dit-il en se retournant, ma fée du logis.

Il se leva, vint vers elle, et, naturellement, doucement, l'embrassa. Ce fut comme si le monde autour d'elle se mettait à tourner. Il la retint dans ses bras, murmura :

– Ma petite Lucie.

Elle sentit qu'il la faisait s'allonger sur le lit, et elle n'eut pas la moindre pensée de révolte. Au contraire : elle comprit que s'accomplissait là ce qu'elle attendait depuis toujours. Elle sut, en sentant sur elle ses mains douces mais fermes, que, quoi qu'il se passe désormais, elle avait atteint son rêve le plus fou, et que sa vie s'en trouverait transformée.

La veille du mariage, les femmes avaient tendu des draps dans la grange pour cacher la paille et le foin. Elles avaient aussi emprunté des tréteaux et des planches et les avaient recouverts d'une toile de chanvre. Une tante d'Aloïse avait fait la cuisine. L'oncle jouait du violon : c'est lui qui ferait danser. Aloïse avait compté les jours. La nuit, elle se réveillait, s'asseyait sur son lit, criait : « François, François ! » puis elle se rendormait. Elle avait pensé au malheur, aux arbres qui tombent, à son père sous le rouvre, le torse écrasé. Elle avait prié, supplié la

Sainte Vierge : « Laisse-le-moi, laisse-le-moi ! » Et ce matin, François était là, dans un costume neuf, pour la conduire à l'église de Saint-Vincent. Partout ce n'étaient que rubans de couleurs, cris, rires, exclamations, pétards, et déjà le violon jouait.

François monta sur la dernière charrette au côté de Lucie. Aloïse était assise entre sa mère qui tenait les rênes et son oncle qui jouait du violon. La robe d'Aloïse était bleue. Bleu était le ciel, aussi, au-dessus des forêts. Combien de charrettes suivaient ? Dix ? Vingt ? Tout le hameau était invité. On croisait des montagnards qui descendaient dans la vallée. Ils voulaient embrasser la mariée et ils voulaient danser. Il fallait s'arrêter. C'est ainsi que l'on mit plus d'une heure pour arriver au village. L'oncle conduisit Aloïse devant l'autel en lui donnant le bras. Quand elle voulut se retourner, François était déjà là.

Vint le moment où il lui glissa l'anneau au doigt. Voilà ! C'était fait ! « François », murmura-t-elle en le regardant avec ses grands yeux de gentiane. Ils ne virent pas le temps passer. Sous le porche, il fallut remercier, serrer des mains, patienter. Aloïse avait hâte de partir car elle savait qu'au retour il conduirait lui-même la charrette. Enfin, ils furent seuls, devant. La route cherchait l'ombre des arbres. Il faisait frais. Et toutes ces années qui les attendaient ! Et ce grand ciel, si près, si près...

Le repas fut très gai, car tout le monde voulait chanter. Aloïse dut refuser : ça porte malheur à une épousée. Quand ce fut fini, les femmes emportèrent la vaisselle dans la maison et l'on enleva les

tables pour danser. Comme ils dansèrent, ce soir-
là ! Aloïse ne se souvenait pas d'avoir jamais
dansé comme ça. A la fin, ils sortirent pour aller
marcher.

– Si je te donne un jour de la contrariété, dit
François, il faudra me le dire.

Elle hocha la tête, ne répondit pas. Elle regardait
les étoiles crépiter au-dessus des sapinières et rêvait
qu'elle marchait là-bas, avec François, comme dans
la lumière d'un lustre. Il lui prit le bras, la conduisit
par un sentier dans la forêt. Plus loin, la mousse
était épaisse. Ils s'assirent côte à côte et demeurèrent
ainsi de longues minutes, silencieux. Ce fut seulement au retour, sur le chemin, qu'il osa l'embrasser.
La terre entière sentait le bois, la sève douce. Ils ne
retournèrent pas dans la grange où le violon jouait
toujours. Ils se dirigèrent vers la chambre d'Aloïse
où il n'était jamais entré. Elle put enfin se laisser
aller dans les bras dont elle avait rêvé chaque nuit,
depuis le premier instant où il avait pénétré dans sa
maison.

Pendant les jours qui suivirent, le beau temps
tarda à s'installer. Les nuages s'étiraient dans les
matinées blêmes, accompagnant François qui allait
travailler dans les coupes de la forêt mais rentrait
chaque soir. Pour le moment, les femmes suffisaient
aux travaux des champs : un pré, une parcelle de
seigle, une autre de pommes de terre, c'était tout
ce qu'elles possédaient. Il fallut attendre le début
de juin pour que l'air s'adoucisse. Alors le vrai soleil
grimpa au-dessus des collines et fit blondir les foins

qui se trouvaient dans une parcelle maigre, entre deux langues de châtaigniers.

François les attaqua à la faux le 20 juin. Aloïse l'aida autant qu'elle le put avec sa mère. De temps en temps, tandis que François aiguisait l'outil, Aloïse s'arrêtait de faner, le regardait. Il souriait, puis, dès qu'il avait fini, il se remettait à faucher. Les femmes, derrière lui, retournaient le foin, l'étendaient en andains réguliers. Comme le beau temps durait, on put le rentrer en trois jours. En attendant la moisson du seigle, François redescendit dans les coupes de la forêt.

Un matin du début de juillet, Aloïse trouva Maria Rebière et sa belle-fille Rose à la fontaine qui coulait sous deux sapins, en bas du hameau. Elles lui parlèrent d'un archiduc assassiné dans un pays d'au-delà des montagnes, des bruits mauvais qui couraient sur les places des villes.

– C'est loin, dit Aloïse.

Elles parlèrent aussi des hommes qui avaient été rappelés dans l'armée, de grondements dans la montagne, de choses étranges qui les inquiétaient. Aloïse leva la tête vers le ciel : c'était du bleu, du bleu et de la paix. Pourtant, le soir, quand François rentra, Aloïse lui raconta.

– Je sais, dit-il, mais c'est si loin.

Cette nuit-là, il cria une fois dans son sommeil, mais, le matin, tout était oublié. Aloïse s'en fut voir le seigle. « On pourra moissonner au début du mois d'août », se dit-elle.

Vinrent des jours malades, à l'air épais. Des langueurs moites campaient sur la forêt pendant l'après-midi, puis venaient des soirs pleins de fièvre, avec des bruits inhabituels dans les lointains. Le vent avait perdu la fraîcheur que l'été, d'ordinaire, dans ces hauteurs, ne lui dérobe qu'en milieu de journée. Le matin, Aloïse se levait avec une grande lassitude, retrouvait les femmes près de la fontaine qui parlaient de maléfices, de veaux monstrueux, d'araignées énormes, de poussins mort-nés, de quoi encore ? Aloïse ne disait rien. Elle avait mal aux jambes, aux bras, partout dans le corps. Elle remontait péniblement jusque chez elle et retrouvait sa mère qui hochait la tête et soupirait.

Tout cela ne pouvait durer. Un jour, en milieu d'après-midi, des nuages montèrent de la plaine. Ils étaient si gros, si noirs, si menaçants que Maria vint prévenir Aloïse et sa mère. Elles descendirent quelques centaines de mètres sur le coteau, les regardèrent un long moment. Ils ne se pressaient pas, semblaient immobiles, mais on voyait pourtant qu'ils prenaient appui sur les arbres pour se hisser sur les collines, sûrs d'eux, de leur force, en bouchant le défilé de Sainte-Croix, là-bas, de l'autre côté, sur le versant de la montagne. C'était comme un troupeau de taureaux noirs qui s'avançaient pour tout écraser.

– Et le seigle qui est sur pied, dit Aloïse.

Déjà les cloches de Saint-Vincent se mettaient à sonner, puis celles d'Avèze, de Port-Dieu, toutes celles de la montagne et de la vallée. Les nuages parurent hésiter. Ils flottèrent un moment dans le défilé, puis ils redescendirent et suivirent la rivière.

Le hameau veilla très tard, de peur de perdre le

seigle. On entendit tambouriner longtemps au fond des gorges et le vent se leva. Allongés côte à côte, François et Aloïse avaient ouvert la fenêtre pour écouter. Il y avait de grands froissements de branches dans la forêt, mais le tonnerre et les éclairs demeuraient encore loin.

– La terre est malade, dit François, il faudrait un peu d'eau, surtout pas de grêle.

L'orage tourna longtemps, longtemps, avec des grondements de bête prise au piège. Enfin il rencontra la montagne et s'écrasa sur elle, plus haut. Quand il l'eut bien battue, qu'il eut passé sa colère, il retourna d'où il venait. Il ne portait plus que la pluie, une bonne pluie tiède qui soulagea la terre, les arbres, les hommes et les bêtes.

– Tu entends ? demanda Aloïse.

– Oui, je ne dors pas.

– Et si le seigle versait ?

– Non. Il n'y a ni vent ni grêle.

Elle se tourna vers François, soupira.

– Et si la guerre venait ?

Il lui prit le bras, le serra.

– Non, dit-il, pas ici.

Elle s'endormit.

La semaine suivante, il y eut des journées d'une grande clarté. Le soleil fit miroiter le vert sombre des arbres et, sous la paume du ciel, des routes blanches s'ouvrirent jusqu'au fond de l'horizon. Adoucis par la pluie de l'orage, des parfums d'écorce et de mousse jaillirent dans l'air neuf. Tout semblait propre tout à coup. Pourtant, des oies sauvages passèrent en vol serré. En plein été. Plus haut, sur le plateau, on entendit aiguiser des faucilles, et le vent se mit à sentir la bruyère.

Pour François, c'était le dernier soir avant les moissons. Il s'assit sur le rouvre qu'il venait d'ébrancher, but à même le goulot de sa bouteille et s'essuya les lèvres. Puis il songea à ces neuf mois qui venaient de passer, à Aloïse qu'il retrouvait chaque soir. « Elle est là-bas, se dit-il, tout près », et, comme chaque fois, il eut envie de pain chaud.

Il pensait si fort à elle qu'il n'entendit pas les cloches de Saint-Vincent. Il fallut bien deux minutes avant qu'elles se frayent un chemin dans sa tête. « Le glas », se dit-il, mais il ne se souvint pas d'avoir entendu parler d'un vieux qui se mourait. Non ! Cela cognait plus fort que le glas. Il entendit alors les cloches d'Avèze qui venaient se mêler à celles de Saint-Vincent. « Le feu », se dit-il. Il se dressa d'un bond et se mit à courir.

Il courait, il courait, imaginant de longues flammes dans la forêt, les maisons dévastées, des langues de feu droites comme des serpents prêts à mordre. Dès qu'il sortit des bois, il s'arrêta pour écouter, se rendit compte qu'il avait oublié sa musette mais n'eut pas l'idée de retourner. Les cloches volaient d'une crête à l'autre, rebondissaient sur les coteaux, s'éloignaient vers la montagne et revenaient dans des échos multipliés. Il sembla à François que les arbres se plaignaient. « Qu'est-ce qui se passe ? » murmura-t-il, et il recommença à courir.

A l'horizon au-dessus des sapinières, deux lèvres de ciel s'ouvraient et paraissaient dire quelque chose, mais quoi ? François les regarda un long moment, puis il émergea sur le plateau et elles disparurent. Où était la fumée ? Il parcourut vainement du regard l'horizon entier. Maintenant qu'il était sorti de l'abri des forêts, les cloches de Saint-Vincent paraissaient toutes proches. Au détour du chemin, il trouva le vieux Joseph, le père de Marius Sauveplane, qui arrivait avec ses brebis.

– Où est le feu ? demanda François.

Le vieux s'essuya les yeux, répondit :

– Y a pas de feu.

François, rassuré, s'arrêta devant lui.

– Oh ! pauvre ! dit le vieux.

François continua à chercher la fumée au-dessus des arbres, puis il se retourna vers Joseph qui tremblait.

– Qu'est-ce qui se passe ? fit François.

– Oh ! pauvre ! répéta le vieux.

Et il continua de secouer la tête sans rien ajouter. François regarda sur sa droite. Une ombre gigantesque s'était mise en marche sur les collines : un gros nuage qui sentait le soufre et le bois brûlé. Puis il y eut un grand froissement de feuilles dans les châtaigniers et le vent se leva. Les arbres se balancèrent et l'ombre s'éloigna.

– Il est temps de moissonner, dit François.

– Oh ! les moissons ! fit le vieux.

François ne comprit pas ce qu'il voulait dire, mais il venait de se rendre compte que le vieux pleurait.

– Faut moissonner, répéta François, comme pour se rassurer.

Il repartit vers le hameau, mais sans courir. Une fois en haut, il s'aperçut que toutes les portes des

134

maisons étaient ouvertes. Puis il entendit des chiens aboyer en bas, près de la fontaine et il descendit sans se presser. Passé la maison des Rebière, pourtant, il marcha plus vite.

Ils étaient tous près des sapins. François vit que les femmes tenaient leur mouchoir à la main, et d'abord Aloïse et Pauline. Mais aussi Rose qui serrait le bras de Pierre, son mari, près de Camille et Maria, ses beaux-parents. Il y avait également Germaine et Louis Sauviat, leur fille Berthe et Marcel, son époux ; enfin Marius Sauveplane, et, un peu à l'écart, jouant près d'un sapin, les enfants de Rose et de Berthe.

– Qu'est-ce qui se passe ? demanda François.

Il n'osait pas regarder Aloïse.

– C'est la guerre, dit Maria.

– La guerre ? fit François. Et pourquoi ?

Maria haussa les épaules. François observait Aloïse mais elle refusait toujours de tourner la tête vers lui. Quelque chose qu'ils ne connaissaient pas venait de s'abattre sur les collines. Au-dessus des arbres, le gros nuage revenait. Une ombre froide courut sur tous ceux qui se trouvaient là rassemblés. Enfin François rencontra le regard d'Aloïse qu'il n'avait jamais vue pleurer.

– Quelle pitié ! dit-il.

Et il répéta, fermant les yeux :

– Une pitié, vraiment, une pitié.

Ce fut un soir étrange, plein d'échos et de soupirs. Le ciel eut des lueurs violettes que la nuit ne parvint pas à dissiper. Aloïse et François étaient remontés côté à côte de la fontaine sans parler. Il avait fallu s'occuper des bêtes et souper, mais comment manger avec tant d'idées dans la tête ? Qu'allait-il se passer ?

Comme les jours étaient longs, Aloïse et François partirent à pied sur la grand-route.

– Demain, je prends la faucille, dit François.

– Oui, dit Aloïse, c'est ce qu'il faut.

Ils marchèrent un long moment en direction de Saint-Vincent sans trouver la force de parler. Deux ou trois voitures passèrent, mais les conducteurs parurent ne pas les voir. Juste avant la nuit, ils prirent un sentier sur la gauche, entre les fougères.

– Oh ! François ! dit Aloïse.

– Demain on moissonne, fit-il.

Ils s'assirent sur un arbre couché. Devant eux, la forêt respirait lourdement, avec difficulté, comme si elle était malade. L'ombre immense de la nuit se posait lentement sur la cime des arbres. Aloïse se rapprocha de François, à le toucher.

– Et si on se perdait ? demanda-t-elle.

– Mais non, dit-il.

Ils évitèrent de parler. Il valait mieux. Plus tard, ils retournèrent vers le hameau, étroitement serrés. Un petit vent courait sur la grand-route, les faisant frissonner. Autour d'eux, les bois noirs remuaient.

– Il ne faut pas perdre courage, dit François.

– Oh ! dit Aloïse, c'est pas le courage qui manque, mais j'ai mal partout.

Le lendemain, à l'aube, ils se levèrent pour moissonner. Dès qu'il ouvrit la fenêtre, François comprit à la lueur du ciel qui pâlissait, là-bas, sur les sapins, que le temps irait bien. Ils déjeunèrent sans se presser. La veille, avant de souper, François avait aiguisé les faucilles. Avec le jour, il leur semblait qu'ils pouvaient tout oublier. Ils s'en allèrent au champ de seigle qui se trouvait entre deux garennes de châtaigniers.

En quelques coups de fauche, François put entrer dans le seigle. Sur son bras gauche enfla rapidement une javelle blonde. Aloïse le rejoignit : elle avait appris à moissonner avec son père. Ils avancèrent à cinq pas l'un de l'autre jusqu'au milieu du champ. Il faisait bon, ce matin-là, entre les bois, dans la bonne odeur du seigle que le soleil réchauffait. De temps en temps ils se redressaient, portaient les mains à leurs reins, se souriaient, lâchaient la javelle et repartaient. Avec la fatigue, Aloïse avançait moins vite. Sa mère vint la relayer au milieu de la matinée. Aloïse s'assit sous les châtaigniers. Elle était bien, à l'ombre, écoutait frissonner les feuilles au-dessus d'elle et refusait de penser à ce qui s'était passé la veille. Elle ne voyait ni François ni sa mère quand ils étaient courbés, mais elle les apercevait dès qu'ils se redressaient.

Un peu avant midi, la mère repartit pour préparer le repas. Aloïse reprit la faucille dans le champ maintenant grand ouvert qui fumait. Elle respirait l'odeur du grain, de la paille, de la vie. « On a rêvé », se dit-elle. Ils continuèrent ainsi jusqu'à plus de midi et ce fut François qui s'arrêta le premier. Ils burent l'eau d'une cruche et rentrèrent sans se presser.

137

Quand ils poussèrent la porte de la maison, deux gendarmes se levèrent.

– François Barthélémy ? fit le plus âgé, que François connaissait.

– Vous le savez bien ! Je vous ai porté mon livret à l'automne dernier.

– Justement, je vous le rapporte, reprit le brigadier. Il y a dedans votre fascicule : vous devez rejoindre Limoges demain.

François restait debout, incapable de bouger ni de parler. Aloïse se tenait près de sa mère, de l'autre côté de la table.

– C'est pour la guerre ? demanda François.

– Oui ! dit le brigadier.

– Et la moisson ?

Les gendarmes le dévisagèrent en se demandant s'il ne se moquait pas d'eux.

– Et la patrie ? fit le brigadier.

François ne bougeait toujours pas. Son regard allait des deux femmes aux gendarmes et inversement.

– J'ai fait mon temps, dit-il.

Le brigadier haussa les épaules, soupira :

– Demain, Limoges, au plus tard à dix-sept heures.

Et il ajouta :

– On n'y peut rien.

Il finit son verre et, imité par son collègue, salua militairement. Avant de franchir la porte, toutefois, il ajouta :

– Merci, Pauline, et à bientôt.

La porte se referma sur eux. Aloïse se tourna vers

François. Il eut l'impression de la revoir telle qu'il l'avait aperçue le premier jour mais il sentit en même temps que tout était changé. Il s'assit, car il n'avait plus de force.

– Le brigadier est un cousin, dit la mère.

François parut ne pas l'entendre.

– Qu'est-ce qui arrive ? demanda-t-il. On n'avait envie que de moisson.

Il porta une première cuillère à ses lèvres mais sa main retomba. Son regard fit le tour de la cuisine. La maie, le vaisselier, le coffre à sel, la cheminée étaient bien là, pourtant, comme au premier jour.

– Il faut manger, dit la mère.

François se força à avaler un peu de soupe. On frappa à la porte : c'étaient Marcel et Pierre qui venaient aux nouvelles. Le premier était petit, trapu, roux, les yeux rieurs ; le second noir, long et sombre, avec d'épais sourcils qui lui cachaient une partie des yeux.

– Alors, vous aussi ? fit la mère.

– Oui, dit Marcel. Nous aussi.

– Et c'est pour quand ?

– Demain. On partira au jour.

– Quand même, murmura la mère, quand même.

François ne disait rien. Il pensait à la moisson et il entendait à peine les deux hommes discuter avec Pauline, tandis qu'Aloïse faisait la vaisselle dans la souillarde.

– Il faudrait avancer le travail le plus possible, dit-il enfin, que vous n'ayez pas trop à faire quand vous serez seules.

Il se tut quand Aloïse se retourna brusquement.

139

Elle venait de comprendre qu'il allait partir comme on le lui demandait. Comment faire autrement ? François se leva avec une sorte de rage et, sans même saluer les deux hommes, repartit vers le champ. Il s'enfonça dans le seigle, le brassa, serra d'énormes javelles contre lui, le respira, se battit avec lui. Il travailla sans le moindre repos malgré la chaleur orageuse qui avait envahi les collines. Aloïse et Pauline lui portèrent à boire et moissonnèrent près de lui. A six heures, ils avaient fini.

— S'il pleut, il faudra retourner les gerbes, dit-il. Qu'elles soient bien sèches avant de monter le gerbier.

Oui, elles savaient.

— Comment vous ferez pour battre ? demanda-t-il.

— Marius et Camille viendront nous aider.

Ils rentraient dans l'odeur des arbres chauds, des genêts âcres, de la bruyère. Il n'y avait pas un bruit sur la terre. Tout se taisait. Il leur semblait que quelque chose attendait quelque part, que le temps lui-même s'était arrêté. Aloïse prit le bras de François et lui dit :

— Il ne faut pas partir, François. On a eu trop peu.

— Ne t'inquiète pas, dit-il, je serai vite de retour.

— Tu crois ?

— Mais oui, ça ne peut pas durer longtemps.

Ils repartirent, approchèrent du hameau qui semblait avoir été déserté. Même les chiens se taisaient. Là-bas, pourtant, en arrivant devant leur maison, ils crurent entendre une femme pleurer près de la fontaine.

— Il faudra s'aider, dit encore François.

Après le dîner, il alla faire ses adieux aux trois familles du hameau, puis il revint et s'assit devant la porte avec les deux femmes. Il leur fit ses recommandations, s'inquiéta de les abandonner, mais ni Aloïse ni sa mère n'avaient le cœur à parler.

Il fallut bien aller se coucher. On entendait gronder l'orage au-dessus de la vallée. Dès qu'il se fut hissé sur les collines, il creva comme une outre puis il s'envola. François sentait Aloïse respirer contre lui. Il ne voulait pas dormir. Non ! Surtout pas ! Il était en colère contre ceux qui l'obligeaient à abandonner la moisson. Avait-on idée de mépriser ainsi le pain des honnêtes gens ? Il pensait aussi à ces mois si beaux qui avaient passé, à cette confiance qu'il avait retrouvée dans la forêt. Il avait cru que rien, jamais, ici, ne le blesserait. Et lui, encore, ce n'était rien, mais Aloïse ? L'orage revint tourner sur le hameau un peu avant le jour. La pluie se remit à tomber. François l'écouta un long moment puis il prit la main d'Aloïse et la serra.

Quand il voulut se lever, elle le retint près d'elle. Il attendit quelques minutes et détacha doucement ses doigts. Dans la cuisine, pendant qu'Aloïse allumait le feu, il se rasa devant l'évier, rangea dans sa musette son blaireau, son rasoir et son polissoir. Quand il eut fini, Aloïse y glissa deux chemises, des chaussettes, un tricot de laine, et un pantalon. Elle y plaça ensuite la moitié d'une tourte de seigle, deux fromages, deux oignons et une bouteille de vin. La mère les rejoignit. Ils déjeunèrent en silence, et il fut temps de s'en aller.

François chaussa ses souliers ferrés, embrassa Pauline puis s'approcha d'Aloïse.

– Laisse-moi t'accompagner un peu, dit-elle.

Et, comme il hésitait :

– Jusqu'à la croix. Je te promets que je m'arrêterai là.

– Donnez-nous des nouvelles, dit la mère, et soyez prudent.

– Oui, dit François.

Il sortit, suivi par Aloïse. L'orage avait lessivé le ciel qui était d'un bleu très pur. Un petit nuage y était perdu, tout seul là-haut, et on voyait qu'il n'était pas rassuré. François soupira en pensant à la moisson, mais il se mit en route en direction de Saint-Vincent. Aloïse marchait près de lui dans le matin plein de lumière. Il regardait de tous côtés pour faire provision de ce qu'il allait perdre. Devant eux, les arbres de la forêt semblaient se serrer pour leur interdire le passage. Avec la pluie de la nuit, l'odeur du sous-bois rampait au ras du sol, exaspérée par la chaleur.

Ils passèrent le premier tournant, arrivèrent à la croix qui se trouvait à l'embranchement de deux sentiers herbus.

– Voilà, dit François en s'arrêtant. Le mieux est de faire vite.

– Oh ! François ! dit-elle.

– Sois forte, lui dit-il, tu sais que je reviendrai vite.

Elle l'embrassa, le retint un instant contre elle.

– Surtout n'en fais pas plus qu'il faut, dit-elle. Sois prudent.

– Quand je reviendrai, fit-il... et il s'arrêta.

Et, comme elle ne le lâchait pas :

– Montre-moi que tu es forte.

Elle le lâcha.

Il se détourna aussitôt et pressa le pas. Immobile, les mains crispées sur son tablier, elle le regarda s'éloigner sans un mot. Simplement, quand il disparut au tournant, elle courut sans bruit pour le suivre un peu du regard, puis elle s'arrêta au milieu de la route, le cœur fou. Elle attendit encore pour être sûre qu'il ne reviendrait pas sur ses pas, puis elle repartit vers le hameau, bien droite, les yeux secs, comme il le lui avait demandé.

II

Le grand courage

6

LUCIE avait reçu une lettre de François dans laquelle il lui disait qu'il partait à la guerre. Elle aurait bien voulu le voir avant son départ, mais elle ne le pouvait pas, car elle attendait un enfant et il lui était difficile de se déplacer. Elle n'en était pas vraiment étonnée, car elle avait rejoint Norbert de Boissière dans sa chambre chaque matin, pendant une semaine avant son retour à Paris, en avril dernier. Elle l'avait retrouvé également en juillet et n'avait pas osé lui avouer qu'elle était enceinte, d'autant qu'il était préoccupé par le résultat de ses examens et par les rumeurs de guerre. Aujourd'hui, il était reparti pour Compiègne, et elle demeurait seule avec son secret, cherchant désespérément à cacher son état à Rosine qui l'examinait de plus en plus souvent d'un air circonspect, soupçonnant quelque chose d'anormal.

Cependant, peu lui importait son sort. C'était pour Norbert qu'elle était inquiète, le sachant en danger. Elle ne regrettait rien, au contraire, et si elle avait été séduite par l'héritier du château de Boissière, c'est qu'elle l'avait espéré, qu'elle l'avait voulu, qu'elle avait tout fait pour cela. Dès lors, de quoi se serait-elle plainte ? C'est lui qui était à plaindre, puisque la guerre s'était emparée de lui comme des autres hommes, y compris des trois quarts des domestiques, si bien que le parc était désert, désormais, et aussi les communs, les grandes pièces du château où erraient, attristés, désœuvrés, M. et Mme de Boissière, qui semblaient uniquement préoccupés de la visite du facteur chaque matin.

Lucie ne réfléchissait pas à ce qui allait se passer. Elle attendait elle ne savait quoi, attentive seulement à cette vie qui était née en elle et qui, parfois, se manifestait bizarrement, de manière inattendue. Un matin, tandis qu'elle portait une marmite dans la cuisine, elle sentit brusquement ses jambes s'affaisser sous elle et perdit connaissance. Quand elle rouvrit les yeux, Rosine était penchée sur elle, et hochait la tête d'un air accablé.

– Tu en as fait de belles, lui dit-elle, et te voilà maintenant dans de beaux draps !

Lucie eut beau la supplier de ne rien dire, Rosine n'eut de cesse que d'en parler à sa maîtresse. C'est ainsi que Lucie se retrouva face à Mme de Boissière au début de l'après-midi, dans le petit salon bleu de l'étage, qui lui servait de boudoir.

– Asseyez-vous, mon enfant, dit cette dernière, désignant à Lucie un fauteuil face à elle.

Depuis le départ de son fils, Mme de Boissière avait perdu tout sourire. Son visage sévère n'exprimait plus qu'une angoisse à peine contenue. Elle observa Lucie un moment avant de demander d'une voix qui ne portait aucune colère :

– Est-ce vrai ce que me dit Rosine ? Il paraît que vous attendez un enfant ?

Plus que de la contrariété, il y avait un profond étonnement dans son regard.

– Oui, madame, répondit Lucie.

– Et je peux savoir qui est le père ?

– Non, madame, dit Lucie doucement.

Mme de Boissière réfléchit un instant, reprit :

– On ne vous a pas violentée, au moins ? Ce serait quand même étonnant dans notre domaine.

– Non, madame.

– Alors pourquoi ne pas me dire qui est le père ? Vous pourriez vous marier, si c'est un domestique, comme vous. Mon mari et moi, nous vous aiderions.

– Je ne veux pas me marier, madame.

– Ah ! bon, dit Mme de Boissière, stupéfaite. Voilà qui est tout à fait singulier.

Elle soupira, reprit d'une voix légèrement contrainte :

– Et que comptez-vous faire ?

– Je ne sais pas, madame.

– Elle ne sait pas, soupira Mme de Boissière d'une voix maintenant irritée.

Et, se levant tout à coup :

– Ecoutez, ma petite, si vous ne me dites pas qui est le père de votre enfant, nous ne pourrons agir en conséquence.

Lucie ne répondit pas.

– Ne cherchez pas à me faire croire que vous ne savez pas qui est le père ! Moi qui vous prenais pour une fille sérieuse.

– Je sais qui c'est, madame, répondit Lucie, mais je ne peux pas vous le dire.

– Vous ne pouvez pas !

– Non, madame.

– Et pourquoi, s'il vous plaît ?

– Parce que vous ne me croiriez pas.

– Vous vous moquez de moi ?

– Non, madame, je ne me le permettrais pas.

Mme de Boissière s'assit de nouveau, dévisageant Lucie comme si elle découvrait soudain la vraie nature de sa lingère, et s'en trouvait stupéfaite.

– Mais cet enfant, dit-elle enfin, vous voulez le garder ?

– Oui, dit Lucie.

– Et vous l'élèverez comment ?

– Je l'élèverai seule.

Mme de Boissière soupira :

– Ma pauvre petite, si vous saviez ce qui vous attend.

Puis, comme Lucie ne savait que répondre :

– Il faut que je parle de cette situation à mon mari. Nous nous reverrons dans deux jours. Vous pouvez disposer.

– Merci, madame, dit Lucie en sortant, pas fâchée d'échapper enfin à ce regard qui la fouillait, lui donnait le sentiment d'une culpabilité écrasante.

Elle se réfugia dans la buanderie, évita Rosine qui, sur les instructions de Mme de Boissière, cherchait à la faire parler :

– Sotte que tu es ! On ne te veut que du bien, ici.

Mais Lucie tint bon, espérant garder à la fois son secret et l'enfant de Norbert. Cependant, Mme de

150

Boissière fit son enquête et ne tarda pas à apprendre de Solange, sa couturière, ce qu'elle avait surpris, un matin d'avril, dans la chambre de Norbert où elle allait chercher un pantalon pour refaire un ourlet.

– Pourquoi ne me l'avoir pas dit plus tôt ? s'emporta Mme de Boissière.

– Parce que je pensais que ça ne prêterait pas à conséquence, madame.

– Ces choses-là prêtent toujours à conséquence, vous devriez le savoir.

La couturière, qui était vieille fille, baissa la tête, n'osa avouer que Norbert, averti de ce qu'elle avait surpris par ses mines accablées d'amoureuse méprisée, lui avait fait promettre de se taire. Mme de Boissière, bouleversée par la nouvelle, tint conseil avec son mari et convoqua une nouvelle fois Lucie dans le salon bleu pour lui faire connaître sa décision :

– Vous allez partir, ma petite, vous ne pouvez pas rester chez nous.

Lucie, à qui Rosine avait eu le temps d'apprendre qu'elle avait été trahie par la couturière, n'en attendait pas moins.

– Toutefois, reprit Mme de Boissière, comme il ne sera pas dit que nous vous laisserons sans secours, nous vous avons trouvé une place à Paris, chez des cousins de mon mari, M. et Mme Douvrandelle, qui cherchent quelqu'un pour leur service.

Elle ajouta, péremptoire :

– Vous accoucherez dans un hospice et vous y laisserez votre enfant. A cette seule condition M. et

Mme Douvrandelle qui, heureusement pour vous, ont des services à nous rendre, acceptent de vous engager. Est-ce que vous m'avez bien comprise ?

Et, comme Lucie ne répondait pas :

– Vous n'êtes pas en situation de refuser quoi que ce soit, croyez-moi !

Des pensées confuses se bousculaient dans la tête de Lucie. Paris, c'était la grande ville, mais aussi le lieu où vivait Norbert, qui devait y mener une carrière d'avocat. Là-bas, elle était sûre d'avoir du travail, un toit, et elle se souvint de la peur qui les avait saisis, Mathieu, la mère et elle, l'année où il avait fallu quitter le Pradel, et qu'ils ne trouvaient rien à l'approche de l'hiver.

– Oui, madame, dit-elle.

– J'ai votre parole, n'est-ce pas ?

– Oui, madame.

Elle était loin de se douter, en cet instant, que sa vie venait de prendre une direction qui la conduirait très loin de ces terres où elle avait vécu ses vingt premières années.

A Puyloubiers, Aloïse et Pauline avaient préparé l'aire pour le battage. Ce matin, Marius et Camille avaient promis de les aider. Le beau temps durait depuis le départ de François. Il avait permis à Aloïse de ne pas trop penser à lui, en travaillant de l'aube jusqu'au soir. Mais le plus dur, c'était au moment des repas, quand la place de François demeurait vide à table. La nuit aussi, elle pensait beaucoup à lui, surtout quand elle se réveillait et qu'elle tâtait près d'elle le drap froid. Des hommes jeunes, dans les hameaux de la montagne, il n'en restait pas un seul. Marius était déjà vieux et ne s'était jamais marié. Camille avait passé la cinquantaine. Il était grand et mince, avec des yeux très clairs. Depuis que son fils Pierre était parti, on devinait qu'il se forçait pour travailler. Il en avait perdu le goût. Sa moisson était encore en gerbe, alors que d'ordinaire il était le premier à battre.

Marius arriva vers huit heures, ce matin-là, et demanda aux femmes si elles n'avaient pas de nouvelles de là-bas. Comme on ne savait pas où se trouvaient les hommes, on avait pris l'habitude de dire là-bas, et tout le monde comprenait.

— Rien encore, répondit Pauline, c'est trop tôt.

En allant vers la grange, Aloïse leva la tête vers le ciel au-dessus des sapins. Il lui sembla qu'il y avait comme une promesse dans ces traînes de brume rose qui s'accrochaient à la pointe des arbres.

— Maria va venir, dit Camille en arrivant à son tour. Il faut bien s'aider. Et puis elle ne veut pas rester seule.

— Et Rose ?

— Elle est descendue dans la vallée, à Port-Dieu, pour se changer un peu les idées.

Sur la terre battue de la grange, les premières gerbes attendaient, presque coupées en deux par le lien de paille gros comme un poignet d'enfant. Maria arriva sans tarder. Ronde, très forte, elle avait du mal à se déplacer. Elle aussi demanda des nouvelles, à tout hasard, mais on n'en avait pas.

— Peut-être que Rose nous en ramènera, dit-elle.

– Peut-être, dit Pauline. Le temps commence à nous durer maintenant.

On se mit à battre à trois fléaux. Quand l'une des femmes était fatiguée, elle lâchait le fléau et tournait la gerbe. Aloïse repoussait l'idée de n'avoir jamais battu le seigle avec François. « Ç'aurait été son pain », se disait-elle. Vite ! Le fléau ! Et elle recommençait à battre avec une rage désespérée. Frapper ! Frapper ! François ! François ! Où était-il ? Et si on le tuait ? Elle suait, s'épuisait, haletait, mais elle continuait à battre comme si la vie de François en dépendait.

A midi, pourtant, il fallut bien s'arrêter. Marius, Camille et Maria repartirent chez eux. Aloïse s'en fut manger avec sa mère. Elles avaient presque terminé quand le chien aboya. Puis on frappa à la porte et la mère alla ouvrir. C'était Henri Crozade, le facteur de Saint-Vincent, qui portait une lettre. Il fit durer son verre de vin, suça sa moustache pensivement, observant les deux femmes de ses yeux si clairs qu'ils en paraissaient blancs. Puis, comme Aloïse n'ouvrait pas la lettre, il donna des nouvelles : on avait bousculé l'ennemi là-haut, dans le nord. Tout le monde disait que ça ne durerait pas plus de trois mois.

– Paraît que les Prussiens n'ont pas mis de poudre dans leurs cartouches ! Sont-ils sots tout de même !

– Vous croyez ? fit la mère.

– C'est dans les journaux de Paris.

Il but un deuxième verre et s'en alla enfin. Aloïse ouvrit l'enveloppe et lut :

Ma chère femme
Je t'écris ce petit mot sur mes genoux, assis dans une
grange. Il ne faut surtout pas t'inquiéter. J'ai bonne santé
et bon moral. J'espère que vous avez pu finir la moisson et
même peut-être les battages. Je regrette de ne pouvoir vous
aider, ta mère et toi, comme je le devrais. Mais je t'écris
pour te dire que ce sera vite fini, mon Aloïse, et aussi que
je pense bien à toi de jour comme de nuit. Il faut que tu
m'espères sans t'inquiéter. Je serai vite de retour.
Je t'embrasse, en attendant, ma femme bien-aimée.

François.

Quand elle eut terminé sa lecture, Aloïse relut à
voix haute pour sa mère en évitant les mots qui
étaient pour elle seule.

– Tu vois, dit Pauline, ne te fais pas de soucis.

Elles se dépêchèrent de manger et repartirent
dans la grange. Maria et Camille avaient vu le facteur
et demandèrent si c'était une lettre de François.
Aloïse leur raconta ce qu'il écrivait. Ils donnèrent
eux aussi les nouvelles qu'ils tenaient d'un montagnard rencontré sur la route : les Allemands
n'avaient déjà plus de munitions, et les alliés allaient
bientôt arriver. Tout cela parut de fort mauvais
augure à Aloïse : entre des hommes si nombreux,
les combats seraient acharnés. Elle eut hâte de se
remettre à travailler.

Vers cinq heures, Rose arriva de Port-Dieu, où les
nouvelles n'étaient pas bonnes : on disait là-bas que
c'étaient les Allemands qui avançaient. Un homme
prétendait même qu'ils se trouvaient à moins de
cent kilomètres de Paris. Qu'est-ce qui se passait ?

Où était la vérité ? Et qui croire ? Et que faire ? Aloïse s'acharna jusqu'au soir à frapper sur les gerbes, à s'aveugler dans la poussière et les balles qui sautaient jusqu'aux yeux.

Vers sept heures, enfin, la chaleur tomba. On avait battu tout le seigle, et chacun s'en retourna chez soi. Quand elle eut soupé, Aloïse alla faire quelques pas sur la route. Après la grande fatigue de la journée, l'air frais la délassait. Elle s'assit un instant sur le talus pour relire la lettre, s'aperçut qu'elle était datée du 14 août. Elle avait donc mis plus de dix jours pour arriver. Cela expliquait peut-être la différence entre ce que François écrivait et ce que l'on racontait dans la vallée.

Soudain elle se leva et se remit à marcher vers la croix. La nuit tombait lentement, avec de longs soupirs venus du fond des bois. Aloïse frissonna et regretta de n'avoir pas pris sa pèlerine. Une fois devant la croix, elle demanda à la Sainte Vierge de protéger François. Puis elle regarda dans la direction où il avait disparu, là-bas, derrière les sapins, et elle crut apercevoir une silhouette. Elle courut, courut, mais il n'y avait rien sur la route de plus en plus sombre. Alors elle revint vers le hameau à petits pas, s'enfonçant dans l'obscurité qui suintait des sousbois, se demandant où il se trouvait, à cette heure, ce qu'il faisait, et s'il pensait à elle, en cet instant, dans cette nuit terrible qui tombait sur le monde.

Pour Mathieu, la guerre était loin. C'est d'ailleurs à peine s'il en avait entendu parler, tellement il était occupé à travailler cette terre qu'il découvrait, et que, déjà, il aimait. Au reste, dès le jour de son arrivée à El Salah, il avait compris que la mission confiée par son colonel était la chance de sa vie. Alors, au lieu de se contenter de surveiller Ramdane et les fellahs qui travaillaient sur la propriété, il s'était retroussé les manches et avait entrepris de sa propre initiative d'assécher les marécages qui jouxtaient une partie du domaine vers l'est, en direction de l'oued El-Harrach. Le sergent Renquin, qui venait une fois par semaine, en avait avisé le lieutenant, lequel s'était déplacé pour vérifier ce que lui avait rapporté son officier.

C'était incroyable ce que Mathieu Barthélémy, soldat sans grade des chasseurs d'Afrique, avait réalisé en un mois : deux hectares avaient été assainis, défrichés, et le régisseur Ramdane obéissait au doigt et à l'œil à ce jeune Français qui n'hésitait pas à prendre les outils et à se courber sur cette terre qui ne lui était rien. Mathieu ignorait qu'il s'inscrivait ainsi dans la tradition des soldats laboureurs instaurée par le général Bugeaud, lesquels, après avoir obtenu des concessions de l'Etat, avaient pu acquérir des terres à la fin du siècle dernier. Le lieutenant Batistini, lui, ne l'ignorait pas, et pour cause : son oncle avait été l'un de ces soldats laboureurs, et c'était pour son compte que l'officier français s'occupait du domaine d'El Salah, la santé déficiente de l'oncle l'ayant rappelé en métropole. Ces premiers colons, en effet, en entreprenant l'assainissement et la mise en culture de la Mitidja, avaient beaucoup souffert de la malaria, du paludisme, de toutes sortes de maladies qui les avaient épuisés, si bien que certains avaient renoncé, quand la fatigue avait été plus forte que la passion, après un coup de sirocco ou une invasion de sauterelles.

Le lieutenant Batistini savait que la propriété d'El Salah lui reviendrait à la mort de son oncle, celui-ci n'ayant pas d'héritier. Or, cela faisait un an que le régisseur qu'il avait placé dans le domaine était parti vers Baraki où il avait acheté des terres. Le lieutenant avait dû nommer l'ancien gardien, Ramdane, à la tête de l'exploitation, en attendant de trouver l'homme idéal. Depuis, il le cherchait en pure perte, et le temps pressait, car lui-même n'avait aucune expérience en la matière, n'ayant jamais suivi d'autres cours que ceux des écoles militaires.

C'est ainsi que, trois mois après son arrivée dans la Mitidja, Mathieu Barthélémy avait été détaché de son régiment pour s'occuper d'El Salah avec le régisseur. Là, il avait continué à travailler avec passion, écoutant à peine les nouvelles que lui donnait le sergent Renquin une fois par semaine, notamment au sujet de la guerre qui risquait d'éclater en Europe. Le jour où la nouvelle de la mobilisation fut connu à Blida, Mathieu crut que c'en était fini de ce qu'il avait entrepris, mais le sergent le rassura en disant :

– Ne t'inquiète pas : quoi qu'il se passe là-bas, Batistini ne te laissera jamais partir. Il n'y aura pas de guerre pour toi, tu peux être tranquille.

Mathieu écrivit à Lucie pour obtenir des nouvelles de François qu'il n'avait pas revu depuis plus de trois ans, et dont il se demandait s'il n'allait pas la faire, lui, cette guerre dont les échos commençaient à le contrarier sérieusement. Il reçut une réponse qui lui indiqua que François avait dû repartir à l'armée, et, pour oublier qu'il risquait de perdre son frère après avoir perdu ses parents, Mathieu se jeta dans le travail.

C'était l'époque des vendanges. Mathieu n'y connaissait rien en la matière, mais il savait pouvoir compter sur l'aide d'un ouvrier agricole espagnol, José Gonzalès, qui ne le quittait plus. Il s'impliqua donc dans les vendanges comme il l'avait fait deux mois plus tôt dans les moissons, avec le désir d'apprendre, et surtout avec un plaisir non dissimulé : lui qui n'avait connu que des récoltes de seigle et de blé noir, il pouvait aujourd'hui moissonner un peu de froment, du véritable blé, donc, qui donnait une farine à nulle autre pareille, un pain et des galettes délicieuses de *kesra* que le cuisinier faisait cuire dans le four situé à côté de la resserre.

El Salah, c'étaient trois bâtiments perpendiculaires les uns aux autres : d'abord, face à l'entrée, la maison principale, toute blanche, avec un large balcon supporté par des colonnades sculptées, et, dessous, une galerie aux murs et au sol carrelés de faïence espagnole, d'inspiration andalouse, de couleur bleu nuit. Les pièces à vivre se situaient en bas, agrémentées de fauteuils en osier, de meubles mauresques aux chantournements délicats, aux reflets fauves, au carrelage de couleurs chaudes : ocre ou rouge. Tous les murs étaient blancs, y compris à

l'étage où se trouvaient les chambres et leur mous-
tiquaire.

A droite et à gauche de la maison principale : la
grange, l'étable, les écuries, les greniers, la resserre
à fruits, la petite maison qui avait été celle du gardien, à côté du portail d'entrée, où habitait maintenant José, l'homme de confiance de Mathieu.
Ramdane, lui, habitait la maison principale, dont il
disputait le territoire à Mathieu, qui avait renoncé
à le chasser. Cela ne tarderait guère, car cet homme
grand, austère, maigre à faire peur, était détesté par
les fellahs qu'il méprisait ostensiblement, leur donnant des ordres souvent contradictoires. Mathieu
avait appris du sergent que ces dissensions dissimu-
laient en fait une haine plus profonde : la plupart
des fellahs qui vivaient à El Salah étaient berbères,
c'est-à-dire appartenant aux plus anciennes peupla-
des de la région – agriculteurs sédentaires de la tribu
kabyle pour l'essentiel –, alors que Ramdane était
arabe, et donc descendant des colonisateurs les plus
anciens de l'Afrique du Nord. Si les premiers avaient
conservé leurs traditions ancestrales et leur dialecte,
Ramdane était, lui, musulman, et parlait l'arabe des
villes, ce qui provoquait régulièrement des malen-
tendus que le régisseur réglait toujours par la violence.

Mathieu, lui, n'avait pas besoin de mots pour se
faire comprendre des fellahs. D'ailleurs, si Ramdane, à part ses tournées d'inspection, s'enfermait
dans la maison après avoir donné ses ordres,
Mathieu travaillait parmi les fellahs, montrait
l'exemple et n'hésitait pas à leur rendre visite, le

soir, dans les gourbis rassemblés à l'extérieur de la propriété, contre l'un des murs d'enceinte, protégés par une haie de cyprès, où ils vivaient avec femmes et enfants. Mathieu n'était pas pressé au sujet de Ramdane : il pensait que la situation se réglerait d'elle-même, et il n'avait pas tort.

Un matin, alors que Mathieu achevait de se raser, il fut attiré par des cris au-dehors, devant l'écurie. Il se précipita et découvrit le régisseur qui s'acharnait sur un des ouvriers avec un bâton épais dans la main droite, et dans la gauche un fusil braqué sur les autres fellahs. Mathieu et José eurent toutes les peines du monde à arrêter Ramdane, et il fallut même que Mathieu le mette en joue avec son propre fusil. Trois jours plus tard, on découvrit le régisseur égorgé dans un canal d'irrigation. Les Kabyles avaient eu raison de leur tourmenteur. Cette affaire ne sortit jamais du cercle clos de l'armée, où la justice civile ne se hasardait pas, et Mathieu eut désormais les mains libres pour administrer le domaine comme il le désirait.

François était étendu dans un champ de houblon, la tête sur son sac, les yeux dans les étoiles. Il n'avait pas mangé depuis la veille mais il n'avait pas eu la force d'aller remplir sa gamelle à la roulante. Dans la fraîcheur du soir, la sueur qui avait coulé tout le jour sur son dos le faisait frissonner. Il venait de grignoter un chanteau de pain bis qu'il avait retrouvé dans la poche de sa capote. Puis il avait défait son ceinturon, sa baïonnette, et s'était étendu, épuisé.

Cela faisait trois jours que sa compagnie avait abandonné une grande ville après y être entrée presque sans combattre. Depuis, c'était le chaos d'une retraite incompréhensible. D'ailleurs, personne ne comprenait rien à ce qui se passait. A part, sans doute, les officiers, mais parfois les hommes de troupe en doutaient.

C'était comme ça depuis le début. Après deux nuits et deux jours de train dans un wagon à bestiaux, on était montés à marches forcées vers le front. François avait entendu le son du canon le quatrième jour, un matin vers onze heures. Du haut d'une colline, il avait aperçu une langue de forêt à l'horizon et son cœur s'était mis à battre plus vite. Il n'avait eu dès lors qu'une envie : celle de s'en approcher et, si possible, d'y entrer. Sa compagnie s'était lancée dans la plaine entre des champs qui n'avaient pas été moissonnés, puis elle avait longé la forêt de sapins et de chênes. C'est alors qu'on avait entendu le canon pour la première fois. C'est alors aussi que François avait surpris le regard d'un soldat vers les arbres. Et c'est ce regard-là qui lui avait fait trouver un ami. Tout de suite, ils s'étaient reconnus enfants d'un même monde : celui des forêts.

Le soldat s'appelait Tiburce Camoins. C'était un bouscatier de l'Espérou, un village situé sur les pentes du mont Aigoual, dans les Cévennes. Sans beaucoup se parler, ils avaient compris que c'était désormais entre eux à la vie à la mort. Ce soir-là, Tiburce était allongé près de François. Leur présence mutuelle était d'un grand réconfort à l'un comme à l'autre, comme elle l'avait été lors des premiers combats, dès que les mitrailleuses ennemies avaient crépité. Ils n'avaient pas cherché à se mettre en avant. Au contraire, en bons forestiers, ils avaient été prompts à se glisser dans les abris ou derrière les arbres. Et puis la compagnie avait essuyé les premiers obus. Tiburce et François s'étaient retrouvés côte à côte dans un champ dévasté, puis ils avaient marché vers le nord, étaient entrés dans une ville, et, tout aussitôt, ils l'avaient quittée.

Le champ de houblon se trouvait dans une immense plaine. De chaque côté, sur les collines, de grands bois veillaient sur elle, immobiles. François distinguait la crête des arbres dans la lueur de la lune. Il pensait à Aloïse. Elle devait être couchée et pensait sans doute à lui elle aussi. Il crut voir ses yeux de lavande devant lui et il tendit la main.

– Qu'est-ce que tu veux ? demanda Tiburce.

– Rien.

– On aurait été mieux dans les bois que dans ce champ à découvert.

– Oui, dit François, mais va comprendre.

Il y avait de grands remue-ménage sur la route, là-bas. Malgré l'obscurité, des voitures continuaient à passer, des chevaux hennissaient. A la tombée de la nuit, une forte lueur rouge avait embrasé l'horizon. François s'était demandé si c'était le soleil ou les bois qui brûlaient.

– Tu ne dors pas ? demanda Tiburce.

– Non, dit François, je ne peux pas.

– Il faut dormir, mon gars, essaye de ne pas penser.

Il aurait bien voulu ne pas penser, François, mais il songeait qu'en trois semaines il avait failli mourir plusieurs fois et il s'imaginait la douleur d'Aloïse. Oui, ce n'était pas pour lui qu'il avait peur, c'était pour elle, qui avait peut-être laissé la fenêtre ouverte à cette heure. Il ferma les yeux, revit la cime des sapins éclairés par la lune sur la route de la montagne. Au bout du monde. Au bout de la vie. Il se sentit perdu, soudain, et il eut la certitude qu'il ne la reverrait plus. « J'avais tout », se dit-il et quelque chose creva au fond de lui. Il revit les premières pentes de la forêt quand il avait quitté la vallée, à son retour du service militaire, il revit le hameau comme il l'avait découvert, la première fois. Il revit les yeux d'Aloïse quand elle s'était retournée, dans la cuisine. Il sentit quelque chose de tiède descendre le long de ses joues mais il ne bougea pas. Personne ne pouvait le voir. Il passa sa langue au coin de ses lèvres, songea à la dernière fois qu'il avait pleuré, le jour où il avait appris la mort de son père.

Il lui sembla que la nuit était rouge. Il se tourna sur le côté, chercha le sommeil. Il entendait le souffle des centaines de poitrines qui se soulevaient. L'air sentait l'herbe et le cheval. Un mulet cria dans la nuit, très loin, au-delà des bois. A une dizaine de mètres, un homme parlait tout seul. Qu'est-ce qu'il disait ? François essaya de comprendre, mais il n'y parvint pas. Il s'endormit.

Le jour pointait à peine sur l'horizon quand le sifflement d'un obus fit se dresser François qui se demanda où il se trouvait. L'obus s'écrasa un peu plus loin et les cris des blessés s'élevèrent dans l'air froid du matin. Tiburce, déjà, le tirait par le bras. Ils s'élancèrent vers la forêt. Des dizaines de pantalons rouges couraient devant eux. Les obus se succédaient régulièrement dans le champ où ils avaient passé la nuit. Quand ils arrivèrent sous les sapins, ils entendirent éclater des arbres devant eux.

– Demi-tour ! hurla le sergent.

François resta un instant à respirer l'odeur de la mousse fraîche, en ramassa une poignée et se remit à courir en bordure du champ. Il sentait dans son dos la crosse de son fusil cogner contre l'étui de sa baïonnette. Ses molletières, qu'il n'avait pas eu le temps de relacer, battaient contre ses chevilles et il avait peur de les perdre. Il lui semblait qu'il n'avançait pas. Courir ! Courir ! Sortir de ce champ, enfin, et s'abriter derrière l'éminence verte qui barrait l'horizon vers le sud !

Il trouva un chemin de terre, avança plus facilement tout en remarquant des vols de corbeaux qui tournaient dans les lointains. Il était maintenant à l'abri. Il traversa un bosquet de hêtres, commença à monter sur le coteau qui s'élevait en pente douce. Devant lui, Tiburce se retournait, l'encourageait du regard. Il voulut s'arrêter mais des soldats butèrent contre son dos et il dut repartir. Son ceinturon lui sciait le ventre et il le remontait de temps en temps de sa main gauche. Il n'y avait plus d'arbres, maintenant, devant les soldats. Les ressauts du terrain lui cachaient les vallons où il aurait fait bon s'étendre dans le regain épais. Il releva la jugulaire de son képi, la tint entre ses dents serrées.

Les soldats, à présent, ne couraient plus, mais avançaient rapidement, courbés, sur la pente. Enfin, ils arrivèrent au sommet de la colline et François put se retourner. Il vit la plaine immense, des milliers d'uniformes rouges et bleus qui couraient, le champ où il avait passé la nuit et la forêt qui brûlait, de l'autre côté de la vallée. Puis il fut de nouveau emporté par le flot des soldats. Alors il descendit la pente vers une autre vallée où l'on apercevait des toits gris autour d'un clocher.

Cette marche forcée dura toute la matinée. A midi, la compagnie s'arrêta une demi-heure au bord d'une rivière. Les trembles de la rive avaient encore leurs feuilles et François écouta avec plaisir leurs chuchotis joyeux. Les hommes reçurent du pain et des sardines, puis le sergent donna l'ordre de repartir. Où s'arrêterait-on ? Il sembla à François que depuis sa descente du wagon, il y avait trois semaines, il n'avait fait que marcher et courir. Quand il leva la tête, il devina des bois à l'horizon. Son regard rencontra celui de Tiburce et ils pressèrent le pas.

L'arrière-saison s'annonçait belle à Puyloubiers. Les pommiers pliaient sous les fruits, les châtaigniers étaient chargés de bogues épaisses. La forêt, déjà, changeait de couleur. Du jaune clair au cuivre, du bronze à l'or, elle faisait chatoyer ses feuilles dans le vent de l'automne. Seuls les sapins demeuraient verts. Aloïse se disait qu'ils étaient les sentinelles qui veillaient sur le hameau, et peut-être aussi sur François, chaque fois qu'il pensait à eux.

Car il lui en avait parlé, des sapinières du plateau, dans sa dernière lettre. Il lui avait dit combien elles lui manquaient. Il avait expliqué la retraite et le nouveau départ qui s'en était suivi. Depuis, il poursuivait l'ennemi à longueur de journée. « Ne porte pas peine, ma chère femme, écrivait-il, même si je ne suis pas là pour les châtaignes, je compte bien rentrer pour Noël. »

Elle l'espérait et, chaque jour à midi, elle guettait le facteur sur la route de Saint-Vincent. De si loin qu'il l'apercevait, il lui adressait un signe et elle savait s'il y avait une lettre ou non. Henri était devenu sans le vouloir le messager de la joie ou de la peine. On le faisait entrer pour connaître les nouvelles. Il les donnait, s'en allait, accablé, semblait-il, par le poids d'un sac trop lourd à porter.

Il y eut un bel après-midi doré comme un beignet. La forêt exhala des odeurs de feuilles chaudes, de champignons et de fougères. Aloïse et Pauline en profitèrent pour aller ramasser les châtaignes dans les bois du dévers. Le soleil jouait entre les fûts, éclairant les bogues sur la mousse. Huit jours plus tôt, il y avait eu une fameuse pousse de cèpes dont elles avaient fait provision. Ainsi, depuis une semaine, elles vivaient dans les bois où Aloïse se sentait plus proche de François. Cette odeur de forêt d'automne, en effet, il la portait sur lui chaque soir en rentrant. Il suffisait donc à Aloïse de fermer les yeux pour le croire tout proche.

Sur les quatre heures, il y eut comme un grand silence sur le plateau. Puis le vent apporta une plainte folle qui glaça le sang des deux femmes. Elles quittèrent leur ouvrage et se mirent à courir, Aloïse devant, Pauline loin derrière, tenant d'une main son tablier relevé. Dès qu'elles débouchèrent sur le plateau, la plainte devint plus aiguë, parut ne plus pouvoir retomber. Aloïse comprit qu'elle provenait de la maison des Rebière. Elle descendit vers la fontaine et aperçut Rose et Maria sur le seuil. C'était Rose qui criait. Maria, qui avait passé un bras sous ses épaules, la soutenait. Un homme était arrêté devant elles. En s'approchant, Aloïse reconnut Armand Soleilhavoup, le maire de Saint-Vincent.

Aloïse arriva en même temps que Camille qui revenait de sa châtaigneraie. Maria lâcha Rose qui partit en courant sur la route, puis elle se précipita dans les bras de Camille.

– Ils nous l'ont tué, gémit-elle, ils nous l'ont tué.

– Mais non, mais non ! fit Camille qui tourna vers le maire un regard plein de colère.

– Dis-lui que c'est pas vrai, toi, mais dis-lui donc !

Il tenait d'une main Maria et, de l'autre, secouait le bras du maire qui murmurait :

– Si, mon pauvre, c'est vrai.

Aloïse s'aperçut que le maire tenait une lettre à la main. Puis elle vit que sa mère avait réussi à arrêter Rose et lui parlait. Camille tenait toujours Maria et dévisageait le maire avec des yeux fous.

– Et où ça se serait passé ?

– Sur le front, Camille.

– Et d'où vient-elle, ta lettre ?

– Du ministère des Armées.

– Il serait mort de quoi, mon Pierre ?

– D'un obus qui a éclaté sur son escouade.

Le regard de Camille courut plusieurs fois de la lettre au maire, du maire à la lettre, et il ferma les yeux, soudain, quand il comprit que le maire disait la vérité. Alors il se retourna lentement et, soutenant toujours Maria, il entra dans la cuisine. Aloïse se retrouva seule face au maire qui tremblait.

– C'est bien de la misère, dit-il en hochant la tête.

Aloïse alla à la rencontre de sa mère et de Rose. Tous ceux du hameau arrivaient, les uns après les autres. Ils avaient compris que Pierre était mort, là-bas, dans une guerre dont ils découvraient aujourd'hui le vrai visage. Le maire donna la lettre à Aloïse, puis il reprit la route, tête basse, les épaules courbées comme sous le poids d'un fardeau.

Aloïse entra avec sa mère et Rose. Camille, assis sur le banc, tenait toujours Maria par les épaules.

– Oh ! mon Pierre ! gémissait-elle.

– Tiens-toi, Maria, tiens-toi, disait Camille.

Pauline fit asseoir Rose sur le petit banc de paille, près de l'âtre. Elle ne disait rien, ne criait plus, mais ses yeux étaient chargés d'une épouvante folle. Aloïse comprit alors que la peur qui était entrée dans son corps n'en sortirait plus. Et, ne pouvant plus supporter cette douleur, elle repartit vers la châtaigneraie, retenant ses sanglots.

Après le repas du soir, pourtant, elle retourna avec sa mère chez Camille et Maria pour la veillée. Camille était assise en bas, pour recevoir les gens de connaissance. Il disait quelques mots, toujours les mêmes, en secouant la tête :

— Ils ont tué notre Pierre. C'est pas la justice, non, c'est pas la justice.

Il quêtait une approbation, demandait :

— Vous le connaissiez, mon garçon, il était courageux et de confiance, pas vrai ?

— Oui, lui répondait-on.

— Et au travail, reprenait Camille, vous avez vu la force qu'il avait ?

— Oui, disait-on, c'est vrai.

— Vous connaissez quelqu'un à qui il aurait fait du tort, mon garçon ?

— Non ! A personne.

— Pourtant ils me l'ont tué.

Puis Camille se taisait un instant, regardait ses mains ouvertes devant lui, reprenait :

— Les femmes sont là-haut, si vous voulez...

Aloïse monta avec sa mère. Maria et Rose avaient allumé des bougies autour du lit vide. Un bol d'eau bénite attendait les visiteurs sur une table basse. Aloïse vit sa mère tremper ses doigts et faire le signe de la croix au-dessus de l'édredon rouge. Elle-même n'en eut pas la force. Ce lit désert l'horrifiait. Elle pensait au corps de François qu'on ne retrouverait peut-être jamais s'il était tué. Elle imagina le maire frappant à leur porte et il lui sembla qu'elle se vidait de son sang. François ! Où était-il à cette heure ? Savait-il que Pierre était mort ? Comme elle ne pouvait pas demeurer dans la chambre, elle demanda :

— Vous voulez que j'aille faire du café ?

— Oui, dit Maria, du café.

Aloïse descendit. Camille était seul. Il releva la tête en entendant ses pas, hocha la tête et dit :

– Et maintenant ? Qu'est-ce qu'on va devenir nous autres ?

– Il faut penser à votre petit-fils, dit Aloïse.

Il la regarda comme s'il ne comprenait pas.

– Raymond ! Votre petit-fils !

Quelque chose brilla dans les yeux de Camille. Heureusement que l'enfant était à l'école quand le maire est arrivé, songea Aloïse. Puis elle versa des grains dans le moulin à café et se mit à moudre. Elle était contente d'avoir trouvé ces quelques mots pour répondre à Camille. Elle sentait son regard posé sur elle, s'étonnait de ne pas l'entendre. Elle se redressa, essaya de lui sourire, mais il ne la voyait pas. Elle versa l'eau chaude dans la débéloire, attendit que le café passe.

– Quand il était petit, je lui donnais le premier lait, fit Camille. Tu sais, celui qui vient avec la crème, et il avait la bouche toute blanche. Quand il a commencé à grandir, j'aurais voulu lui dire de ne pas se presser, de continuer de venir s'asseoir sur mes genoux, le soir, à la veillée.

Aloïse se sentait transpercée par cette voix si douce qui essayait d'effacer une douleur trop vaste.

– C'est moi qui épluchais ses pommes, parce qu'il mangeait à côté de moi, là. Je l'emmenais au marché sur la charrette, dans les champs, dans la forêt quand je coupais du bois. On n'a jamais beaucoup parlé, tu sais, mais on se comprenait.

« Vite ! se disait Aloïse, que le café passe et que je

171

remonte vite. » La voix de Camille s'arrêta dans un râle, puis il murmura :

– Qu'est-ce qu'on a fait, nous autres, pour mériter ça ?

Aloïse ne savait que répondre. Elle ne pouvait plus rester dans la cuisine, à écouter cette voix brisée. Elle se saisit de la cafetière et monta dans la chambre. Dans l'escalier, elle comprit que Camille continuait à parler pour lui-même. Un peu plus tard, il rejoignit les femmes à l'étage. La nuit était tombée depuis longtemps. Un grand silence régnait dans la pièce éclairée maintenant par une seule bougie. Aloïse pensa un long moment à François, pria la Sainte Vierge avec les mots que son innocence lui soufflait : « Toi qui es si bonne, qui veille sur moi, s'il te plaît, je t'en supplie, laisse-le-moi, laisse-le-moi. »

7

Lucie avait refusé de partir pour Paris avant le jour des Morts : elle tenait à se recueillir une dernière fois sur la tombe de ses parents, avant de s'en aller loin d'eux. Pourtant, elle avait de plus en plus de mal à cacher son état de grossesse, et usait à cet effet de robes bouffantes, sous l'œil critique de Rosine qui l'avait poussée à partir plus tôt. Cependant, le moment des adieux avait fini par arriver, d'une extrême froideur de la part de Mme de Boissière, plus chaleureux avec Rosine et les femmes de service dont certaines l'enviaient :

– A Paris ! Te rends-tu compte ? Quelle chance as-tu, tout de même !

Plus le moment du départ avait approché, et plus Lucie l'avait redouté : elle allait devoir quitter son pays, le château, les voisinages du Pradel, prendre le train pour la première fois de sa vie, et vivre dans une grande ville où il lui semblait que les dangers l'attendaient à chaque coin de rue. Sur la charrette en direction de la gare d'Ussel, Jean, qui la conduisait, avait essayé de la réconforter :

– Même si c'est difficile, je crois que c'est une chance pour toi, ma fille. Tu t'habitueras, tu verras, et tu connaîtras autre chose que nos montagnes où la vie est si difficile.

Elle l'espérait, mais comme elle avait peur ! C'est à peine si, à Ussel, elle avait trouvé la force de descendre de la charrette. Il n'était que quatre heures de l'après-midi, et déjà la nuit commençait à tomber, à cause du temps couvert, des brumes froides qui, depuis quelques jours, ne se levaient plus. Heureusement, Jean l'avait accompagnée dans le hall, aidée à prendre son billet et à monter ses bagages dans un wagon, juste derrière la locomotive au nez de cuivre qui sifflait, soufflait, jetait des flots de vapeur intermittents sur les voyageurs.

Elle s'était retrouvée assise dans un wagon à dix places, près de la vitre, n'osant pas tourner la tête vers les voyageurs qui s'asseyaient à côté d'elle, attentive seulement à Jean qui attendait le départ en lui faisant des petits signes de la main. Puis il y avait eu un coup de sifflet plus strident que les autres, une sorte de plainte de bête folle, et le train s'était ébranlé dans un cahot avant de prendre de la vitesse. D'abord crispée, Lucie s'était peu à peu détendue, à mesure que s'espaçaient les maisons de la ville, auxquelles succédaient des prés verts, des bois, des friches qui lui avaient donné l'impression de se trouver toujours en terrain familier.

Deux heures plus tard, elle était arrivée à Brive où elle devait prendre l'express de huit heures qui la conduirait à Paris. Comme elle avait du temps devant elle, Lucie s'était rendue dans la salle d'at-

174

tente où elle avait pris le repas que lui avait confectionné Rosine, toujours dans un coin, n'osant regarder autour d'elle. Il y avait en effet beaucoup de voix d'hommes, notamment celles des soldats qui partaient pour la guerre et s'étaient donné du courage en buvant plus que de raison. Inquiète, Lucie avait rencontré le regard d'une jeune femme au visage criblé de taches de rousseur, qui portait un magnifique col à franges orné d'un large ruban de velours bleu. Elle était assise en face de Lucie, entre ses deux enfants : un garçon et une fille d'une dizaine d'années. Aux questions que posait la petite aux boucles blondes, Lucie avait compris qu'ils allaient aussi à Paris et elle s'était promis de ne pas les quitter. Une demi-heure avant le départ, la jeune femme et ses deux enfants s'étaient levés pour aller aux commodités. Lucie les avait suivis, car Mme de Boissière lui avait expliqué que les wagons de deuxième classe n'en possédaient pas encore.

Puis ils s'étaient dirigés vers le quai et ils étaient montés dans un wagon éclairé par deux grosses lampes rondes, où il n'y avait encore personne. Comme le regard de la jeune femme se posait sur elle, Lucie s'était excusée :

– C'est la première fois, vous comprenez ?

La jeune femme, après un sourire indulgent, avait répondu :

– C'est bien naturel, ne vous excusez pas.

Lucie s'était sentie un peu moins seule, et bientôt rassurée, en quelque sorte, malgré les voyageurs inconnus qui pénétraient dans le compartiment : un curé, un vieil homme et sa femme habillés en bourgeois, des soldats qui parlaient fort et jouaient aux braves.

Elle avait sursauté en entendant marcher sur le toit du wagon, mais la jeune femme avait expliqué à son fils qu'il s'agissait d'un employé occupé à recharger l'huile qui alimentait les lampes. Il y avait eu un long coup de sifflet, puis le train s'était mis en route, tandis que le garçon de la jeune femme tentait en pleurnichant d'extraire l'escarbille qui, sur le quai, était entrée dans ses yeux.

Bientôt, une fois dépassées les dernières maisons de la ville, la nuit s'était refermée sur le convoi et une conversation s'était nouée entre l'un des soldats et le couple de bourgeois. En l'entendant parler, Lucie songea à François dont elle avait reçu une lettre, il y avait un mois. Il ne se plaignait de rien, François, mais on sentait qu'il cachait beaucoup de choses. Elle lui avait répondu, lui avait indiqué qu'elle partait travailler à Paris, mais n'avait pas osé lui dire qu'elle attendait un enfant. D'ailleurs, aurait-elle jamais le courage de le lui avouer ? Non, elle ne le pensait pas.

Les conversations avaient fini par s'éteindre et la jeune femme, dont les enfants s'étaient endormis, avaient fait glisser deux petits rideaux coulissants sur les lampes rondes. Dans l'obscurité presque complète, Lucie avait essayé de trouver le sommeil, mais elle avait froid, n'ayant pas pensé à sortir de sa valise la couverture qu'elle avait emportée. Elle n'avait pas voulu déranger les voyageurs et s'était pelotonnée dans son coin, les mains sous sa pèlerine, pour se réchauffer. Mais comment dormir avec ce bruit de

ferraille tordue, ce balancement du train, ce ronfle-
ment du vieil homme, à l'opposé, que Lucie devinait
penché sur l'épaule de sa femme ? Elle avait réussi
à s'assoupir, néanmoins, puis avait repris conscience
à la voix d'un aboyeur qui donnait le nom de la ville
où le convoi avait fait halte, mais elle n'était pas
parvenue à le comprendre.

Après être reparti et avoir roulé pendant une
heure, le convoi s'était encore arrêté et Lucie avait
entendu la voix de l'aboyeur plus distinctement :
« Les Aubrais... Les Aubrais-Orléans... Trente minutes d'arrêt. » Les soldats étaient descendus, puis le
vieux bourgeois et sa femme. En face de Lucie, les
enfants ne s'étaient pas réveillés. Enfin le convoi
s'était remis en route, mais Lucie, cette fois, n'avait
pu s'assoupir. Elle n'avait cessé d'imaginer la vie qui
l'attendait, s'inquiétant non seulement de l'accueil
que lui réserveraient ses nouveaux maîtres, mais
également de son accouchement qui devait avoir
lieu vers la mi-janvier. Allait-elle tenir sa promesse
et abandonner son enfant ? Elle n'en était pas sûre,
cette nuit-là, en sentant grandir en elle la conviction
que cet enfant serait son seul appui, sa seule consolation dans la solitude qui l'attendait.

La porte du compartiment s'était ouverte, tirée
par un employé qui avait lancé hâtivement :

– Arrivée à Paris dans vingt minutes.

La porte s'était refermée et chacun avait entrepris
de rassembler ses bagages. Plus l'instant d'arriver
avait approché, et plus Lucie s'était sentie en danger. Quand le convoi s'était enfin immobilisé, elle
avait demandé à la jeune femme aux deux enfants :

– Je dois me rendre rue de Tournon. Pourrez-vous m'indiquer la direction ?

– C'est dans le sixième, je crois, avait répondu la jeune femme, mais c'est loin, vous savez. Le mieux est de prendre un fiacre à la sortie de la gare. Il vous y conduira.

A l'instant où elle avait pris pied sur le quai, sous l'immense verrière où les lumières semblaient attirer la fumée, Lucie comprit qu'elle changeait de monde. Elle suivit les voyageurs qui, cols de manteau relevés, marchaient vers la sortie, courant parfois, se poussant du coude, comme s'ils risquaient de demeurer prisonniers sur le quai. Lucie tenta de suivre la jeune femme, mais elle la perdit de vue dans la foule. Elle déboucha sur une sorte de place occupée par des fiacres à chevaux, à peine éclairée par des réverbères dont la lumière ne parvenait pas à trouer la brume froide du petit matin. Elle n'osa pas s'en approcher, ne sachant comment il fallait s'y prendre, et d'ailleurs une file imposante de voyageurs semblait en interdire l'accès. Elle aperçut un sergent de ville qui faisait les cent pas, et, rassemblant son courage, elle s'approcha pour lui demander comment se rendre rue de Tournon.

– Vous n'êtes pas arrivée, ma pauvre dame, dit-il.

Il l'examina un instant, ajouta :

– Vous ne pouvez pas vous payer un fiacre, dans votre état ?

Puis il reprit, sans lui laisser le temps de répondre :

– Bon ! Vous prendrez le boulevard de l'Hôpital, au bout, là-bas, sur votre gauche. Ensuite, aux Gobe-

178

lins, vous monterez la rue Mouffetard et vous redescendrez de l'autre côté, jusqu'à la rue Soufflot qui vous mènera sur un grand boulevard. Là vous verrez le théâtre de l'Odéon. La rue de Tournon est juste à côté.

Lucie ne comprit que le début « à gauche sur le boulevard jusqu'aux Gobelins », mais elle n'osa pas faire répéter le sergent de ville, dont s'approchaient d'ailleurs d'autres voyageurs, qui paraissaient aussi perdus qu'elle.

Elle marchait, maintenant, sa valise à la main, sur le trottoir de ce fameux boulevard où, entre les fiacres, les voitures et les omnibus à impériale, crépitait de temps en temps le moteur d'une automobile. Que faisait-elle là, perdue dans cette grande ville, marchant droit devant elle, tête baissée, jetant parfois un coup d'œil vers les cafés où se pressaient des ouvriers en blouse portant des outils, des messieurs en habits, des soldats, toute une population tellement différente de celle qu'elle avait l'habitude de côtoyer ? Elle était tendue vers un seul but : ne pas se perdre, arriver à destination où elle aurait un toit et des maîtres pour la protéger.

Elle n'osa pas se renseigner de nouveau, constata sur une plaque scellée sur un mur qu'elle se trouvait rue du Bel-Air et se rendit compte qu'elle s'était perdue. Elle était en sueur, à bout de forces. Une femme vêtue d'un manteau-pèlerine vert, qui sentait très fort le patchouli, lui jeta un coup d'œil appuyé en passant, si bien que Lucie osa l'appeler :

– Madame, s'il vous plaît !

La femme se retourna, revint vers elle et dit :

– C'est pas bien raisonnable de marcher comme ça avec cette valise, dans votre état.

– Je dois me rendre rue de Tournon, dit Lucie.

– Vous lui tournez le dos, ma pauvre, à la rue de Tournon. Suivez-moi, tenez, vous prendrez un fiacre sur la place que vous apercevez là-bas.

Lucie la suivit, un peu rassurée, à présent, et la femme au beau manteau lui prit même la valise des mains.

Elles arrivèrent sur une grande place ronde, où, effectivement, étaient rangés des fiacres et des omnibus dont les chevaux portaient des sacs d'avoine attachés à leur tête.

– Je ne saurai pas, dit Lucie.

– Allez, venez, dit la femme, ce n'est vraiment pas compliqué du tout.

Elle s'approcha d'un fiacre, parla au cocher assis sur son siège, qui semblait dormir sous son chapeau de cuir bouilli, et Lucie monta dans la voiture où, tout de suite, elle se sentit en sécurité sur la banquette capitonnée de velours gris. Enfin, trois quarts d'heure plus tard, quand la porte s'ouvrit, elle se trouvait exactement devant le 24, rue de Tournon, face à l'immeuble où habitaient ses maîtres. Elle paya deux francs, et le cocher lui porta sa valise jusqu'à la porte d'entrée qu'elle poussa avec soulagement, comme on pénètre dans un refuge au milieu d'une tempête.

L'hiver était là. Le gel craquait sous les pieds de François qui glissait en montant dans le bois aux

arbres calcinés. Tiburce marchait devant lui, ahanant sous le poids du barda et des outils qu'il fallait
acheminer jusqu'aux premières lignes. Celles-ci se
trouvaient en contrebas, de l'autre côté, dans la vallée. Depuis deux mois, les Allemands s'étaient enterrés là et les compagnies françaises n'avaient pas
réussi à les déloger. François était déjà monté deux
fois au front, et deux fois il était reparti au repos
dans un hameau de l'arrière. Si jusqu'à présent le
secteur était resté calme, il savait par l'agent de liaison du capitaine qu'une offensive se préparait. Aussi
avait-il écrit une lettre à Aloïse avant de partir. Il lui
disait combien il pensait à elle et combien il lui
tardait de la revoir. De l'offensive à venir : pas un
mot. Il ne voulait surtout pas l'inquiéter.

Il leva la tête vers le ciel qui jetait des éclats de
vitre dans la nuit de marbre noir. L'an passé, à cette
époque, François coupait du bois dans la forêt et se
rendait aux veillées chez Aloïse. Pourquoi fallait-il
perdre tout cela ? Il posait souvent la question à
Tiburce qui répondait :

– A quoi ça sert de te miner comme ça ? Si tu veux
ne rien perdre, justement, il te faut garder tes forces.

Oui, il avait raison, Tiburce, avec sa sagesse de
bouscatier : il fallait garder des forces, éviter de trop
penser.

La compagnie arriva au sommet de la petite butte
sans arbres au-delà de laquelle on redescendait vers
la vallée. Parfois un homme glissait sur la pente
gelée et l'on entendait un tintamarre de bidons et
de gamelles. Quelques jurons couraient alors dans

les rangs disloqués. Tout à coup, la lueur blanche d'une fusée illumina la nuit.

– Gaffe ! dit Tiburce, ils nous ont entendus.

Deux autres fusées blanches montèrent, suivies par une verte. Quelques secondes passèrent, puis un grand souffle enfla rapidement et les hommes se couchèrent d'un même mouvement. Le fusant explosa sur la butte, projetant ses éclats sur les soldats allongés dans la boue. Les cris furent couverts par de nouveaux souffles et de nouveaux éclats.

– Vite ! dit Tiburce.

Il se mit à courir sur la pente vers les tranchées que l'on apercevait en bas, adossées à la colline. François le suivait, courbé en deux, gêné par son ceinturon et l'étui de sa baïonnette. Les fusants éclataient maintenant derrière lui. Il ralentit un peu, puis il entendit le miaulement des balles au-dessus de sa tête : les mitrailleuses venaient d'entrer en action. Il recommença à courir et, enfin, il put sauter dans la tranchée et reprendre son souffle.

– C'est pas trop tôt, grommela un soldat. On attendait depuis onze heures.

Il devait être minuit. Les canons de l'artillerie se mirent à répondre à ceux de l'ennemi. François entendit les obus passer au-dessus des lignes françaises et s'écraser, plus loin, sur les tranchées allemandes. Des gerbes de feu illuminèrent le ciel pendant plus d'un quart d'heure, puis la canonnade cessa. C'est alors seulement qu'on entendit les cris des blessés, de part et d'autre de la vallée.

– Ça va ? demanda Tiburce.

– Ça va, répondit François.

Les hommes de la compagnie qui devait être relevée disparurent dans l'ombre. Dès qu'ils atteignirent le sommet, de nouvelles fusées zébrèrent le ciel, et les canons, de nouveau, se répondirent dans un abominable fracas.

– Les brancardiers vont arriver, dit une voix haletante près de François.

Il crut reconnaître celle du sous-lieutenant. Il en fut rassuré, car il avait appris à aimer cet homme courageux et droit, tellement différent du sergent, que Tiburce, un jour, avait failli étrangler. François dut prendre la première garde. C'était là-bas, quinze mètres devant la tranchée. Une marche de bois permettait d'atteindre le guichet. François plaça son fusil, plissa les paupières, constata que la terre était plus noire que la nuit. Des moignons d'arbres se dressaient vers le ciel entre les trous des obus. La lune éclairait la partie gauche des tranchées, faisant miroiter le canon des sentinelles. « Je suis seul », se dit François. Puis il pensa à Aloïse et ferma les yeux. « Reste près de moi, dit-il, ne bouge pas. » Mais il avait trop froid. Il rouvrit les yeux. C'était la nuit dans la forêt. Il marchait vers une hutte où l'attendait Aloïse. « Comme elle doit avoir froid », se dit-il. Il dormait tout éveillé.

Quand Tiburce le releva, François ne sentait plus ses pieds. Il retrouva avec plaisir l'abri creusé dans la terre, s'enroula dans sa couverture et dormit jusqu'à six heures, au moment où l'artillerie se remit à cracher, préparant le terrain pour l'offensive. Cela dura toute la matinée. La corvée eut du mal à gagner la première ligne. Quand elle y arriva, le singe était mélangé au riz et à la boue, mais il y avait double ration de gnôle.

– C'est pour ce soir, dit celui qui portait la cantine. Bonne chance, les gars !

François mangea assis, face à Tiburce, dans leur trou. Le visage rond, la large bouche, les yeux couleur de châtaigne du bouscatier lui tenaient chaud. C'était comme ça : dès que Tiburce était là, la peur s'en allait. Le Cévenol mâchait de grandes bouchées de pain noir et buvait son vin sans vider sa bouche. Il aimait manger, et la boue sur le pain ne le gênait pas.

Quand ils eurent fini, ils reprirent position, côte à côte, appuyés aux sacs de terre. A trois heures, l'artillerie s'arrêta. A quatre, la nuit commença de tomber, morne et froide. Sur l'horizon, là-bas, le ciel était rose. Ce serait une nuit de grand gel. Sur leur gauche, très loin, une corne de forêt descendait vers la plaine. Ils la voyaient encore très bien, car elle se trouvait à l'extrémité du croissant dessiné par la vallée.

– La 9ᵉ va sortir, dit le sergent derrière eux.

– Et nous ? fit Tiburce.

– Sois pas pressé, Camoins, ça vient.

Bientôt, des uniformes rouge et bleu jaillirent de la forêt. François les vit s'écrouler sans entendre de bruit. Le vent venait de l'autre côté et il emportait le « tac-tac » des mitrailleuses qui s'étaient mises à tirer. Une fusée rouge monta dans le rose du ciel, demandant le tir de barrage. Quelques secondes passèrent, puis les premiers obus s'abattirent sur les lignes françaises.

– Pauvres gars, fit Tiburce. Tant qu'on n'en aura pas étranglé un gros, ils ne nous feront pas quartier.

Devant le carnage, c'était son idée fixe : tuer un colonel ou un lieutenant. L'escouade en riait, mais pas le sergent qui tenait Tiburce à l'œil.

– Vite ! Que la nuit tombe ! fit François.

Elle venait, glissant des collines, ses flancs rougis par les gerbes dc feu qui éventraient la terre. « Vite ! » répéta François, et il sortit de sa poche la dernière lettre d'Aloïse. Il se tourna vers l'intérieur de la tranchée, approcha la feuille de papier de ses yeux et lut, ses doigts tremblants de froid :

Mon François,

Je suis allée l'autre soir jusqu'à la croix où j'ai prié pour toi. Au retour, je me suis assise sur le tronc où nous nous sommes assis le dernier jour, tu te souviens ? C'était la même odeur et aussi la même lumière. Je ne sais pas très bien te dire, mais ce que j'ai ressenti à ce moment-là m'a paru pouvoir durer toujours. Depuis, je crois que rien ne nous séparera, que nous sommes plus grands, tous les deux, que tout ça...

Ma mère a été fatiguée mais elle va mieux...

François replia la feuille. Il avait appris ces quelques mots par cœur mais il avait besoin de voir l'écriture appliquée d'Aloïse. Pour la dernière fois ? Non ! Il ne le pensait pas. Pas vraiment. L'heure n'était pas encore venue, et pourtant !

La nuit était tombée très vite. Quand il se retourna vers la vallée, il ne reconnut rien. Le vent s'était levé et polissait la terre qui brillait sous la lune.

— C'est l'heure. Faites passer.

Le mot d'ordre courut le long de la tranchée.

— Tu me suis, dit Tiburce à François, et tu t'abrites.

— Non ! c'est à moi de sortir le premier.

— J'ai pas de femme, dit Tiburce, violemment.

Le sergent dressa l'échelle. Il monta quelques barreaux, se retourna.

— Vous y êtes ?

Un murmure lui répondit.

— En avant !

François monta derrière Tiburce. Quand il déboucha dans l'espace libre, ce qu'il sentit d'abord, ce fut le vent. « J'y suis, se dit-il, j'y suis », et il se mit à courir. Trois fusées montèrent en même temps. La dernière était rouge. François, qui avait l'impression de marcher sur des limaces, tenait difficilement l'équilibre. Les mitrailleuses se mirent à miauler, les fusants éclatèrent et la nuit s'embrasa. C'était étrange, cette impression d'être englué dans une lumière rouge. François perçut des chocs sourds près de lui, entendit des cris, puis le sol se déroba sous ses pieds.

Il était au fond d'un entonnoir. Tiburce le tenait par le bras. Un homme criait près d'eux. François chercha à remonter mais la terre s'éboula sous ses pieds. Puis il y eut un grand fracas au-dessus de lui et la terre l'ensevelit. Il se débattit, réussit à s'extraire. Tâtonnant autour de lui, il trouva une main : celle de Tiburce. Il voulut ouvrir les yeux, mais il n'y parvint pas : ils étaient pleins de terre.

Les vagues se succédaient. Il fallait repartir. Ils s'aidèrent pour sortir du trou, recommencèrent à courir. Combien de temps ? Combien de mètres ? Ils n'en avaient aucune idée. Ils finirent par s'échouer dans une tranchée où ils reconnurent des uniformes ennemis. Alors ils entendirent la voix du lieutenant qui criait :

– On ne bouge plus ! On tient !

François ne savait plus depuis combien d'heures ils étaient là quand les canons se turent.

– Ça y est, dit Tiburce, c'est fini.

Le temps passa. François s'assoupit, s'éveilla en sursaut.

– Tiburce, dit-il, mes yeux.

– Quoi, tes yeux ?

– Je ne vois plus.

– Mais si. Ne t'inquiète pas. Tu y verras demain.

– Oui ! oui ! demain, murmura François épuisé.

Il s'endormit.

Après avoir accouché, Lucie avait voulu voir son enfant. Une fois. Au moins une fois. Sœur Clotilde, qui s'occupait des filles-mères à l'hospice, n'avait pas trouvé la force de le lui refuser. Dès l'instant où elle avait vu sa fille, Lucie avait compris qu'elle ne pourrait pas l'oublier et elle avait refusé de signer les papiers d'abandon qu'on lui présentait, malgré l'engagement qu'elle avait pris auprès de Mme de Boissière.

Contre une promesse de garder le secret vis-à-vis des Douvrandelle, sœur Clotilde avait alors proposé à Lucie de lui trouver une nourrice à Paris, à condition qu'elle subvienne aux besoins de celle qu'elle avait baptisée Elise, comme sa mère. Soulagée, rassurée, Lucie avait évidemment accepté, tout en remerciant sœur Clotilde pour sa compréhension et pour son dévouement.

Ainsi, huit jours après avoir donné naissance à sa fille, Lucie était repartie vers la rue de Tournon, heureuse de savoir son enfant en sécurité, et bien décidée à aller la voir le plus souvent possible. Dans l'appartement de ses maîtres, elle avait repris son service aux côtés d'Henriette, une vieille servante qui pouvait à peine se tenir debout et qui devait quitter bientôt la fonction qu'elle occupait depuis vingt ans. Avant son accouchement, Lucie avait eu le temps de se faire aux règles et aux coutumes de la maison où elle était entrée, et aussi de faire connaissance avec M. et Mme Douvrandelle. Lui, avait passé la cinquantaine. C'était un gros homme, toujours bien mis, portant de fines lunettes, qui aimait la bonne chère. Il travaillait au Sénat, qui était voisin de la rue de Tournon, comme chef de cabinet. Mme Douvrandelle était une femme finalement assez semblable à Mme de Boissière : grande, brune, l'air sévère mais gaie, aimant recevoir, ce qui était fréquent – « moins qu'avant la guerre », avait pourtant précisé Henriette à Lucie.

La guerre, en effet, avait provoqué la pénurie dans les approvisionnements de la capitale, et le train de vie mené par les Douvrandelle en avait souffert. Lucie, elle, n'en souffrait pas : elle était habituée à peu. Le plus nouveau, pour elle, c'étaient les invités et les sujets de conversation qui se succédaient au salon, tandis qu'elle faisait le service : non plus des hobereaux de province soucieux des cultures et du temps, mais des hommes politiques, surtout, qui discutaient des affaires de la France et donc de la guerre qui n'avait jamais paru aussi présente à Lucie. Au château, on était loin des nouvelles et des dangers. Ici, à Paris, on avait subi des bombardements à l'automne, et il avait même été question que l'on déménage à Bordeaux avant la bataille de la Marne.

M. Douvrandelle vénérait le maréchal Joffre qui avait sauvé le pays. Il parlait aussi beaucoup des grands de ce monde : de Poincaré, le président de la République, de Viviani, le président du Conseil, de Gallieni, l'illustre défenseur de Paris, de bien d'autres encore, mais il parlait surtout de celui qu'en baissant la voix il appelait le président : c'est-à-dire Clemenceau, qui était alors président de la commission de l'Armée au Sénat, où, précisément, travaillait M. Douvrandelle.

Il était aussi souvent question de stratégie, de la manière de se désengluer de ces tranchées dans lesquelles la guerre s'enlisait, de la nécessité de contrôler l'action des militaires qui avaient tendance à se prendre pour les vrais dirigeants du pays, de la bataille des Eparges qui venait de commencer. Lucie s'étonnait chaque jour d'avoir pénétré dans ce monde où il lui semblait que se décidait le sort de la France, et elle en était secrètement flattée.

Comme elle était chargée, le matin, de l'approvisionnement, elle sortait dans Paris, sans trop s'éloigner de la rue de Tournon. Elle se rendait surtout au marché Saint-Germain voisin, une immense halle à ossature de bois où l'on trouvait encore de tout, ou presque, pourvu qu'on pût le payer. Elle fréquentait aussi les boutiques du quartier, jusqu'à la place Saint-Sulpice où, parfois, elle allait prier dans la grande église aux tours blanches. Elle avait fait une découverte qui l'enchantait : rue Rotrou, la galerie du théâtre de l'Odéon était occupée par les étalages de la librairie Flammarion, et, quelquefois, quand elle avait quelques sous devant elle, Lucie achetait un livre qu'elle emportait comme un trésor dans sa petite chambre sous les toits.

Elle avait écrit à François et lui avait donné son adresse, car elle savait que les soldats passaient par Paris lorsqu'ils avaient une permission. Comme elle ne savait pas s'il avait reçu sa lettre, elle s'était imaginée qu'elle le croiserait un jour dans la rue, et, dans ce but, elle allait marcher au hasard, chaque fois qu'elle avait un moment de libre. C'est ainsi qu'elle commença à s'éloigner de plus en plus de la maison de ses maîtres, surtout en milieu d'après-midi, jetant des regards furtifs sur les soldats qui ne portaient plus le pantalon rouge garance si dangereux, mais une tenue bleu foncé plus adapté à la guerre de tranchées.

Un jour, au début du mois de mars, à l'occasion de l'une de ses sorties, elle découvrit la Seine, et demeura un long moment sur la rive, émerveillée, apercevant sur sa gauche la tour Eiffel, et, juste sur sa droite, tout près, Notre-Dame, dont elle avait lu le roman écrit par Victor Hugo. Elle regarda un long moment les hommes qui déchargeaient une péniche, les lourds bateaux qui glissaient sur l'eau verte chargés de sable ou de charbon, les barques de pêcheurs, les lavandières, en face, qui descendaient vers un bateau-lavoir, le panier de linge sur la tête ou sous le bras, les remorqueurs qui halaient des péniches dont on croyait qu'elles allaient sombrer tellement elles étaient enfoncées dans l'eau.

Il vint alors à Lucie l'impression de se trouver au centre du monde, et elle en fut émue, heureuse, même, comme elle n'aurait pu l'imaginer. Elle sut dès ce jour-là, en revenant vers la rue de Tournon, qu'elle ne regagnerait jamais ses montagnes : ici était la vie, la vraie vie, au milieu de toutes ces belles maisons en pierres de taille, de ces élégantes au parfum entêtant qui marchaient d'un air détaché, de ces grandes avenues parcourues par des voitures avec cochers et valets de pied, de ces rues où se succédaient les boutiques aux étals couverts de robes magnifiques, de tissus, d'objets d'art, de meubles aux reflets soyeux.

Ici, aussi, reviendrait vivre Norbert de Boissière, qu'elle n'oubliait pas, au contraire. Et, dans sa naïveté, elle croyait encore qu'elle pourrait le revoir, partager un peu de sa vie. Même si elle n'osait pas se l'avouer, c'était davantage pour le retrouver lui, plutôt que François, qu'elle parcourait ainsi les rues pendant ses moments de loisir. Elle n'imaginait pas à quel point Paris était grand. Elle ne comptait pas sur le hasard, plutôt sur sa détermination. De même pour sa fille, qu'elle espérait reprendre un jour, le plus rapidement possible, une fois qu'elle aurait gagné sa liberté, loin de ses maîtres, cachée dans cette ville où il lui semblait que sa vie pourrait s'ouvrir sur de merveilleux horizons.

A Noël, Pauline et Aloïse étaient allées prier à Saint-Vincent-la-Forêt. La messe avait été belle, mais entrecoupée de sanglots : les femmes pensaient à leurs hommes prisonniers de la boue et de la neige. Dès le lendemain, des journées de banquise succédèrent à des journées très sombres. En février, on entendit les arbres éclater dans la forêt. Les jours qui suivirent furent des jours de grande lumière. Tout scintillait : l'air, les arbres, le ciel et les toits. Impossible de lever la tête. Les oiseaux se perdaient. Ils tournaient très haut dans le ciel, se laissaient tomber comme des étoiles mortes puis se rétablissaient d'un ample coup d'ailes et remontaient en tournoyant tels des aveugles. Aloïse écrivait un peu chaque jour à François et sortait chaque midi sur le pas de la porte. Les lettres étaient rares, pourtant, et Aloïse avait encore plus peur depuis que Marcel, le fils de la famille Sauviat, avait été tué dans le nord, comme l'avait été Pierre, l'automne précédent.

Enfin on put sortir pour travailler. Début avril, le printemps était là. Des parfums de bruyères et de genêts coururent sur le plateau, et le temps passa plus vite pour Aloïse. Bientôt les jours se mirent à allonger, le soleil s'installa dans un ciel sans nuages et les foins commencèrent à blondir. Le 8 juin, Aloïse alla marcher sur la route, un peu avant midi. On voyait moins de monde, désormais. Il n'y avait plus de marché à Port-Dieu ni à Monestier. Les montagnards n'y descendaient plus leurs fromages et leur beurre. On rencontrait davantage d'errants, de pauvre monde, et, le soir, on fermait les portes avant la nuit.

Aloïse s'appuya au talus, tourna la tête vers la forêt. Le vent faisait frissonner les branches aux feuilles toutes neuves. Elle joua à son jeu favori : compter jusqu'à dix et parier que Henri, le facteur, apparaîtrait. Elle compta lentement, attendit trois secondes avant de regarder. Elle aperçut alors un homme vêtu de bleu, qui portait une musette sur chacune de ses épaules. Ce n'était pas Henri. La forêt soupira, les arbres se balancèrent. Le cœur d'Aloïse s'arrêta puis repartit, très fort.

– François ! gémit-elle.

C'était lui. Il l'avait vue. Le soleil parut se frayer un chemin entre les arbres et l'air, sur la route, devint couleur de chaume. Ils coururent l'un vers l'autre, s'arrêtèrent à un mètre pour bien mesurer cet instant tellement espéré.

– François ! dit Aloïse.

– Aloïse, c'est toi ? demanda-t-il.

– Oui, c'est moi, c'est moi, répétait-elle, et elle s'étonnait, déjà, de ne plus le voir derrière la brume de ses yeux.

Quand il s'approcha, elle se laissa aller contre lui et, comme si elle avait peur de le perdre aussitôt retrouvé, elle le retint dans ses bras. Il ferma les yeux, revit la terre noire, les arbres calcinés, les soldats enterrés vivants.

– Mais d'où je viens ? dit-il.

Il rouvrit les yeux. Autour de lui : des sapins, des charmes, des bouleaux, des chênes jusqu'au ciel.

– Mais d'où je viens ? répéta-t-il.

Le parfum lourd des sous-bois le fit chanceler.

– Attends, dit-il encore.

Ils allèrent s'asseoir sur le talus, au milieu des fougères. Elle ne lui avait jamais vu cet air épouvanté. Il avait tant maigri, ses yeux semblaient si grands, si vides.

– Tu as beaucoup enduré, souffla-t-elle.

Que répondre ? Il avait connu un autre monde, un monde où la mort était quotidienne. Comment lui dire les moignons d'arbres calcinés, l'odeur de poudre et de soufre, celle des hommes et des chevaux morts ? Ici, sur ces montagnes, soufflait le chaud de la vie. Il arracha une poignée de mousse, la respira. « Si je pouvais crier », se dit-il, mais il craignit d'effrayer Aloïse.

– Approche-toi, murmura-t-il.

Ce lilas dans les yeux, ces cheveux noirs, ces pommettes hautes : c'était bien elle. Ils demeurèrent un moment face à face, puis leurs bras se refermèrent et ils se mirent à serrer, à serrer si fort qu'ils en tremblaient jusque dans le cœur.

– C'était si long, dit-elle quand ils se séparèrent.

Puis, en lui tendant la main :

– Viens ! Viens !

Ils se mirent en route vers le village. François tournait la tête de tous les côtés, faisait de nouveau connaissance avec la vie. Il savait qu'il y avait quelque chose de caché derrière les arbres, mais il lui semblait que cela s'éloignait. Enfin les maisons apparurent, et la pente vers la fontaine, les coteaux inclinés vers la plaine, et tout ce bleu au-dessus qui dormait...

Quand il entra dans la maison, il était ivre de son pays. Pauline l'embrassa. Le feu brillait dans la cheminée. Un pain de seigle attendait sur la table. François en coupa un morceau tandis qu'Aloïse lui donnait son assiette. Il le porta à sa bouche et tout un passé de bonheur éclata en lui. Il gémit, baissa la tête, mâcha longuement le pain qui n'était pas couvert de boue. Quand il se redressa, Aloïse, qui lavait les couverts dans la souillarde, se retourna. Il la regarda un long moment, silencieux, et ce fut comme la première fois. Puis la mère apporta la soupe. Il mangea en silence, cherchant à oublier l'autre monde, celui qui commençait au-delà des collines. Il y avait de temps en temps en lui un grand tremblement qui l'obligeait à s'arrêter. Puis il recommençait à manger et le monde, peu à peu, lui redevenait familier.

L'après-midi, il voulut tout voir : les champs, la châtaigneraie, la forêt. Aloïse l'accompagna dans les anciennes coupes abandonnées par manque de bras. Il parlait, il parlait, et tout à coup, il s'arrêtait. Il était ailleurs. Parti. Alors Aloïse essayait de le faire revenir près d'elle en lui montrant les foins qui s'annonçaient beaux. Mais lui voulait connaître les nouvelles du hameau. Il avait bien fallu lui avouer que Pierre et Marcel avaient été tués, que Camille ne travaillait plus.

– J'ai plus de forces, répétait-il, c'est comme si elles avaient été fauchées avec mon Pierre.

Rose et Maria essayaient de le raisonner, mais il ne les entendait pas. Chez les Sauviat, c'était pareil. Heureusement, il y avait les petits-enfants pour mettre un peu de vie dans ces maisons désertées par les hommes.

— Et Louis ? Et Maria ?

— Il faudra aller les voir, dit Aloïse. Ils me demandent de tes nouvelles tous les jours.

François promit mais il n'y alla pas. Il fallait traverser le village et c'était comme s'il avait honte d'être vivant quand ceux de son âge étaient morts. Cependant, Camille et Louis avaient appris qu'il était rentré. Ils vinrent le saluer et voulurent savoir comment ça se passait, là-bas. Quel calvaire ce fut, pour François, de retrouver l'autre monde alors qu'il essayait de l'oublier ! Il dut pourtant raconter, expliquer, revoir les tranchées, entendre les mitrailleuses, les obus, et ce fut comme si la guerre avait gagné les collines.

Quand ils purent enfin aller se coucher, François ouvrit la fenêtre et regarda les sapins sur la crête. Il expliqua à Aloïse qu'il y pensait souvent, là-bas. Il se livra davantage pour laisser couler hors de lui le sang noir qui l'empoisonnait, puis il sembla à Aloïse qu'il s'était endormi. Cette nuit-là, il cria plusieurs fois dans son sommeil et s'assit sur son lit. Elle lui prit la main, lui parla doucement, et cela jusqu'au matin.

Il voulut aller travailler dans la forêt, sur les coupes, et elle le suivit. De temps en temps, il se redressait, regardait par-dessus la forêt et partait de nouveau vers l'autre monde.

– Je suis là, disait Aloïse.

Il frissonnait, souriait, reprenait le travail et ne levait plus la tête pendant un moment. Aloïse essayait de prendre les devants, lui proposait d'aller à Saint-Vincent, à Port-Dieu, à Monestier, mais une seule chose comptait : le travail. Il y avait tant à faire en cette saison.

– Et bientôt vous serez seules, ajoutait-il.

Au bout de trois ou quatre jours, cependant, il s'apaisa un peu. Ceux qu'il rencontrait ne lui posaient plus de questions et Aloïse avait appris à lui faire oublier l'autre monde. En fin de soirée, ils partaient sur la route qui s'assombrissait. Un soir, comme ils étaient assis dans une hutte de branchages entre les hêtres, elle lui dit doucement, sans le regarder :

– On pourrait vivre là. Qui le saurait ?

– Faut patienter, répondit-il seulement.

Encore trois jours. Encore deux jours. Ils ne se quittaient plus. Ils faisaient provision l'un de l'autre, souvent sans se parler. Face à elle, il la regardait. Tout y passait : les yeux, le nez, la bouche, le front haut, le menton, les lèvres, les cheveux, et il tendait la main, disant :

– Tu comprends, j'ai peur d'oublier.

La veille du départ, elle sentit qu'elle n'aurait pas la force de le laisser partir. Comme ils n'avaient presque plus de paille dans la grange, il coupa des fougères, avec la faux. Aloïse les rassemblait derrière lui avant de les charger sur la charrette. Pour ne pas qu'il la voie pleurer, elle s'en alla sans rien lui dire et le laissa finir. Il ne la rappela pas : il était presque soulagé.

Le lendemain matin, il se leva comme d'habitude, se rasa, mangea sa soupe, essaya de sourire. Il voulait se montrer fort pour qu'elle ne souffre pas. Il embrassa la mère très vite, puis il sortit. Aloïse lui avait demandé de l'accompagner jusqu'à la croix, comme la première fois.

— Puisque ça nous a porté bonheur, dit-il.

Ils partirent sur la route, dans le jour qui se levait. Ils marchèrent côte à côte un moment, arrivèrent sous la crête où se dressait la sapinière que l'on apercevait depuis la chambre.

— Ils veillent sur nous, dit-il. Tant qu'ils seront là, on ne risque rien. Ni toi ni moi.

Elle fit « oui » de la tête. De le trouver si courageux lui faisait du bien. C'était un matin plein d'échos et de moiteurs. Le plateau tout entier s'égouttait d'une brume qui fondait comme de la glace. Ils s'arrêtèrent devant la croix.

— Aloïse, dit-il.

— Prends garde à toi, François, murmura-t-elle.

Elle luttait pour ne pas se jeter contre lui. Il essayait de s'en aller mais ne le pouvait pas.

— Est-ce que tout ça va finir vite ? demanda-t-elle.

— Mais oui, dit-il, ça va finir, il le faut bien.

Elle sentait les larmes au bord de ses yeux, puisait en elle toutes les forces qui lui restaient.

— Faut pas que tu meures, dit-elle. Sans toi, François, je ne pourrais plus.

— Je sais, dit-il. Je reviendrai...

Il l'embrassa très vite et se retourna. Elle le suivit

un peu, s'arrêta. Après le tournant, elle aperçut encore à deux ou trois reprises la capote sombre entre les branches, puis elle disparut. « Et si à cette seconde précise je l'avais perdu pour toujours », se dit-elle. Elle ferma les yeux et se laissa glisser sur la terre mouillée.

8

LE printemps s'envola, l'hiver revint, avec un nouveau Noël sans François, puis un autre printemps s'annonça. Cela faisait presque un mois qu'Aloïse n'avait pas de nouvelles. Elle écrivait chaque soir, relisait les lettres de François toutes les nuits. Le lendemain, les mots dansaient devant ses yeux : « Ma chère femme, mon Aloïse, j'ai montré ton portrait à Tiburce, aujourd'hui on part à l'arrière, c'est toujours calme autour de nous, ça ne peut plus durer longtemps, tout ça finira bien un jour, je te serre sur mon cœur. »

Dès qu'elle l'avait su, l'été précédent, elle avait annoncé à François qu'elle attendait un enfant. Elle n'avait pas hésité, car elle s'était dit que cet enfant qui devait naître lui donnerait sans doute du courage. La délivrance lui paraissait loin, alors, et pourtant ces neuf mois s'achevaient déjà, dans l'espoir et dans la peur. La neige n'avait pas encore totalement fondu quand Aloïse ressentit les premières douleurs, au matin de ce 10 mars 1916. Il n'était bien sûr pas question d'aller chercher un médecin, car les routes étaient impraticables et, de toute façon, les femmes avaient l'habitude d'accoucher en présence de celles du village qui en avaient l'expérience. Ce jour-là, donc, avec Pauline, Maria et Germaine étaient présentes dans la maison où Aloïse, couchée dans son lit, tentait d'apercevoir la sapinière porte-bonheur pour se donner des forces. Elle en avait besoin, car l'enfant paraissait très gros, et la délivrance menaçait d'être difficile.

Au plus fort de la douleur, Aloïse pensait à François, se demandait pourquoi elle n'avait pas de nouvelles. Est-ce qu'elle n'allait pas donner le jour à un enfant qui, dès sa naissance, n'aurait pas de père ? Elle repoussait cette pensée rageusement, s'efforçait de considérer cet événement comme une victoire de la vie sur la mort. Mais, par instants, dans la douleur qui était la sienne, elle perdait courage et s'abandonnait.

– Allons ! Réveille-toi ! disait Maria. Il ne peut rien sans toi, ce petit.

Aloïse serrait les dents, se redressait, criait : « François ! François ! Aide-moi ! » Et puis elle retombait, défaite, vaincue, pendant quelques minutes seulement. Combien était douce sa souffrance, en effet, en comparaison de celle de François ! Laisserait-elle mourir le fils de celui qui se battait dans le feu et le sang ? Oui, un fils, elle en était sûre. Ce serait un garçon qui lui ressemblerait, car elle avait senti, l'été dernier, cette nuit de juin où ils étaient couchés dans l'éclat de la lune et des étoiles, que François lui donnait tout ce qu'il avait en lui de plus précieux : lui-même. « Aide-moi ! Aide-moi ! »

gémissait-elle. Il lui semblait maintenant que de son succès dépendait la vie de son mari. Elle en était responsable. Elle pouvait le sauver. Alors elle se battit de toutes ses forces et, quand l'enfant naquit, à cinq heures de l'après-midi, elle tomba dans une sorte de syncope qui faillit l'emporter. Heureusement, Maria s'en rendit compte, la fit asseoir, lui tapota les joues, lui fit respirer des sels, puis du vinaigre, la ranima.

– Un fils ! dit Pauline. Tu as un fils, Aloïse.

Elle avait obtenu de François la permission de l'appeler Edmond, comme son père disparu. Aloïse pleurait, d'épuisement et de bonheur, mais elle sentait au fond d'elle une grande fierté : c'était comme si elle avait sauvé François.

Dès le lendemain matin, elle lui écrivit une lettre pour lui annoncer la nouvelle et elle demanda à sa mère d'aller la poster aussitôt. Grâce au printemps qui éclatait partout sur les arbres et sur les prés, Aloïse se remit en huit jours. Dès lors, elle emmena son fils partout avec elle, d'autant qu'elle le nourrissait au sein, puisqu'elle avait du lait à suffisance. C'était un enfant au visage rond, sans cheveux, et aux yeux clairs, mais pas du tout paisible. Il pleurait souvent, même la nuit, et Aloïse ne dormait pas comme elle l'aurait voulu, ce qui la fatiguait beaucoup.

Une lettre de François arriva enfin : il allait bien, mais ignorait encore qu'il avait un fils : leurs lettres s'étaient croisées. La journée, Aloïse s'appliquait à diriger ses pas dans les lieux où elle était allée avec François. Elle lui parlait, comme les vieux au coin du feu qui n'ont plus toute leur tête : « Prends garde à toi, reviens-moi vite, regarde comme ton fils est beau, les sapins nous protègent toujours, je pense à toi. » Une nuit, comme son fils ne parvenait pas à dormir, il lui vint une idée bizarre. Elle se leva, sortit sans bruit, son enfant dans les bras. La lune était fleurie. Aloïse se mit en route vers la sapinière, seule mais rassurée dans l'ombre ensemencée d'étoiles clignotantes. Elle n'avait pas peur, Aloïse. De quoi aurait-elle eu peur ? Les arbres l'accompagnaient. Elle les reconnaissait tous à leurs frissons, à leur murmure : les bouleaux, les hêtres, les chênes, les sapins. Ils l'aidaient à marcher, l'encourageaient. La nuit était tiède. Par moments, le vent prenait Aloïse dans ses bras et elle gémissait : « François ! François ! » Puis le vent la lâchait et s'en allait fourrager dans les branches hautes.

Bientôt elle pénétra dans la sapinière qui était plus noire que la nuit. Elle se laissa tomber sur la mousse qui sentait bon les aiguilles sèches, pensa très fort à François, lui parla :

– Je sais que tu m'entends. A cette heure où mes pensées volent vers toi et te rejoignent, nous ne sommes qu'un, François, et rien ne pourra nous séparer.

Elle lui parla longtemps, avec des mots qui venaient du plus profond d'elle. Au retour, elle eut du mal à retrouver le chemin, faillit se perdre, mais le ciel la guida. Quand elle arriva à la maison, à trois heures du matin, sa mère l'attendait.

– D'où viens-tu ? demanda-t-elle.

– De la sapinière. J'ai parlé à François.

La mère n'eut pas le cœur à se fâcher et elle l'aida à se recoucher.

Les jours suivants, Aloïse se remit au travail avec encore plus de vaillance. Elle essaya aussi de faire partager son nouveau courage à Camille, Rose et Maria.

— Vois-tu, ma fille, répétait Camille, ce n'est pas que j'ai pas la volonté, non, c'est que je n'ai plus goût à rien.

— Vous le retrouverez bientôt : nous ferons les foins ensemble, nous assoirons les enfants pour nous regarder et nous mangerons sous les châtaigniers.

— Oui, oui, dit Camille, tu as raison.

Il y eut de belles journées teintées des ombres bleues des arbres qui se penchaient sur la terre pour la consoler. Un soir, Rose, en larmes, vint trouver Aloïse. Elle ne pouvait s'empêcher de penser à Pierre, son mari disparu.

— Je l'aimais tant, dit Rose, qu'est-ce qui me reste ?

— Ton fils et ta fille, dit Aloïse.

Elle ajouta, prenant le bras de Rose :

— Et puis la vie.

— Oh ! la vie ! dit Rose, c'est déjà fini.

— Faut pas dire ça, Rose, il y a le monde, et la forêt. Regarde !

La nuit tombait, étirant une mince écharpe rouge au-dessus des grands arbres.

— Le monde aussi saigne, dit Rose. Il a du sang comme les hommes.

La chaleur devint lourde, ce jour-là, en fin de matinée. La poussière asséchait la bouche et les paupières des hommes qui marchaient vers la ligne de front. Piétinements, grincements de roues, hennissements, injures, ordres, cris, tout se mêlait dans une rumeur de troupeau. Passaient des voitures, des caissons, des camions bringuebalant sur le chemin défoncé. Des hommes retournaient vers l'arrière, tandis que la relève montait péniblement, croisant les régiments qui partaient au repos.

– Comment c'est, là-bas ? demandait une voix.

– Comme ailleurs.

Les chevaux bavaient. Les soldats courbaient le dos. On entendait le canon dans le lointain, derrière les collines.

– Appuyez à gauche ! cria une voix.

Une ambulance aux roues cerclées de fer creusa un sillon entre les soldats. Un train de muletiers tirant des mitrailleuses la suivait. D'autres cris s'élevèrent. François buta contre celui qui le précédait. A ses côtés, Tiburce faillit tomber, jura. La colonne repartit, s'égailla sur les bas-côtés. Quatre chevaux et une voiture renversée barraient la route étroite. Les morts étaient rassemblés à l'ombre de la voiture. Les territoriaux tentaient de combler le cratère creusé par l'obus. Une odeur douceâtre flottait, épaisse comme un nuage.

La colonne continua de monter. Elle trouva enfin l'ombre de très beaux arbres. Les hommes épuisés se vautrèrent dans l'herbe. La roulante attendait sous trois chênes. Le vaguemestre porta des lettres, dont on se demandait comment elles arrivaient. Il y en avait une pour François Barthélémy. Il se mit un peu à l'écart pour la lire. Ses mains se mirent à trembler, son ventre se noua, il eut un bref sanglot, puis il serra les poings, plié en deux sous l'effet de la douleur et de la joie. Il avait un fils. Tiburce s'approcha, demanda :

– Ça ne va pas, chez toi ?

– J'ai un fils, Tiburce, j'ai un fils.

Tiburce lui prit les mains, et ils se regardèrent un long moment sans parler. Puis François ferma les yeux, et il cria. Un long cri qui fit à peine se retourner les soldats épuisés. Tiburce le saisit aux épaules et le serra dans ses bras. François s'arrêta de trembler mais son regard changea. On aurait dit qu'il n'était plus là, qu'il s'était absenté, ailleurs, très loin.

Un casse-croûte, un quart de vin suffirent aux soldats débandés pour se regrouper. Il fallut repartir. La route montait abruptement vers le plateau. Au fur et à mesure qu'elle s'élevait, les arbres s'espaçaient et les canons tonnaient. Les canons ou l'orage ? De gros nuages noirs montaient à l'horizon, et l'on ne savait plus d'où provenaient les grondements qui couraient dans le ciel.

– Viens ! dit François à Tiburce. Le village est là-bas.

Derrière un ressaut couvert de luzerne, miroitaient quelques toits. Ils étaient dans un creux, accrochés au coteau comme un nid de guêpes. Pas une maison n'était debout. Les murs crevés vomissaient des hommes qui avaient établi à l'ombre leur cantonnement. François espéra une nouvelle halte qui ne vint pas. Alors il sortit la lettre de sa poche, la relut et, de nouveau, il cria.

— Tu es fou ? demanda le sergent qui marchait en serre-file.

— Non, dit François, je ne suis pas fou. J'ai envie de crier, c'est tout.

La colonne sortit du village et remonta de l'autre côté, droit vers le ciel. Il faisait de plus en plus chaud. Après la crête, il n'y avait plus d'arbres. Le chemin descendait en pente douce vers une vallée que l'on devinait loin devant. Il fallut à la colonne près de deux heures pour l'atteindre. Elle n'était pas verte mais noire. Des nuages de plus en plus épais la survolaient, projetant des ombres mouvantes sur le sol labouré. Le secteur paraissait calme. On distinguait à peine les boursouflures des tranchées.

— Sacs à terre ! ordonna le sergent.

François n'eut pas la force de défaire les bretelles. Il se laissa glisser et tomba adossé à son sac. Il dégagea son bidon et but avidement le vin tiède. Tiburce l'aida à se redresser.

— Regarde ! dit-il.

Les nuages avaient dévoré le ciel. Un vent brûlant les poussait. En bas, les soldats semblaient avoir disparu dans les tranchées.

— Dès qu'il pleut, on repart ! ordonna le sergent. On n'aura pas besoin d'attendre la nuit.

L'orage creva presque aussitôt, balayant le coteau d'une pluie lourde que les hommes accueillirent avec soulagement. On n'y voyait pas à dix mètres. François glissa, buta contre deux hommes qui glissaient aussi. Il resta un long moment immobile sur le dos, offrant son visage à l'eau du ciel. « J'ai un fils, j'ai un fils », se répétait François. Il aperçut une lézarde au-dessus de lui, ne sut si c'était un éclair ou une fusée, n'eut pas à attendre longtemps pour comprendre : des obus passèrent en grondant et s'écrasèrent sur le plateau.

– On pouvait bien attendre, grogna Tiburce, je lui ferai la peau à ce sergent de malheur !

François se redressa, bascula vers l'avant, courut, tomba de nouveau. Les obus semblaient dévaler la pente derrière la colonne. Leurs éclats se mêlaient à ceux des éclairs. Les artilleurs ennemis ajustaient leur tir. On ne voyait toujours rien devant. François se demandait s'il allait enfin trouver les premières tranchées, mais la pente paraissait interminable. Heureusement, quand ils arrivèrent enfin en bas, l'orage redoubla. Les soldats purent se jeter dans les tranchées sans être aperçus de l'ennemi.

Le déluge dura jusqu'à la nuit. Après avoir eu très chaud, François, maintenant, avait très froid. Il savait qu'il pouvait craindre la pneumonie qui causait tant de morts, encore, dans les campagnes, mais l'idée de tomber malade ne lui déplut pas : il serait peut-être alors transféré vers l'arrière. L'escouade attendit vainement la soupe, mangea des sardines et des biscuits.

– On relève dans une heure ! avait ordonné le sergent.

– Pourvu qu'il n'y ait pas de lune ! dit Tiburce.

Le tonnerre avait cessé, mais la pluie tombait toujours dans un bruit de pattes d'oiseaux. L'artillerie aussi s'était tue. On entendait la terre boire à grands coups de lèvres cette eau qui stagnait dans la tranchée sur plus de vingt centimètres. François ne cessait de penser à Aloïse et à son fils. Il serrait la lettre contre sa poitrine, avec sa main gauche, de peur de la perdre.

A minuit, l'escouade s'ébranla dans l'un des boyaux de jonction vers la première ligne. Les brodequins faisaient un bruit profond de succion dans la boue et il semblait à François que l'on pouvait l'entendre d'en face. Il ne se trompait pas : de nouveau les fusées montèrent dans le ciel et les coups de bélier des obus secouèrent la nuit. L'escouade mit plus d'une demi-heure à relever la ligne. Dans le brouhaha du départ, les mitrailleuses hachèrent les guichets et firent éclater les sacs de terre.

François trouva une place aux côtés de Tiburce dans une niche à peu près sèche et s'apprêtait à dormir quand arriva l'agent de liaison de la 7e. Il demanda des volontaires pour une mission : il fallait ouvrir des brèches dans les chevaux de frise pour l'attaque que préparait l'état-major. Personne ne se proposa : les hommes étaient fourbus.

– Camoins ! Barthélémy ! ordonna le sergent.

– Non, pas lui, dit Tiburce, il vient d'avoir un fils.

– Moi aussi, j'ai un fils, dit le sergent. Allez ! Pas d'histoires !

– Je le tue ! grogna Tiburce.

Et déjà il s'extrayait de son caoutchouc, ses deux mains en avant. François le retint, sortit le premier dans la tranchée. L'agent de liaison se trouvait à cinq pas, près du sergent.

— A vos ordres ! dit François.

— Je suis chargé de vous emmener jusqu'au caporal de la 7ᵉ. C'est lui qui conduira la patrouille.

François leva la tête vers le ciel. Il ne pleuvait presque plus mais de gros nuages couraient comme des taureaux fous. François fit passer Tiburce devant lui pour être sûr qu'il ne retournerait pas sur ses pas. Ils suivirent l'agent de liaison dans le boyau gorgé d'eau. François entendait Tiburce injurier le sergent à mi-voix. Les obus ne tombaient plus, mais l'égrenoir des mitrailleuses trouait la nuit inexorablement. Ils marchèrent sur des corps, se firent houspiller, avancèrent encore.

— Attention au fil ! jetait la voix morne des sentinelles collées à la boue contre le parapet.

Il semblait à François qu'il s'enfonçait à travers les lignes ennemies. Il voulut demander à l'agent de liaison s'il ne s'était pas trompé, mais celui-ci s'arrêta brusquement et dit :

— Attention ! Là, c'est à découvert sur cinq mètres.

Il se lança, suivi par Tiburce. François s'élança à son tour, entendit les balles siffler en même temps que le tac-tac de la mitrailleuse. De la sueur coula dans ses yeux. Il était passé. Le caporal Revel, de la 7ᵉ, les attendait depuis longtemps. Il était de mauvaise humeur. L'agent de liaison se fondit dans la nuit.

— Prenez les cisailles ! ordonna le caporal.

Tiburce, François et leur compagnon se saisirent des outils dont le métal jetait des éclairs dans l'ombre.

— Pas possible, ça ! dit Tiburce. Si la lune sort, on est propres.

— Taisez-vous ! dit le caporal. Nous sommes douze. Six équipes de deux. Il faut couper au moins sur six fois dix mètres. Vous avez compris ?

— Compris.

— Alors on y va.

L'échelle était glissante. Quand il émergea entre les premières lignes, François, comme à chaque fois, sentit le vent sur sa peau. C'était grisant et terrible à la fois. Il pensa à Aloïse, à son fils, et il ferma les yeux un instant en murmurant : « Dormez ! n'ayez pas peur ! » Oui, ils dormaient là-bas, ils ne risquaient rien. C'était à lui de faire attention. Mais il n'en pouvait plus de se traîner ainsi dans la boue. Il avait tant sommeil. Ah ! Dormir contre Aloïse dans le grand lit, là-bas, et oublier tout ça ! Il s'arrêta, ne bougea plus.

— Qu'est-ce que tu fais ? demanda Tiburce.

— Je viens, je viens.

Ils arrivèrent aux barbelés.

— Vous ! A gauche ! ordonna le caporal.

Tiburce et François s'éloignèrent sur la gauche sur une vingtaine de mètres. François leva la tête vers le ciel, se sentit rassuré : la lune ne sortirait pas. Pourtant, quand la première cisaille trancha le fil de fer, il crut que la nuit s'ouvrait sur eux : aussitôt les mitrailleuses crachèrent comme des chats et les fusées montèrent. Collé à la terre, François entendait Tiburce maudire le sergent :

— Je le tuerai, je le tuerai.

211

Le premier fusant tomba à vingt mètres d'eux et les projeta dans un entonnoir.

– On ne bouge plus, dit Tiburce.

Un quart d'heure passa, puis le déluge se calma.

– Allez ! Viens ! dit François.

– Sûrement pas.

– Viens ! répéta François.

Tiburce le suivit. En haut, ils se rendirent compte que les obus avaient déchiqueté les barbelés.

– Les salauds, dit Tiburce, c'était ça qu'ils voulaient.

François ne voulait pas le croire : un homme avait décidé d'en sacrifier douze autres pour attirer la foudre sur des chevaux de frise ? Il eut envie de vomir, mais il n'y parvint pas : son estomac était vide. Dès lors, il n'eut plus qu'une envie : regagner la tranchée le plus vite possible. Par précaution, ils rapportèrent du fil de fer : la preuve qu'ils avaient obéi aux ordres. Une sentinelle faillit tirer sur eux. Ils étaient les premiers à rentrer. Quatre hommes les rejoignirent. On attendit encore, mais les autres étaient morts, y compris le caporal. Tiburce et François n'eurent pas la force de regagner leur compagnie. L'agent de liaison leur trouva un peu de paille sèche dans un trou. Ils se couchèrent l'un contre l'autre pour se réchauffer.

Que l'été était beau à Paris ! Lucie ne rêvait que de promenades, de découvertes, et elle étendait chaque jour un peu plus son domaine, poussant jusqu'aux Invalides, jusqu'à Montparnasse, également, par le jardin du Luxembourg où elle achetait des oublies qu'elle mangeait en chemin, après avoir écouté les orchestres dans le kiosque à musique. Parfois, elle se rendait rue de la Clef où sa fille était en nourrice chez une forte femme, aux cheveux couleur de paille, qui avait déjà deux enfants à charge. Elle y restait une heure, jouant avec Elise, essayant de savoir ce qui se passait en son absence, si l'enfant était bien traitée, n'était pas malheureuse. Il lui semblait que tout allait bien. Alors elle repartait, heureuse d'avoir su protéger ce qu'elle avait de plus cher dans sa vie, aujourd'hui. Cela, c'était son bonheur des jours. Les nuits, au contraire, elle mourait d'angoisse à cause des zeppelins que les Allemands lançaient sur Paris, provoquant le hurlement des sirènes et la descente vers la cave où était aménagé un abri de fortune. Une nuit, elle n'en eut pas le temps. Tremblante derrière sa fenêtre, elle put apercevoir dans la lueur des projecteurs un long poisson clair qui glissa au-dessus des toits sans lâcher la moindre bombe. Elle se jura de ne plus se laisser surprendre, tant elle avait eu peur, cette nuit-là, tardant trop à s'extraire de son sommeil, écrasée qu'elle était de fatigue, après son service chez les Douvrandelle.

Malgré les restrictions, en effet, ses maîtres recevaient toujours autant. Les coupons de pain ne manquaient pas, rue de Tournon : Mme Douvrandelle en donnait à Lucie chaque matin, et elle pouvait faire provision de ce pain pâteux, jaunâtre, pétri de farine de maïs, et, parfois, de pommes de terre. La maîtresse de maison rapportait elle-même du sucre, dont on manquait ailleurs cruellement. Dans l'appartement, alors qu'au-dehors ne brillait qu'un réverbère sur quatre, on ne ménageait pas le gaz, ni pour la cuisine ni pour le chauffage. Lucie découvrait combien il est plus facile de vivre, pendant une guerre, quand on a des relations avec des gens haut placés. Elle ne s'en offusquait pas. Elle le constatait, c'était tout, mais parfois lui revenait à l'esprit la parcimonie à laquelle étaient astreints ses parents, au Pradel, et quelque chose en elle se nouait, faisant éclore des larmes au bord de ses paupières.

Il y avait donc toujours autant d'invités, ou presque, chez les Douvrandelle, et les conversations tournaient sans cesse autour de Clemenceau. Un soir de juin, le Président en personne vint dîner rue de Tournon. Il avait fallu sortir la belle porcelaine de Limoges, et Mme Douvrandelle s'était beaucoup démenée tout au long de la journée, afin que la réception fût réussie. Pour Lucie, cet après-midi-là, il n'avait bien sûr pas été question de sortir. Elle avait dû frotter l'argenterie, faire à fond le ménage, aider Henriette à la cuisine et dresser la table avec sa maîtresse.

Le soir, quand on sonna à la porte, ce fut Mme Douvrandelle elle-même qui ouvrit, avant d'introduire ses invités dans le salon. Au moment d'y pénétrer à son tour pour porter le potage, Lucie crut que ses jambes ne la soutiendraient pas. Très intimidée par les hauts personnages qui se trouvaient là, elle y resta le moins longtemps possible, eut juste le temps de deviner un front haut, un crâne dégarni, d'entendre une voix chaude et ferme dis-

courir sur les erreurs de Joffre qui avait remplacé
Pétain par Nivelle, sur les combats de la côte 304 et
ceux de Verdun, où les Allemands, pour la première
fois, venaient d'employer le terrible phosgène. Les
convives présents étaient unanimes : ils espéraient
obtenir de Briand qu'il exerce un contrôle effectif
sur les services ayant pour mission de pourvoir aux
besoins des armées et ils comptaient remplacer un
jour l'actuel commandant en chef, Joffre, par un
officier qui leur serait entièrement dévoué.

Lucie ne comprenait pas grand-chose à ces
conversations. Elle se demandait comment il se pouvait qu'on mît en cause Joffre, alors que M. Douvrandelle en faisait l'éloge il y avait seulement quelques mois. Elle en concluait que ces préoccupations
étaient trop compliquées pour elle, et elle n'en
admirait pas moins ses maîtres et leurs invités, persuadée qu'ils agissaient dans l'intérêt des soldats, et
donc de François et de Norbert qui, ainsi, bientôt,
lui reviendraient.

Un dimanche de juillet, alors qu'elle rentrait de
sa promenade, Madeleine, la cuisinière qui venait
de remplacer Henriette repartie dans sa campagne
du Perche, lui annonça que quelqu'un l'attendait
au salon. Elle s'y précipita, manqua défaillir en
reconnaissant à peine François dans ce soldat noir,
hirsute, maigre à faire peur, qui se levait à son approche. Elle voulut l'embrasser, le serrer dans ses bras
mais il la repoussa en disant :

– Non, non, regarde comme je suis sale !

François ! Mon Dieu ! C'était toute sa vie au Pradel qui resurgissait à présent, et le père, et la mère,

et ces Noëls dans la neige, quand il faisait si bon, autour de la grande table, où ils étaient tous réunis. Elle comprit qu'il était lui aussi envahi par la même émotion, car il ne réussissait pas à parler et se contentait de la regarder comme si elle n'existait pas vraiment. Depuis combien de temps ne s'étaient-ils pas vus ? Elle ne se souvenait plus, ne voulait pas s'en souvenir. Et il était presque méconnaissable, aujourd'hui, ce frère dont les yeux semblaient morts et qui murmurait, pourtant, sans parvenir à sourire :

– J'ai un fils, tu sais. Il s'appelle Edmond.

– Un fils ! Mon Dieu ! Quand est-il né ?

– En mars dernier.

Elle fut tentée de lui dire qu'elle aussi avait un enfant, mais elle sentit qu'elle n'en avait pas le droit pour le moment, qu'elle devait seulement se soucier de lui, François, son frère aîné, qui semblait avoir tellement souffert.

– Tu as une permission de combien de jours ? demanda-t-elle.

– Une semaine.

Il avait les traits si amaigris qu'elle s'inquiéta :

– Tu as faim ?

– Non, dit-il. La cuisinière m'a donné à manger.

Et, comme s'il devait s'excuser de se trouver là, dans ce beau salon dont les dorures, les coussins, les dosserets de velours pouvaient souffrir de sa saleté :

– C'est ta patronne qui m'a fait entrer ici. Elle a beaucoup insisté.

– Tu as vu Mme Douvrandelle ?

– Oui. C'est elle qui m'a ouvert.

Puis ses yeux la quittèrent et soudain il parut très loin.

– François, dit-elle, tu as mal ?

– Non, fit-il.

Elle crut qu'il pensait à la guerre, fut tentée de poser des questions afin d'imaginer dans quelles conditions vivait Norbert de Boissière, mais elle n'osa pas.

– Je pensais au Pradel, dit-il doucement.

– Ah ! Toi aussi !

– Quand on a vécu ce qu'on a vécu, reprit-il, entre un père et une mère si bons, dans cette cuisine où l'on avait si chaud même au plus froid de l'hiver, comment serait-on préparés à ce qu'il nous faut vivre ensuite ?

– Oui, dit-elle, tu te rappelles ?

Il hocha la tête mais ne dit plus rien. Elle crut qu'elle devait parler de ce temps-là, qu'il en avait besoin.

– Et ce miel dans les crêpes de blé noir ? Et la robe de la mère à la Saint-Jean ? Et comme ils ont dansé à Saint-Julien ! Tu te souviens ?

– Arrête, souffla-t-il, arrête.

Ils demeurèrent un long moment silencieux. François s'était penché en avant et regardait ses mains ouvertes devant lui.

– As-tu des nouvelles de Mathieu ? demanda-t-il enfin.

– Il est toujours en Algérie.

– Il n'est pas sur le front ?

– Non. Il m'a écrit qu'il ne ferait sans doute pas la guerre.

– Ah ! bon, dit François, qui parut vraiment soulagé.

Et il murmura, d'une voix apaisée :

– Au moins un qui en réchappera.

Lucie parut ne pas très bien comprendre ce qu'il voulait dire, et demanda :

– Et ta famille, à Puyloubiers ? Aloïse, sa mère ?

– Elles supportent, répondit François. Comment faire autrement ?

– Oui, bien sûr, dit Lucie.

Puis, revenant aux premiers mots de François :

– Un fils, tu te rends compte ? Alors tu vas le voir pour la première fois.

Il laissa passer quelques secondes, répondit :

– Pour la première fois et peut-être aussi la dernière.

– Non, François, non, il ne faut pas parler comme ça.

– Je parle comme je le peux, dit-il.

– Tout ça va bien finir un jour.

– Mais quand ?

Elle ne sut que répondre. Madeleine entra sur ces entrefaites en portant du café.

– Merci, dit Lucie, merci, Madeleine.

Elle servit François qui parut s'apaiser en retrouvant cette odeur familière. Il but en silence, tandis qu'elle lui racontait sa vie à Paris, ce qu'elle y avait découvert et les gens qu'elle côtoyait. Ensuite, de nouveau, elle reparla du Pradel et, cette fois, François sembla content de l'entendre. Quand elle s'arrêta, il s'ébroua brusquement et dit :

– Il ne faut pas que je manque mon train.

– A quelle heure est-il ?

– A sept heures.

– Je vais t'accompagner à la gare. M. et Mme Douvrandelle dînent dehors tous les dimanches soir. J'ai le temps.

– Si tu veux, dit-il.

Avant de sortir du salon, François jeta de brefs regards sur les tableaux accrochés aux murs, demanda :

– Tu es bien ici ?

– Oui, dit-elle. Je crois que j'aurais du mal à vivre ailleurs, maintenant.

Elle sentit qu'elle l'avait blessé, mais c'était trop tard. Furieuse contre elle-même, elle le précéda jusqu'à la rue, puis ils marchèrent jusqu'à la place de l'Odéon où il y avait toujours des fiacres en stationnement.

– C'est la première fois que je monte là-dedans, dit François.

Elle tenta de renouer les liens qu'elle avait distendus, car il ne parlait plus et regardait par la fenêtre ouverte les rues de la ville, comme s'il se demandait où il se trouvait. Sur le quai de la gare, il la laissa se blottir un instant contre lui.

– Embrasse Aloïse et ton fils pour moi, dit-elle.

– Oui, je n'y manquerai pas.

Il était de nouveau loin, si loin que Lucie comprit combien la guerre pouvait briser les hommes, et, en s'éloignant tristement, elle se demanda si elle recon-

naîtrait Norbert de Boissière, le jour où elle le croiserait sur son chemin.

Dès qu'il avait quitté la rivière, François était entré
dans la forêt. De temps en temps il fermait les yeux,
respirait bien à fond pour s'imprégner de ces parfums oubliés, se souvenir de ce qu'avait été sa vie
avant ce cauchemar qui durait depuis deux ans. Les
fougères étaient lourdes entre les châtaigniers. Le
soleil de midi trouait par endroits les hautes frondaisons, faisant étinceler l'air épais entre les feuilles
encore attendries par l'humidité de la nuit. Au ras
du sol, l'ombre fraîche du sentier collait aux jambes
de François, qui trébuchait.

Il dut s'asseoir sur un tapis de mousse, le dos
appuyé à un chêne. Dans un coin de sa tête, flot-
taient des images de mort et de sang qu'il ne parvenait pas à effacer. Et pourtant, ici, tout était calme,
vert, silencieux. Pourquoi était-il privé de tout cela ?
Soudain, l'immense fatigue qui était en lui creva
brusquement et il pleura comme il n'avait jamais
pleuré, même lorsqu'il était enfant, laissant couler
hors de lui le sang noir qui pourrissait son corps et
son esprit. Puis il ferma les yeux et s'assoupit pendant quelques minutes.

Ce fut un rayon de soleil qui le réveilla. A la pensée d'Aloïse et de son fils qui l'attendaient, il fut
debout en un instant, reprit le sentier qui montait
vers le plateau. Quand il émergea de la forêt, il
aperçut de grands oiseaux qui tournaient au-dessus
du hameau, dans un ciel dont le bleu lui serra le

cœur. On était au début de l'après-midi. Il n'y avait plus un bruit sur la terre. François se mit à courir, puis, à une centaine de mètres de la maison, il s'arrêta pour laisser son cœur se calmer. Ensuite, il marcha lentement vers Puyloubiers, afin de profiter de ces instants dont il avait tellement rêvé.

Quand il poussa la porte, Aloïse était assise sur le banc et donnait le sein à son fils.

– François ! cria-t-elle en se levant. Oh ! François, tu es là. Regarde ! Regarde ton fils, comme il est beau !

Elle rajustait son corsage, s'approchait, lui montrait l'enfant qui, privé de son lait, commençait à pleurer. A cet instant, Pauline sortit de la chambre où elle se reposait.

– Enfin ! dit-elle, vous êtes là.

– Oui, dit François qui ne pouvait détacher son regard de cet enfant au visage rose et dont les bras et les jambes se mouvaient en tous sens.

– Tiens ! dit Aloïse, prends-le.

François recula en disant :

– Non, non...

Elle en parut blessée, insista :

– Prends-le, François, c'est ton fils.

– Non, répéta-t-il, non.

Comment eût-il pu expliquer que ses mains n'étaient pas dignes de cette innocence, qu'il avait peur de transmettre à son fils le malheur dans lequel il vivait et la menace quotidienne qui pesait sur lui ? Aloïse donna son fils à sa mère, et se blottit dans les bras de François qui la serra maladroitement,

comme s'il avait peur, à elle aussi, de faire mal.
A bout de forces, il dut s'asseoir et dit :

– S'il te plaît, j'ai faim.

– Oui, dit Pauline, oui, tout de suite.

Aloïse passa dans la chambre pour finir de donner
le sein à son enfant puis elle le coucha et revint dans
la cuisine, face à François :

– Combien de jours ? demanda-t-elle.

– Huit, en comptant les voyages.

– C'est pas beaucoup, dit-elle.

Il ne la regardait pas. Il baissait la tête sur son
assiette, muré dans quelque chose d'immensément
triste qui les dépassait l'un et l'autre, et elle comprit
qu'elle aurait cette fois encore plus de mal à lui
réapprendre la vie.

Elle essaya pourtant, dès qu'il eut fini de manger.
Leur fils refusant de dormir, ils partirent vers la châtaigneraie, où ils s'assirent à l'ombre entre les minces fûts couverts de leurs longues feuilles déjà jau-
nissantes. Aloïse parla longtemps et François
l'écouta. A la fin, il accepta de prendre Edmond
dans ses bras. Ses mains tremblaient, mais il le tenait
serré contre lui, et le regardait avec des yeux terri-
fiés.

– Je ne lui fais pas mal ? demanda-t-il.

– Mais non, dit Aloïse.

L'enfant gazouillait, paraissait content de se trouver dans ces bras, qu'il ne connaissait pas.

– Il te parle, dit Aloïse.

– A moi ? Il me parle ?

– Oui. Il est content, tu vois.

– Tu crois ?

– Oui, bien sûr.

Soudain, François crut entendre le sifflement d'un obus qui allait s'écraser et il rendit précipitamment l'enfant à Aloïse. Alors qu'il s'attendait à l'explosion et qu'il contractait ses épaules, le silence le surprit. Il émergea de sa stupeur, demanda :

– Où je suis ?

Aloïse lui prit la main, répondit :

– Avec moi. Avec ton fils. A Puyloubiers.

– Oui, dit François. Oui.

– Viens, dit-elle, allons marcher.

Ils suivirent un à un les sentiers de la forêt pendant tout l'après-midi. De temps en temps, François acceptait de porter son fils, puis il le rendait à Aloïse, mais peu à peu il s'habituait. Le soir, pendant qu'il mangeait, il garda Edmond sur ses genoux, étonné que l'enfant ne cesse de le regarder, de rester avec lui sans pleurer. Dès lors, il ne put s'en passer, même la nuit. Comme il avait perdu le sommeil, il demeurait penché sur le berceau, tandis qu'Aloïse dormait, et, grâce à ces deux présences, il pénétrait de nouveau peu à peu dans le monde des vivants, où nul danger ne le guettait, où le bonheur, peut-être, était encore possible.

Les huit jours passèrent vite, entre promenades et travaux des champs. Un soir, alors qu'ils marchaient sur la route et qu'il portait Edmond, François murmura :

– Je ne pourrai pas. Non, je ne pourrai pas.

– Quoi ? dit Aloïse.

Il ne répondit pas, mais elle crut avoir deviné à quoi il pensait et elle en fut heureuse. Aussi, quand, le dernier jour, il lui dit qu'il n'avait pas la force de repartir, elle avait eu le temps de réfléchir à ce qu'il devait faire.

– Tu te cacheras dans la forêt. Tu sais, sur les coupes, il y a une hutte pour dormir. Rappelle-toi.

Oui, il se souvenait, mais il savait aussi quelle était la sanction de la désertion en temps de guerre.

– Ils ne te trouveront pas, dit Aloïse. Je viendrai te rejoindre la nuit.

– De toute façon, dit François, même si j'essayais, je ne pourrais pas. Je n'ai plus la force.

Le jour où il devait repartir, au lieu de se mettre en route, il descendit dans les coupes, au beau milieu de la forêt, et s'installa dans la hutte où il avait dormi les premières semaines de son arrivée à Puyloubiers. Il n'avait pas peur. Il était au-delà de toute souffrance. Aloïse, comme prévu, le rejoignait la nuit, lui portait à manger, dormait avec lui. Une nuit, même, elle emmena Edmond avec elle, et ils dormirent tous les trois dans le parfum des arbres, de l'herbe et des fougères. La journée, François marchait sur les sentiers, respirait les odeurs de feuilles et d'écorce, reprenait vie. Parfois il montait jusqu'à la châtaigneraie, restait caché mais pouvait voir Aloïse et Edmond qui s'asseyaient à la lisière.

Cela dura cinq jours et cinq nuits. La sixième, les gendarmes n'eurent aucune peine à suivre Aloïse et à s'emparer de François. Aloïse eut la présence d'esprit de demander au brigadier, qui était un parent de sa mère, de revenir par le hameau, pour que François puisse prendre quelques affaires. Là, Pauline plaida longtemps, devant le brigadier, qui

était son cousin, montra l'enfant qui allait grandir
sans père, si on fusillait François. Comme il refusait
de se laisser fléchir, Pauline lui rappela l'aide
qu'avait apportée son défunt mari à la mère du gen-
darme quand celle-ci s'était retrouvée seule avec
trois enfants. Une aide en travail et en argent dont
elle, Pauline, n'avait jamais demandé le moindre
remboursement. Il en restait des traces, pourtant.
Un papier avait été signé, qu'elle possédait encore.

Le brigadier, en échange de ce papier, finit par
accepter de remplir une attestation selon laquelle
François avait été malade, à condition qu'il reparte
dès le lendemain matin. D'ailleurs, il le conduirait
lui-même à la gare. Ce qui fut fait. A l'instant de
quitter Puyloubiers, François prit une dernière fois
son fils dans ses bras, s'avança de quelques mètres
sur la route, lui parla. Puis il fit demi-tour, donna
Edmond à Aloïse et il suivit le brigadier sans se
retourner une seule fois vers les siens qui le regardaient se fondre dans l'ombre douce des grands
arbres.

Il n'arrivait pas à dormir, Mathieu, cette nuit-là, à
cause des deux chacals qui venaient chasser les lièvres et les perdrix dans les friches du côté de la
montagne. Il se leva, jeta un coup d'œil par la fenêtre et aperçut, sous une lune d'opaline, les cyprès
que le vent balançait, dans la nuit épaisse et chaude
de septembre. Le lendemain, à l'aube, commence-
raient les vendanges des grappes de cinsaut et d'aramon, ces belles grappes violettes et dorées que le

soleil d'été avait mûries à point. On en avait pour huit jours avant d'en venir à bout, et ce ne serait pas sans peine.

Mathieu passa son pantalon, sortit, et s'avança entre les grenadiers lourds de fruits, jusqu'à la noria que le mulet famélique actionnait tout le jour, mais qui demeurait immobile, la nuit, comme définitivement abandonnée. Sur sa droite, une haie de figuiers de Barbarie cachait les gourbis des fellahs. Dépassant le canal d'irrigation, Mathieu pénétra dans les vignes dont les feuilles frissonnaient avec de brefs soupirs. Par quoi avait-il été réveillé, à part les chacals que sa seule présence avait dérangés et qui s'étaient enfuis vers la montagne ? Il le savait très bien : il ne pouvait oublier la lettre de Lucie qu'il avait reçue il y avait plus d'un mois, une lettre dans laquelle elle lui parlait de François qu'elle avait rencontré à Paris. Un François méconnaissable, avec lequel elle avait parlé du Pradel, certes, mais qui semblait porter sur ses épaules toutes les horreurs de la guerre. Et lui, Mathieu, il était là, dans cette nuit paisible, loin des combats meurtriers en Europe dont le sergent lui donnait des nouvelles chaque semaine, incapable de prendre sa part dans le malheur de son frère, de l'aider comme il aurait dû.

François, Mathieu ne l'avait pas revu depuis qu'il était parti au service militaire, car lui-même avait dû quitter Lavalette avant que son frère ne revienne. Cinq ans ! Et François aujourd'hui risquait sa vie quand lui, Mathieu, cultivait paisiblement la terre en propriétaire, ou presque, puisque le lieutenant

Batistini le laissait libre de gouverner à sa guise le domaine d'El Salah.

Mathieu s'arrêta de marcher. Devant lui s'étendaient des vignes à perte de vue, qui jouaient sous la lune. Derrière : les montagnes de l'Atlas où les Bédouins gardaient leurs troupeaux de moutons. Au nord : la mer, très loin, au-delà des collines du Sahel qui séparaient Alger de la Mitidja. Et de l'autre côté de la mer, le fracas des armes. Non, ce n'était pas possible. Il ne pouvait pas laisser François seul dans un combat qui le dépassait. Il se souvint de leur complicité sur le chemin de l'école, de l'aide que son aîné lui avait prodiguée en toute circonstance, y compris au catéchisme. Il s'allongea face aux étoiles, le dos contre la chaleur de cette terre qu'il avait appris à aimer, la terre alluviale de l'oued El-Harrach qui coulait plus loin, au milieu des anciens marécages. En quelques minutes, sa décision fut prise : il allait demander à être rapatrié. Il respira bien à fond, ferma les yeux, entendit aboyer des chiens vers Chebli. Même au ras du sol, l'air sentait le fruit mûr, la caroube, le géranium, l'eucalyptus. C'était délicieux, enivrant, mais c'était trop, ce soir, pour lui. Quand il rouvrit les yeux, la lune s'était cachée derrière un long nuage gris. Mathieu se leva et marcha lentement vers la maison où il espérait trouver enfin le sommeil.

Il ne put faire part de sa décision à ses supérieurs avant une semaine, car il y avait trop de travail avec les vendanges. Même si l'on s'entraidait avec les colons des fermes voisines, les vignes étaient si étendues qu'il fallait longtemps pour ramener le raisin vers la cave où l'on avait soufré les cuves. Le transport nécessitait quatre charrettes tirées par des mulets, tandis que les fellahs coupaient les grappes avec cette nonchalance qui leur était propre et que Mathieu avait fini par admettre après l'avoir, au début, combattue. Le soir, à la tombée de la nuit, les fellahs venus aider depuis les fermes voisines ou descendus de la montagne allumaient de grands feux dans le voisinage des gourbis, sur lesquels ils faisaient cuire leur galette d'orge et réchauffer la soupe que leur portait Gonzalès. S'élevaient alors de leur assemblée des plaintes et des chants pleins de nostalgie, qui bouleversaient Mathieu. Ainsi, ces nuits d'Algérie entraient en lui délicieusement pour ne plus le quitter. Il faisait corps avec elles, corps avec cette terre, ce pays, qui, sans la pensée de François en danger, l'eussent comblé.

Une fois les vendanges terminées, il se rendit à la garnison pour un rendez-vous avec le lieutenant Batistini, que lui avait obtenu le sergent Renquin. C'était toujours avec un sentiment de perte, de gâchis, que Mathieu quittait El Salah. Plus il se rapprochait de Blida, et plus il mesurait à quel point la terre d'El Salah lui était devenue indispensable. Et pourtant, il allait demander à la quitter. La vie était étrange...

Une fois parvenu à la garnison, après les formalités d'usage, il pénétra dans le bureau du lieutenant qui le reçut tête nue, ses yeux noirs brillant sous un front dégarni et couvert de sueur.

– Alors ! Barthélémy ! Il paraît que tu veux me voir ? Quelque chose ne va pas, là-bas ?

Son regard d'aigle fouillait Mathieu, cherchait à deviner ce qui avait motivé son déplacement.

– Non, tout va bien. On vient de finir les vendanges.

– Bonnes, ces vendanges ?

– Très bonnes. Les raisins étaient bien mûrs. Ils sont déjà en train de bouillir.

Le lieutenant, qui avait à faire, hocha la tête avec impatience, demanda :

– Alors ?

Mathieu s'éclaircit la voix, murmura :

– Voilà, mon lieutenant : mon frère est à la guerre, et moi je suis ici. Ça ne peut plus durer comme ça.

Batistini le considéra froidement, puis un mince sourire se dessina sur ses lèvres.

– J'ai compris.

Il ajouta, s'approchant de Mathieu à le toucher :

– C'est tout à ton honneur, mon gars. De toute façon, on va y aller. La décision a été prise dernièrement de faire appel aux troupes coloniales pour remplacer les régiments qui ont été décimés à Verdun et sur la Somme. C'est une question de jours, au plus de quelques semaines.

Il se tut un instant, reprit :

– Ça te laisse le temps de me trouver un homme pour El Salah.

– Gonzalès fera très bien l'affaire.

– Quel âge a-t-il ?

– Cinquante ans.

– Bon, c'est d'accord. C'est tout ?

– Oui, mon lieutenant.

– Tu peux disposer.

Il raccompagna Mathieu jusqu'à la porte, le retint par l'épaule au moment où il allait saluer :

— C'est bien, Barthélémy, ce que tu as fait là. Si on en réchappe, tu pourras me demander ce que tu voudras.

Mathieu hésita un peu, puis :

— C'est El Salah qui m'intéresse, mon lieutenant.

— Oui, je sais. Alors tu reviendras ?

— Oui, mon lieutenant, si vous voulez bien.

— C'est entendu.

Mathieu repartit, soulagé. En regagnant El Salah, sur la petite route bordée d'eucalyptus, il eut l'impression d'avoir tendu la main à ce frère qui avait tant fait pour lui, à l'époque où il n'était pas encore en âge de décider de sa vie.

9

DEPUIS le début de l'année 1917, le froid était
terrible, avec des pointes à moins seize degrés.
Le gel s'était installé fin janvier, puis la neige, qui
recouvrait encore les trottoirs en cette fin du mois
de mars, tandis que Lucie, marchant à petits pas
prudents, revenait du marché où elle avait acheté,
non pas des pommes de terre, car l'on n'en trouvait
plus, mais des topinambours et un morceau de cette
viande noire qui arrivait congelée, depuis quelque
temps, d'Argentine ou des Etats-Unis. Les restrictions avaient fini par toucher la famille Douvrandelle comme toutes les familles de Paris. Le gaz aussi
était mesuré, si bien que l'on ne chauffait guère
l'appartement et encore moins la chambre de Lucie,
là-haut, sous les toits. Tout le monde, dans la capitale, était en quête de bois et de nourriture. On ne
pouvait pas laisser des bûches devant sa porte sans
prendre le risque de se les faire voler dans l'heure.

– Mon Dieu, s'exclamait Mme Douvrandelle,
quelle époque vivons-nous, tout de même !

Elle faisait là allusion non seulement au rationnement, mais également à la révolution qui avait embrasé la Russie en février et à l'abdication du tsar Nicolas II, que l'on venait d'apprendre. On recevait moins, donc, au 24 de la rue de Tournon, et Lucie avait moins de travail. Cela ne l'empêchait pas de souffrir d'engelures qui ne parvenaient pas à guérir, malgré la pommade qu'elle avait réussi à se procurer au prix de ses gages d'une semaine.

Son principal souci, toutefois, n'était pas là. Il concernait sa fille, que la nourrice ne pouvait plus garder, car la petite était sevrée depuis longtemps et on avait du mal à acheter de quoi manger. Lucie devait trouver une nouvelle nourrice de toute urgence, si possible dans la proche banlieue de Paris, où elle pourrait voir sa fille au moins le dimanche. Mais c'était très difficile, en raison de la guerre et des privations qu'elle engendrait.

Comme Lucie commençait à désespérer, un soir, n'y tenant plus, elle s'était confiée à Madeleine, la cuisinière qui avait remplacé Henriette. Madeleine était originaire d'un petit village de la région d'Orléans, et avait une sœur et une mère, là-bas, qui peut-être accepteraient de se charger de l'enfant. C'était loin, mais Lucie n'avait plus le choix. Madeleine avait donc écrit à sa mère, et l'on avait attendu deux semaines avant de recevoir une réponse favorable. « Pas avant le printemps », précisait toutefois le courrier que Lucie avait tant espéré.

On était presque en avril, et il faisait toujours aussi froid. Lucie, le soir, dans sa chambre, tricotait des brassières, des chandails et des chaussettes pour sa fille, en attendant le grand départ. Madeleine devait l'accompagner. Le plus difficile, dans cette affaire, c'était de ne pas attirer l'attention de Mme Douvrandelle qui ne tolérait pas l'absence de ses deux femmes de service en même temps. Madeleine prétexta une maladie de sa mère, et put partir le samedi. Elle attendrait Lucie et sa fille au début de l'après-midi du dimanche, en gare d'Orléans.

Ce dimanche-là, comme souvent, les Douvrandelle déjeunaient à l'extérieur. Lucie put partir dès qu'ils eurent quitté l'appartement, c'est-à-dire vers onze heures, et elle prit un fiacre pour se rendre rue de la Clef. Là, elle paya ce qu'elle devait, puis, sans perdre de temps, elle remonta avec sa fille dans le fiacre qui attendait devant la porte. Sur le chemin de la gare du Paris-Orléans, elle ne cessa de serrer son enfant contre elle, comme si quelqu'un, quelque part, menaçait de la lui voler.

Elise avait maigri, elle était très pâle et toussait beaucoup. Elle parlait à peine, mais ses yeux, pourtant, étaient pleins de vie. Lucie, riant et pleurant à la fois, se demandait comment elle avait pu envisager d'abandonner une enfant qui ressemblait tant à Norbert de Boissière, mais également à Elise Barthélémy, sa grand-mère disparue, dont les sourires avaient illuminé la cuisine du Pradel. Le regard de la petite semblait d'ailleurs interroger Lucie. « Où m'emmènes-tu ? disait-il. Et qui sont ces gens, autour de nous, que je ne connais pas ? » D'abord inquiète, l'enfant s'apaisa une fois qu'elles furent installées dans le compartiment, et elle regarda défiler à travers la vitre la grande plaine qui s'étendait à l'infini, parsemée d'îlots noirs, où les arbres ne portaient pas encore de feuilles. « Je t'emmène dans un endroit où on s'occupera bien de toi et je viendrai te voir souvent », dit Lucie plusieurs fois. La petite demeurait méfiante, ne s'abandonnait pas totalement dans ces bras qui, pourtant, lui étaient familiers.

Lucie ne cessait de regarder sa montre. Elle craignait de ne pas être rentrée avant six heures du soir, heure à laquelle Mme Douvrandelle l'appelait, quand elle se reposait dans sa chambre sous les toits. Le trajet en train lui parut interminable, mais aussi celui de la voiture à cheval qui les attendait à Orléans. Madeleine était venue en compagnie de sa sœur, qui était un peu plus âgée qu'elle et devait avoir une cinquantaine d'années. Il faisait un froid de loup, dans cette charrette, à l'arrière, où Lucie tentait de protéger sa fille du vent glacé qui soufflait en rafales. De part et d'autre du chemin, des plaques de gel ne parvenaient pas à fondre. De grands oiseaux noirs tournaient interminablement dans le ciel gris, semblable à celui que Lucie avait connu à partir d'octobre dans son haut pays.

Enfin l'on arriva au hameau de Chanteau : cinq ou six maisons couvertes de tuiles brunes au bord d'une route de campagne creusée de fondrières, un portail en bois, une cour envahie par les volailles, une vaste cuisine étonnamment semblable à celle du Pradel. La sœur de Madeleine, Simone, était brune, avec des yeux noirs, sans coiffe, et sa mère, au contraire, coiffée d'un bonnet blanc, toute ronde, un grand tablier gris sur une robe noire, avec des yeux clairs et un sourire qui réchauffa le cœur de Lucie. Le père était mort avant la guerre d'une pleurésie. Elles vivaient là, toutes deux, sans homme, élevant deux vaches, des volailles, et louant les terres qu'elles ne pouvaient pas cultiver.

Lucie ne devait pas s'attarder. Il y avait un train à quatre heures et demie, et il était déjà quatre heures moins le quart. Elle serra une dernière fois sa fille contre elle, et remonta sur la charrette en compagnie de Madeleine. Une averse de pluie et de grêle les contraignit à s'arrêter en chemin, si bien que Lucie ne put prendre le train de quatre heures trente. Elle arriva rue de Tournon à neuf heures du soir. Mme Douvrandelle, furieuse, menaça d'abord de la chasser, puis elle se calma en constatant que Lucie tremblait de tous ses membres, non sans prévenir :

– Ma pauvre petite ! Je ne sais pas d'où vous venez, mais si vous rentrez une deuxième fois dans cet état, il faudra vous chercher une autre place.

Lucie ne répondit pas. Elle pensait uniquement à sa fille qui était à l'abri, dans une maison bien chaude où l'on s'occuperait d'elle et où elle irait la chercher un jour pour ne plus la quitter.

Quinze jours avaient suffi pour que Mathieu fût jeté dans l'enfer de la grande offensive projetée par le général Nivelle au chemin des Dames. Une offensive à laquelle l'état-major ne croyait pas mais que, fort de son succès à Verdun, le commandant en chef avait imposée en mettant sa démission dans la balance. Cela faisait deux semaines que Mathieu avait vu la ville blanche d'Alger disparaître dans les lointains en se demandant s'il reverrait un jour les cubes blancs de la Casbah écrasée de soleil, les minarets dressés vers un ciel d'un bleu à nul autre pareil. De Marseille, il avait été envoyé en instruction vers Paris, puis vers Pontoise, avant de gagner le front, entre Reims et Soissons, où se trouvait ce chemin des Dames qui avait été choisi pour l'offensive générale.

Il avait été des premières vagues d'assaut, qui, le 16 avril à six heures du matin, par un temps exécrable, étaient sorties des tranchées pour s'offrir au feu des mitrailleuses allemandes. Très rapidement privées de leurs officiers qui s'étaient élancés devant les soldats, frigorifiées par la température encore hivernale, n'ayant pas eu le temps de s'adapter à leur nouvelle vie et aux dangers qui les guettaient, les troupes coloniales se débandèrent vers les moindres abris, laissant derrière elles leurs blessés et leurs morts. Ainsi, le soir de ce 6 avril, l'avance qui, selon les prévisions du commandement en chef des armées, aurait dû atteindre une dizaine de kilomètres, ne dépassait pas trois cents mètres.

Mathieu n'avait échappé à la tuerie que par miracle. Projeté à terre par le souffle d'un obus, il avait été protégé par le corps de ses camarades tombés sur lui. Maintenant, il se trouvait dans un trou d'eau, au milieu d'un paysage lunaire, d'où ne dépassaient que des troncs éclatés et les corps des soldats déchiquetés. Mathieu attendait des ordres qui ne venaient pas, l'artillerie allemande interdisant l'arrivée de nouvelles unités françaises. Il avait l'impression qu'il n'y avait pas un survivant autour de lui. Il s'enterra de son mieux, tira vers lui des corps pour s'en former un bouclier, et il s'efforça de survivre, au moins jusqu'à la nuit.

Il pensa beaucoup à François et se dit qu'il n'était pas possible que son frère fût encore vivant. Cette idée-là lui fut beaucoup plus douloureuse que celle d'avoir à mourir. Pour ne pas se laisser aller, il songea à El Salah, avec en lui l'impression d'avoir rêvé : El Salah n'avait jamais existé. Et lui-même, Mathieu n'avait pas vécu avant ce matin de guerre. Le fracas des obus, le tir haché des mitrailleuses occupaient tout l'espace et le temps. Il allait mourir. Il ne reverrait plus jamais ses fellahs ni l'immense plaine de la Mitidja. Cependant, plutôt que d'avoir à revivre ce qu'il avait vécu depuis six heures du matin, il préférait de beaucoup disparaître. Car ce qui se passait ici était inimaginable. Pas un pouce de terre n'échappait à la mitraille ou aux éclats. Mathieu était enfoncé dans la boue jusqu'aux épaules, et ne respirait qu'entre les corps qui lui servaient de bouclier.

La nuit tomba, sans la moindre étoile. Les canons tonnaient toujours. Mathieu s'endormit, épuisé. Vers le matin, un éclat de fusant frappa son épaule droite, lui faisant perdre connaissance. Des renforts arrivèrent un peu plus tard, non seulement des soldats mais aussi les équipes de secours. Des brancardiers constatèrent que Mathieu respirait toujours. Ils le transportèrent à l'arrière où il demeura une journée entière sans soins. Autour de lui, ce n'étaient que cris et gémissements. Le soir, enfin, un médecin retira un éclat de trois centimètres de son épaule et le pansa. Il était temps, car l'infection avait déjà fait du chemin.

Le lendemain matin, après une nuit de cauchemar, Mathieu fut renvoyé un peu plus vers l'arrière, à Château-Thierry, dans un hôpital de fortune où il resta vingt jours. Après quoi, sa blessure ne l'empêchant pas de tenir un fusil, il fut conduit à Compiègne, où le pire désordre régnait dans les régiments. En effet, un esprit de révolte couvait déjà parmi les soldats depuis la saignée de Verdun et le piétinement de la Somme de l'année précédente. Un terrible hiver passé dans le froid et la neige avait épuisé les hommes que les massacres de l'offensive Nivelle avaient conduits au-delà du désespoir. Les bruits les plus fous – le plus souvent sans fondement – couraient dans les chambrées : on disait que des travailleurs étrangers avaient massacré des dizaines de femmes dans la banlieue de Paris. On prétendait qu'une nouvelle offensive devait avoir lieu avant la fin du mois d'avril, alors que la précédente avait fait cent vingt mille morts. Dans la compagnie où se trouvait Mathieu, des soldats avaient confectionné un drapeau rouge et chantaient *L'Internationale*. Certains refusaient de monter au front.

Mathieu, qui avait reçu une lettre de Lucie lui donnant des nouvelles de François, devinait que toute cette agitation était dangereuse. Ne venait-on pas de rétablir les conseils de guerre ? Il demeura à l'écart de la rébellion, obéit aux officiers qui étaient chargés de conduire son nouveau régiment vers Soissons. Il avait toujours eu le sens de la survie. Bien lui en prit, car la répression fut sévère, parmi les mutins, et quelques-uns, dans sa compagnie, le payèrent de leur vie.

Il reprit donc sa place en première ligne, où tout était devenu calme, en ce milieu du mois de mai. Il n'y régnait aucune agitation, car, si les soldats de l'arrière se rebellaient, ceux qui étaient au front ne voulaient surtout pas abandonner aux Allemands des positions durement conquises. Le temps des grandes offensives était terminé. Pétain et Foch venaient de remplacer Nivelle et avaient ordonné l'arrêt des coûteuses attaques en vies humaines. Ainsi, grâce à sa blessure, Mathieu avait échappé aux tueries d'avril et de la première quinzaine de mai. Il demeurait vivant alors que presque tous ceux qui appartenaient aux troupes coloniales étaient morts. Il ne pensait qu'à une seule chose : revoir François, car Lucie lui avait écrit qu'il combattait lui aussi entre Reims et Soissons. Lors des va-et-vient entre le front et l'arrière, chaque fois qu'il rencontrait des soldats qui n'appartenaient pas à son régiment. Mathieu les interrogeait pour savoir s'ils ne connaissaient pas un nommé François Barthélémy. Mais personne, jamais, n'avait entendu parler de lui.

L'été était très sec à Puyloubiers. Aloïse et Pauline avaient rentré le foin et moissonné le seigle, aidées par tout le voisinage. On approchait de Notre-Dame d'août et la canicule ne diminuait pas, au contraire. Les arbres de la forêt craquaient et gémissaient comme en plein hiver. C'était étrange, cette sécheresse qui annonçait sans doute de terribles orages pour la fin du mois.

Aloïse se sentait oppressée, car la perspective des orages lui rappelait la mort de son père. Mais il y avait autre chose, dans l'air, qui l'oppressait davantage encore. Il lui semblait respirer de la sciure de bois, deviner dans l'ombre des lisières des silhouettes fuyantes, entendre au loin des gémissements de bêtes souffrantes. La terre se plaignait. De la guerre, sans doute, des hommes qui se faisaient tuer, mais pas seulement. Aloïse se sentait si mal qu'elle ne quittait pas son fils du regard. A un peu plus d'un an, il commençait à marcher et à toucher à tout, dans la cuisine comme à l'extérieur, avec beaucoup de curiosité.

Elle veillait sur lui, mais elle ne put l'empêcher de renverser une bassine d'eau chaude, alors qu'elle lui avait tourné le dos pendant quelques instants. Cinq secondes d'inattention avaient suffi. Il hurlait, maintenant, dans ses bras, tandis qu'elle tentait d'appliquer sur sa peau des compresses d'eau froide. Pauline, attirée par les cris, comprit que le petit était gravement brûlé et qu'il fallait très vite trouver quelqu'un pour enlever le feu. Maria, accourue elle aussi, leur indiqua que le plus proche guérisseur était un nommé Soubrane, de Port-Dieu. Vite, elles attelèrent le cheval et prirent la route de la vallée sous la chaleur étouffante de midi. Edmond ne criait plus. Il gémissait, simplement, la bouche grande ouverte, comme si la douleur avait déjà consumé toutes ses forces.

– Vite ! Vite ! disait Aloïse.

Il leur fallut plus d'une heure avant d'arriver dans le village où l'homme qu'elles cherchaient, heureusement, se trouvait chez lui, car il faisait la sieste. Quand l'enfant fut nu devant lui, il fit la grimace et dit :

– Je vais essayer, mais je ne suis pas sûr d'y parvenir.

Il fit descendre ses mains à un centimètre de la poitrine d'Edmond, les garda ouvertes devant les plaies à vif, se mit à suer, puis à trembler. Ensuite, il les déplaça vers les épaules de l'enfant, demeura une minute ou deux dans cette position, recommença à suer de grosses gouttes et à respirer très fort.

– Il faut que j'arrête un moment, dit-il.

Il sortit, tandis que sa femme, qui aidait Aloïse et sa mère à tenir l'enfant, expliquait :

– Ne vous inquiétez pas. Il est allé se délivrer.

Aloïse et Pauline la regardèrent sans comprendre, mais elles n'osèrent pas poser de questions.

– Il ne peut pas garder le feu en lui, ça le tuerait, reprit la femme comme si elle avait deviné leurs interrogations. Il n'en a pas pour longtemps.

Effectivement, l'homme revint au bout de quelques minutes et recommença à imposer les mains au-dessus des plaies. Edmond, à la fin, parut moins souffrir. Les brûlures avaient changé de couleur, étaient devenues presque sombres, comme asséchées.

– Voilà, dit l'homme, j'ai fait ce que j'ai pu. Vous lui ferez des cataplasmes de lierre grimpant et d'ortie. Ça devrait aller.

De nouveau il était en sueur, et son visage était creusé de rides profondes, comme sous l'effet d'une immense fatigue. Pauline demanda combien elle lui devait, mais il répondit qu'il ne faisait jamais payer personne.

– J'ai hérité du don de mon père, dit-il. Je n'ai aucun mérite à ça. Comment pourrais-je faire payer ceux qui souffrent ?

Les deux femmes repartirent vers Puyloubiers, bien décidées à lui envoyer une volaille ou un présent en remerciement de ses services. L'enfant, lui, ne souffrait plus. Tout était calme, maintenant, sur la petite route qui se frayait un passage entre les arbres de la forêt, et pourtant Aloïse se sentait encore oppressée. Elle gardait toujours en elle la sensation d'un danger qui la guettait, elle, sa famille ou peut-être le village.

Elle n'avait pas tort. Le surlendemain, vers cinq heures de l'après-midi, une fumée noire monta au-dessus des bois, sur la route de Saint-Vincent. En même temps, ou presque, les cloches se mettaient à sonner. Il y avait le feu à moins de trois kilomètres de Puyloubiers. Laissant son fils à sa mère, Aloïse courut et trouva des hommes et des femmes qui, alertés par un montagnard, tentaient déjà d'ouvrir une brèche entre les flammes et le village, car il n'était pas possible d'acheminer de l'eau si loin des maisons. Heureusement, il n'y avait pas de vent. Le feu avait dû être allumé par un chemineau imprudent. Il y avait surtout des femmes et des hommes âgés, la plupart de Saint-Vincent, qui semblaient avoir été alertés avant ceux de Puyloubiers. Les

vieux qui se tenaient là avaient de l'expérience.
Quand ils comprirent qu'on ne parviendrait pas à
ouvrir assez rapidement une tranchée, ils allumè-
rent un contre-feu, suffisamment loin du foyer
principal. C'est alors qu'Aloïse se rendit compte
que la sapinière dont ils avaient fait, François et
elle, une sorte de porte-bonheur, se trouvait entre
les deux foyers.

Elle eut si peur qu'elle s'en alla lentement sur la
route, avec en elle la conviction que François n'était
plus protégé, qu'il allait lui arriver malheur. Quand
elle arriva chez elle, elle était si défaite, si anéantie
qu'elle dut se coucher. Cependant, comme elle
apercevait les flammes depuis la fenêtre de sa chambre, elle se releva et demeura dans la cuisine,
muette, dévastée, son fils entre ses bras, tandis que
la mère partait aux nouvelles.

Pauline revint un peu plus tard, rassurante : le
contre-feu avait été efficace. Les deux foyers
s'étaient entre-tués et les hommes là-haut finissaient
d'éteindre les dernières flammèches. Aloïse ne
l'entendait pas. Elle songeait à François, se sentait
désespérée, car elle était certaine qu'elle allait le
perdre, que tout était fini, que le malheur était entré
dans sa vie.

Chaque fois qu'il partit à l'arrière, Mathieu cherchait François. C'était devenu une véritable obsession, un besoin vital. S'il avait quitté l'Algérie, c'était
pour rejoindre et pour aider ce frère dont il n'avait
jamais oublié la complicité, la force, cet amour fou

qui les avait unis au Pradel, et dont il gardait le souvenir ébloui. Il avait appris par une lettre de Lucie que François faisait partie du 42e régiment d'infanterie, lequel se trouvait, comme lui, entre Reims et Soissons. Mais le front était large et les mouvements de troupes nombreux. En outre, il n'était pas question de s'éloigner de son unité sans prendre le risque d'être porté déserteur, surtout en cette fin d'été 1917 qui avait connu tant de mouvements d'insoumission et de représailles.

Le front étant calme, les périodes de repos à l'arrière devenaient fréquentes. Dix jours dans les tranchées, dix jours au repos. Mathieu avait donc cherché longtemps, se portant volontaire pour toutes les missions qui nécessitaient un déplacement. Une fois, il y avait un mois de cela, il avait appris que le 42e n'était pas loin, mais il n'avait pu le rejoindre, car il devait repartir au front dans l'heure. Une autre fois, il avait cru reconnaître son frère dans un soldat qui s'éloignait au loin, et il avait couru pour le rattraper. Mais lorsqu'il lui avait mis la main sur l'épaule, l'autre s'était retourné brusquement et Mathieu avait été terriblement déçu : ce n'était pas François. Aussi, même s'il continuait à se renseigner chaque fois qu'il en avait l'occasion, il avait fini par perdre espoir.

Le 12 août, à cinq heures de l'après-midi, alors que Mathieu montait vers les lignes, sa compagnie en croisa une autre qui marchait vers les postes de l'arrière. Mathieu était las, découragé. Les hommes se croisaient sans même se regarder. Et pourtant, par habitude, Mathieu gardait la tête haute, tentant de reconnaître une silhouette qui lui serait familière. Il y avait plusieurs colonnes qui descendaient. Le regard de Mathieu se porta vers l'une d'elles, à trente mètres, et son cœur, tout à coup, s'emballa. Il cria de toute la puissance de sa voix, avec toute l'énergie qu'il avait mise à venir en ces lieux si hostiles :

– François !

Il vit distinctement que l'homme, là-bas, marquait un temps, puis, lentement, se retournait :

– François ! cria une nouvelle fois Mathieu. François, c'est moi !

Bousculant son caporal, il quitta sa colonne et courut vers l'autre, là-bas, qui était contrariée par l'arrêt d'un homme au milieu du chemin.

– François ! c'est moi : Mathieu !

François regardait son frère comme s'il ne le reconnaissait pas, puis, soudain, il laissa tomber son fusil, son barda, et il se précipita vers Mathieu et le prit dans ses bras avec une violence telle qu'ils chancelèrent et finirent par tomber enlacés.

– François ! dit Mathieu, ça fait si longtemps.

Ils étaient allongés, dans les bras l'un de l'autre, et ils frottaient leurs visages mangés par la barbe, ne parvenant pas à parler, submergés par trop de bonheur et par trop de douleur. Autour d'eux, les hommes s'écartaient et passaient leur chemin, sans un mot.

– Six ans ! disait Mathieu. Six ans, tu te rends compte ?

Ils finirent par se relever, et François demanda :

– Pourquoi es-tu là ? Tu étais en Algérie.

– Je suis là pour toi, pour t'aider.

– Tu es fou. Repars vite !

– Non, dit Mathieu, pas tant que ce ne sera pas fini.

Ils s'observèrent un long moment en silence, puis François murmura :

– Le Pradel, tu te souviens ? On y reviendra, hein ? On y reviendra tous les deux après la guerre.

– Oui, dit Mathieu.

– J'ai un fils, tu sais.

– Oui, Lucie me l'a écrit.

– Je me suis marié à Puyloubiers. C'est plus haut, à la frontière de l'Auvergne.

– Je sais, dit Mathieu, je sais. Je viendrai t'y voir.

Il y eut des cris, puis un officier s'approcha, suivi par un soldat :

– Alors, vous deux, ça va durer longtemps ?

Le soldat s'interposa entre l'officier et les deux frères. C'était Tiburce Camoins.

– Je m'en occupe, dit-il à l'officier qui s'éloigna.

Tiburce resta à quelques mètres de Mathieu et de François qui avaient déjà oublié l'incident. Bientôt des caissons et des voitures apparurent, et les deux hommes, aveuglés par la poussière, durent se ranger sur le côté.

– François ! Si tu savais comme je t'ai cherché !

– Pour me faire cuire des crêpes de blé noir, comme la mère ?

– Non, pour te faire boire du cidre de là-bas.

Ils se turent, brisés par l'émotion.

– Nous en boirons, dit François. Sûr que nous en boirons, tous les deux, dès que tout ça sera fini.

– Avec Lucie.

– Oui, avec Lucie. Tu as son adresse à Paris ?

– Rue de Tournon.

Ils parlèrent encore quelques minutes, mais leurs compagnies respectives s'éloignaient. Ils ne pouvaient cependant pas se quitter comme ça, si vite, après avoir été si longtemps séparés. Mathieu évita d'évoquer l'Algérie. François lui parla d'Aloïse et de son fils Edmond. Il fallut bien, pourtant, se quitter.

– Si on en réchappe, dit François, promets moi une chose.

– Oui, dit Mathieu.

– C'est de passer le premier Noël avec nous, à Puyloubiers, dit François. Un Noël blanc, comme nous en avions au Pradel.

– Promis, dit Mathieu.

De nouveau, ils s'étreignirent violemment, et ils se séparèrent. Ils restèrent encore un moment face à face, puis François se retourna et s'en alla. Mathieu le regarda disparaître au loin entre les soldats, et il se mit à courir en avalant les rares larmes qui, dans sa barbe, se frayaient difficilement un chemin vers sa bouche crispée dans une grimace de tristesse infinie.

A la fin du mois d'août, Lucie prit la décision d'entreprendre enfin la démarche à laquelle elle n'avait pu se décider depuis le début de la guerre : obtenir des nouvelles de Norbert. Elle avait trouvé l'adresse des de Boissière à Paris en écrivant à Rosine, qui l'avait tant aidée au château, avant son départ. Son intention n'était pas de se renseigner auprès de Mme de Boissière, puisqu'elle n'avait pas tenu ses promesses au sujet de sa fille, mais de prendre contact avec les domestiques qui devaient être nombreux dans la résidence du boulevard des Capucines où vivaient ses anciens maîtres.

Elle s'y rendit en début d'après-midi, monta en tremblant les marches de l'escalier de service, frappa à une porte qu'ouvrit une forte femme à chignon, et dont les manches retroussées laissaient apparaître des bras énormes sous un tablier blanc. Habituée à accueillir les fournisseurs de la maison, elle montra de la surprise en face de cette jeune femme bien habillée, élégante, même, qui, pensa-t-elle, s'était trompée d'escalier.

– Bonjour, ma petite, dit-elle en examinant Lucie. Ce n'est que l'entrée de service, ici.

Lucie l'arrêta d'un geste et dit :

– Simplement un renseignement, s'il vous plaît.

– Dites toujours.

Lucie s'éclaircit la voix, murmura :

– C'est au sujet de Norbert de Boissière. Vous pouvez me donner de ses nouvelles ?

La matrone la dévisagea un moment, ne sachant qui était cette jeune femme dont elle devinait l'émotion au léger tremblement des mains et de la voix.

– Il est là, dit-elle. Je vais voir s'il veut vous recevoir. Qui dois-je annoncer ?

C'était trop inattendu, trop inespéré pour que Lucie trouve la force de répondre. Norbert était ici, vivant, était-ce possible ? Elle eut peur tout à coup, et, pour ne pas avoir à répondre, demanda, espérant

que l'accès de l'appartement lui demeurerait interdit :

– M. et Mme de Boissière sont-ils là aussi ?

– Non. Ils sont au château, en Corrèze.

Et, comme Lucie semblait avoir perdu la parole :

– Pour quelques jours seulement. Ils ne veulent
pas laisser M. Norbert seul trop longtemps.

– Il est malade ? fit Lucie qui avait senti son cœur
s'affoler.

– Ma pauvre, si vous saviez, soupira la cuisinière.

– Quoi ? Qu'y a-t-il ?

– Ah ! Vous n'êtes donc pas au courant ?

Lucie fit un signe négatif de la tête.

– Vous savez quand même comment vous vous
appelez, fit la matrone. Il faut me le dire si vous
voulez que je demande à M. Norbert de vous recevoir.

– Lucie.

La cuisinière la considéra d'un regard inquisiteur,
demanda :

– Lucie... c'est tout ?

– Oui, c'est tout.

La cuisinière fit volte-face, poussa une porte et
disparut. Lucie fut tentée de s'enfuir, mais elle avait
trop attendu cet instant, trop espéré revoir Norbert
de Boissière, pour renoncer au dernier moment,
quoi qu'il lui en coûtât.

La cuisinière revint au bout d'une minute et lui
dit :

– M. Norbert veut bien vous recevoir, mais il faudra rester à la porte et ne pas vous approcher du
fauteuil.

– Du fauteuil, murmura Lucie, qui ne comprenait pas ce que cela signifiait.

– Oui. C'est ce qu'il désire. Suivez-moi.

La matrone précéda Lucie dans un couloir où l'on marchait sur un tapis de couleur bordeaux maintenu par des tringles dorées. Elle frappa à une porte qu'elle entrebâilla sans que personne n'eût dit d'entrer.

– Allez-y, dit-elle.

Lucie pénétra dans une grande pièce au plafond décoré de moulures aux formes tourmentées, aux meubles rustiques, massifs et soigneusement vernis, comme on en voyait au château. A l'autre bout de la pièce, devant la fenêtre, un fauteuil lui tournait le dos. Elle ne distinguait que le plaid rouge qui dépassait de part et d'autre du fauteuil au dosseret vert.

– C'est vous, ma petite fée du logis, dit une voix qu'elle eut l'impression de n'avoir jamais entendue.

– Oui, c'est moi, murmura-t-elle.

Et, comme elle craignait de s'être trompée de maison, de s'être mal expliquée :

– Vous êtes bien M. Norbert de Boissière ?

– C'est moi, fit la voix grave et bizarre qu'elle ne reconnaissait pas. Ou, du moins, ce qu'il reste de moi. C'est pour cette raison, ma petite Lucie, que je vous prie de rester où vous êtes, de ne pas vous approcher.

– Pourquoi ? fit-elle. Si vous saviez comme j'ai attendu ce moment.

– Ma petite Lucie, fit la voix, vous ne savez rien de la guerre.

250

– J'ai vu mon frère il y a peu de temps. Il m'a raconté.

– Il était vivant, votre frère, et moi je suis mort.

Lucie s'affola :

– Vous n'êtes pas mort puisque je vous entends.

– Ça ne saurait tarder, ma petite Lucie. C'est pour cette raison que j'ai accepté de vous recevoir.

– Qu'est-ce que vous dites ? fit-elle, désemparée. Pourquoi parlez-vous comme cela ?

– Parce que je ne vais pas vivre longtemps.

– Vous êtes malade ?

Norbert ne répondit pas.

– Si vous êtes malade, je vous soignerai, reprit Lucie avec une précipitation enfantine.

Elle ajouta, bouleversée par une peur qui, maintenant, la faisait trembler :

– Je resterai chaque seconde près de vous. Je vous guérirai. Je ne vous quitterai pas.

– Je suis inguérissable, fit-il, totalement inguérissable.

– Qu'avez-vous ? Pourquoi ne me laissez-vous pas approcher ?

Norbert attendit un instant, murmura :

– Parce qu'il n'y a plus de Norbert de Boissière.

Il y eut un long silence que Lucie ne supporta pas : elle se précipita vers le fauteuil devant lequel elle tomba à genoux, enserrant les jambes du malade dans ses bras.

– Voilà exactement ce qu'il ne fallait pas faire, dit-il.

– Mais enfin, qu'avez-vous ? dit-elle d'une voix étouffée.

251

— Eh bien, regardez donc ! puisque vous voulez tellement le savoir.

Elle leva la tête et ne put retenir un cri. Ce n'était plus le visage dont elle gardait le magnifique souvenir qu'elle avait devant elle, mais une face hideuse, défigurée, où manquait la pommette droite, tandis que l'autre moitié du visage était brûlée, méconnaissable. Elle se détourna en gémissant, posa de nouveau sa tête sur les genoux de Norbert de Boissière, les serrant de toutes ses forces.

— Et en plus, le jeune homme est paralysé des jambes, dit-il avec un rire affreux qui s'étrangla dans sa gorge et le fit tousser.

— Non, gémit Lucie, non, ce n'est pas vrai.

— Défiguré et paralysé. Rassurez-vous, ma petite fée du logis, ça ne durera pas longtemps. J'ai simplement voulu savoir jusqu'où pouvait aller la résistance d'un homme. Aujourd'hui, je le sais.

Elle comprit à quel point sa visite devait lui être douloureuse, chercha les mots qui pouvaient rattacher Norbert à la vie, prononça les premiers qui lui venaient à l'esprit :

— Nous avons une fille. Elle s'appelle Elise. Elle a besoin de vous.

— Pour que je la fasse sauter sur mes genoux ?

Une peur panique, de nouveau, transperça Lucie qui comprenait à quel point il était désespéré.

— Ne dites pas ça. Pourquoi parlez-vous ainsi ?

— Je n'attends que la fin de la guerre, fit Norbert de Boissière. Je veux savoir comment tout cela va se terminer. Curiosité malsaine, si vous voulez, mais c'est tout ce qu'il me reste.

– Ce n'est pas vrai. Vous n'êtes pas seul. Je vous aime, moi, je vous aime toujours et j'ai besoin de vous.

– Vous n'avez pas besoin de moi. Personne n'aura plus jamais besoin de moi. Soyez tranquille, j'ai eu le temps d'y réfléchir depuis que je suis dans ce fauteuil.

– Si j'avais su, dit Lucie, je serais venue plus tôt.

– Pour quoi faire ? Pour coucher avec un monstre ?

– Pour moi, vous ne le serez jamais.

– Allons donc ! Vous ne savez pas ce que vous dites.

– Si, je le sais. Si j'avais été au courant, je serais venue chaque jour.

– Pour me témoigner votre pitié ?

– Il ne s'agit pas de pitié, mais de bien autre chose, vous le savez.

– De sacrifice ?

– Si vous voulez.

– Et pourquoi donc, je vous prie ?

– Pour ce que nous avons vécu, là-bas, au château, et qui reste vivant en moi.

– Certainement pas.

– Si, Norbert, je vous le jure.

Il parut hésiter, puis il reprit d'une voix dure :

– Moi, j'avais tout oublié.

– Je ne vous crois pas.

Il eut un rire douloureux, glissa ses mains dans

les cheveux de Lucie, serra les doigts pour lui faire mal.

– Je me suis bien amusé avec vous. Vous n'avez pas été difficile à séduire.

– Je ne vous crois pas.

– Eh bien, vous avez tort, ma petite fée du logis, toutes les jeunes femmes du château sont passées dans mon lit.

– Ce n'est pas vrai, gémit Lucie, je sais que vous mentez.

– Ça a été très agréable, je dois le confesser, reprit-il comme s'il ne l'avait pas entendue. Et que vous ayez eu un enfant de moi m'est complètement égal. Aussi, je vous prierai de ne plus revenir ici. Et d'ailleurs, ce ne sera pas nécessaire.

Elle savait qu'il mentait, elle en était sûre, et en même temps, au fur et à mesure que sa voix devenait plus dure, elle comprenait qu'il souffrait trop, qu'elle n'aurait jamais dû venir.

– Partez ! dit-il. Vous savez maintenant que je ne vous ai jamais aimée. Il ne s'est rien passé entre nous qui mérite de demeurer dans votre mémoire.

Lucie se releva lentement. Elle regarda un instant ce visage détruit, approcha une main, mais celle de Norbert la saisit et la repoussa violemment. Elle voulut encore dire quelque chose, alors il fit un geste du bras, pour la chasser, et pendant un instant, à travers ses larmes, il sembla à Lucie retrouver le visage d'avant.

– Foutez le camp ! hurla-t-il.

Lucie détourna la tête, sortit de la pièce et courut jusqu'à l'escalier dans lequel elle s'engouffra, sans même remercier la cuisinière qui s'effaçait devant elle après lui avoir ouvert la porte.

La pluie tiède de ce début septembre noyait les collines, accrochait des haillons de brume aux moignons des arbres déchiquetés. François et Tiburce marchaient depuis deux heures vers le plateau de Craonne. Des compagnies entières marchaient aussi, loin devant eux, sur la terre charruée par les derniers combats.

– Cette fois-ci, dit Tiburce, on n'en réchappera pas.

Ils avaient été au repos à l'arrière durant une quinzaine de jours et avaient vainement espéré une permission. Oh ! revoir Puyloubiers, Saint-Vincent-la-Forêt, les montagnes, Aloïse et Edmond ! François y avait cru jusqu'au dernier moment. Mais il avait fallu se rendre à l'évidence : ce serait pour une autre fois. Ou jamais. Il avait eu du mal à retenir Tiburce qui tenait de plus en plus à son idée de refuser de monter au front. La nuit, souvent, le bouscatier partait dans l'ombre et François le cherchait pour éviter le pire.

– Allons, disait-il à Tiburce en lui prenant le bras, est-ce que ça te ressemble, ça ?

– Plus rien ne ressemble à rien, répondait Tiburce, mais ce sont eux qui nous ont fait devenir ce que nous sommes.

– Allons ! disait François, regarde les arbres, là-bas.

Il lui parlait des chênaies, des hêtraies de chez lui,

255

des forêts sombres et des odeurs du bois. Chaque fois qu'ils en avaient l'occasion, à l'arrière, ils se réfugiaient sous des arbres et les regardaient.

– Qu'est-ce qui nous dit qu'ils ne nous jugent pas ? demandait Tiburce.

– Tu es fou, disait François.

– Le monde, tu sais, reprenait Tiburce, il a existé avant nous.

Ils rêvaient aux soupirs de leurs forêts profondes, au grand balancement des cimes dans le vent, aux branches basses qui caressent.

– Et on les tue, soupirait Tiburce.

– Les hommes tuent, disait François, qu'est-ce que tu veux ? Ils sont comme ça.

– Pourtant les arbres, reprenait Tiburce, ils ne tuent personne, eux, ils sont là-haut, contre le ciel, ils se balancent, ils boivent l'eau et le soleil, ça leur suffit, ils sont vivants.

– Qu'est-ce que tu veux ? répétait François. On n'y peut rien.

Ils parlaient, ils parlaient et oubliaient ces vallons et ces collines où les soldats marchaient pendant des heures pour aller tuer d'autres soldats. Eux-mêmes marchaient des jours et des jours pour faire comme les autres, parce qu'il le fallait.

François n'avait pas oublié le matin où il avait revu Mathieu et ce souvenir était pour lui d'un grand réconfort. Son frère était venu vers lui depuis l'Algérie lointaine, au péril de sa vie. Qui eût pu croire une chose pareille ? C'était fou, c'était insensé, mais c'était vrai. François n'avait pas oublié non plus le soir où il était reparti de Puyloubiers. C'était si loin,

déjà, qu'il ne savait plus très bien s'il s'était effectivement caché une semaine dans la forêt ou s'il avait
rêvé.

– Ce qu'ils ont fait de nous, soupirait Tiburce.

A force de marcher, ils arrivèrent enfin près des
lignes. L'après-midi allait s'achever, tiède et chaud,
et des mulets criaient, là-bas, derrière un mur. Un
fourrier les entraîna vers une grange. Les deux hommes marchèrent sur des corps, se firent un peu de
place, s'endormirent aussitôt, serrés l'un contre
l'autre.

Des cris les réveillèrent une demi-heure plus tard :

– Debout ! Debout ! Ils attaquent !

Sans comprendre vraiment, ils se retrouvèrent
côte à côte en train de courir. Un tir de barrage
s'éleva. Les fusées n'arrêtaient pas de monter et
d'enflammer le ciel. Près d'eux, des hommes hur-
laient, juraient, se cognaient les uns contre les
autres. Les mitrailleuses s'étaient mises à tirer. Où
se trouvaient-elles ? François reconnut la voix du
sergent qui criait :

– En avant !

Il crut avoir perdu Tiburce, quand il sentit sa poigne sur son bras. Le sentier dévalait vers la droite
entre des troncs mutilés. Courir ! Courir ! « Courir
vers Aloïse », songeait François. Et il fermait les
yeux. Le bruit, les éclats d'obus, la lumière l'avaient
enivré. Lui aussi criait maintenant : « Aloïse !
Aloïse ! » Et puis, aussitôt : « Mathieu ! Mathieu ! »
Il semblait à François qu'il n'y avait plus rien devant
eux. Ni forêts ni montagnes. Rien. Le noir. La nuit.
Il entendait le souffle des hommes près de lui et,

près de son oreille, celui de Tiburce. Il aperçut les brefs éclairs des mitrailleuses qui ouvraient le feu en même temps. Juste avant de tomber, il devina aussi des murs loin devant, puis des gémissements s'élevèrent, qui semblaient être ceux du sergent. François était dans un trou, à bout de forces, près de Tiburce.

– S'il n'a pas son compte, je l'achève ! dit celui-ci.

François l'agrippa par le bras, le retint, le serra.

– Arrête ! Arrête ! Tu es fou ?

Quand les obus s'espaçaient, malgré les mitrailleuses, on entendait crier les blessés.

– Qui commande ? dit une voix.

Nulle réponse. Les officiers étaient morts.

– Faut pas rester là, dit Tiburce.

Et, saisissant la main de François, il le força à se lever. Les mitrailleuses s'étaient tues, mais les obus tombaient toujours, un peu plus loin. Les deux hommes avançaient l'un derrière l'autre, courbés sur eux-mêmes. Derrière un talus, ils trouvèrent du dur sous leurs pieds.

– Une route, dit Tiburce.

Ils coururent encore quelques centaines de mètres, comprirent qu'ils avaient échappé au feu. Une murette les arrêta. Ils la franchirent, butèrent sur une autre.

– Un cimetière, dit Tiburce. On reste là.

A peine achevait-il de parler qu'une rafale troua la nuit. Le bouscatier ne cria pas. Il s'affaissa lentement, porta la main à son ventre.

– Ça y est ! dit-il.

François s'allongea sur lui comme pour le protéger. Ils étaient couchés entre deux pierres tombales.

– Tiburce ! souffla François. Ne me dis pas...

– Si ! Au ventre.

– C'est rien, je suis sûr que c'est rien.

François tâtonna dans l'ombre, sentit quelque chose de tiède sur ses mains.

– J'ai mon compte, tu sais, murmura Tiburce.

– Mais non, qu'est ce que tu dis ?

François se redressa, s'assit, prit la tête du bouscatier sur ses genoux. Tiburce respirait difficilement, gardait les deux mains serrées sur son ventre.

– Attends, dit François, allonge-toi. Je vais chercher du secours.

– Non, dit Tiburce, c'est dangereux, ils sont partout.

François ne l'écouta pas. Il appuya son compagnon contre un talus, et il essaya de repartir vers les tranchées. Aussitôt, une rafale de mitrailleuse l'en empêcha. Il fit une deuxième tentative, sans plus de succès. Alors il se résigna et prit de nouveau la tête de Tiburce sur ses genoux.

– A boire, dit celui-ci. Donne-moi à boire, François, s'il te plaît.

– Non, il ne faut pas, attends un peu.

Et, pour faire oublier sa soif à son ami, François se mit à lui parler de Puyloubiers, des forêts où ils retourneraient bientôt, de ce qu'ils feraient ensemble quand la guerre serait finie. La nuit tombait, épaisse comme une farine noire. Les artilleries tonnaient toujours, mais l'offensive allemande semblait avoir été contenue. Il ne faisait pas froid et pourtant Tiburce tremblait.

– Tiens le coup, dit François, j'irai chercher les brancardiers dès qu'il fera nuit.

– Non, dit Tiburce, non, ne me laisse pas.

François résolut d'attendre un peu. Il n'osait regarder la blessure que Tiburce comprimait toujours, craignant de la découvrir plus grave qu'elle ne l'était. Bientôt Tiburce parla de son père, de l'Aigoual, des grandes coupes dans la forêt, et puis François ne comprit plus rien à ce qu'il disait. Enfin Tiburce se tut. Il se contentait de gémir de temps en temps.

– Dors, dit François, qui espérait ainsi pouvoir chercher du secours.

Mais chaque fois qu'il tentait de faire glisser la tête de Tiburce sur le côté, celui-ci le retenait en disant :

– Non, reste, reste.

Le temps passa et François s'assoupit. Les gémissements de Tiburce le réveillèrent vers une heure. La nuit était claire, maintenant, et la lune faisait briller les marbres gris du petit cimetière où ils se trouvaient. François essaya une nouvelle fois de se dégager. Tiburce le retint. Alors il ne bougea plus et, de nouveau, il s'assoupit.

Quand il s'éveilla, les gémissements de Tiburce s'étaient tus. Il pensa que Tiburce dormait, et il en fut satisfait. Il partirait dès qu'il ferait jour. Et le jour ne tarda pas à se lever, un nouveau jour, sans le moindre nuage ni le moindre souffle de vent. Il y avait pourtant quelque chose d'inquiétant dans le silence des armes qui s'étaient tues juste avant l'aube. François chercha un moment avant de comprendre : Tiburce ne respirait plus. Alors, soudain, pour François, ce fut comme si le monde s'absentait, comme si plus rien n'existait autour de lui. Il eut beau chercher dans sa mémoire, il ne se souvint plus de la raison pour laquelle il se trouvait là, ni ce qu'il faisait entre ces tombes, et pourquoi l'homme qui reposait sur ses genoux ne bougeait pas.

Il fit glisser le corps de Tiburce sur la terre humide de rosée, écarta son barda, sa cartouchière, ignora son fusil qui gisait à ses pieds, puis il se leva, et, les mains nues, il se mit à marcher droit devant lui.

10

En octobre, Aloïse ne s'était pas trop inquiétée de n'avoir plus de nouvelles de François. Au fil des jours, cependant, elle avait recommencé à sentir en elle la même angoisse que l'après-midi où la sapinière avait brûlé, et cette angoisse n'avait fait que croître.

– Ne t'en fais pas, disait la mère, s'il était arrivé un malheur, on l'aurait su. On sait toujours.

– Alors pourquoi n'écrit-il pas ?

Pauline ne répondait pas. Elle ne savait pas. Les deux femmes ne travaillaient plus : elles passaient leur temps à guetter le facteur, mais il n'y avait jamais de lettres pour elles.

Le froid avait refermé sa poigne de fer sur le haut pays. Noël approchait et elles n'avaient toujours pas de nouvelles de François. Le gel faisait éclater les arbres et resplendir le ciel. Aloïse avait l'impression de devenir folle. Elle guettait les bruits le jour, la nuit, interprétait les signes, ne dormait plus.

Le 6 décembre, alors qu'Aloïse rentrait du bois, elle devina une présence derrière elle, se retourna brusquement et reconnut le maire qui tenait une

lettre à la main. Elle eut juste le temps de crier avant
de tomber. Pauline, accourue, la porta dans sa chambre avec l'aide du maire. Quand elle rouvrit les yeux,
une demi-heure plus tard, Aloïse ne parlait plus. Le
choc avait été trop violent. Elle ne comprit même
pas ce que contenait la lettre du ministère des
Armées : François Barthélémy était porté disparu.
Le maire rassura Pauline. Porté disparu, cela ne voulait pas dire mort : puisqu'on n'avait pas retrouvé
son corps, François était sans doute vivant. Il fallait
garder espoir.

Bientôt, cependant, il devint évident que quelque
chose d'essentiel s'était brisé chez Aloïse, dont l'état
ne s'améliorait pas, au contraire. Elle n'avait plus
de forces, ne parlait toujours pas, ne s'occupait pas
de son fils. Noël avait passé, puis le printemps avait
fait fondre la neige. Aloïse partait sur les routes,
descendait à Port-Dieu, à Monestier, errait dans la
forêt, cherchant François comme s'il s'était perdu
près de sa maison. Au fil des jours, son état de déses-
pérance avait empiré. Insensiblement, sans que sa
mère ne pût rien, elle était retombée en enfance. Il
fallait la faire manger. Il fallait la conduire au lit. Si
on lui parlait, elle ne vous répondait pas. Et pourtant, tous ceux du village essayaient de l'aider. Rose,
Maria, Camille, tous venaient chaque jour dans la
maison de Pauline :

– Il n'est pas mort, c'est sûr, sans quoi on l'aurait
retrouvé, disaient-ils. Il est peut-être prisonnier, ou
alors blessé. Il reviendra, c'est obligé.

Aloïse ne les entendait plus. Les seuls mots qu'elle
prononçait étaient « Edmond » et « François ». Elle

regardait les autres sans les voir. Elle respirait à peine. Ses yeux étaient pleins d'une douleur insondable dans laquelle elle se perdait corps et âme.

Pauline, pourtant, la forçait à sortir en ce début du mois de mai 1918 qui allumait dans les hautes collines de magnifiques pétillements d'une lumière si chaude qu'elle semblait réchauffer le cœur même des forêts. L'ombre était douce sous les chênes et sous les sapins. Ce n'était plus Aloïse qui donnait la main à son fils pour le conduire, c'était son fils qui, à deux ans passés, la conduisait, derrière Pauline, sur les chemins. Il ne fallait surtout pas la laisser seule, sinon elle se serait égarée. C'est d'ailleurs ce qu'elle fit, une nuit, alors que Pauline ne l'avait pas entendue sortir. On la retrouva le lendemain après-midi, au-delà de Saint-Vincent-la-Forêt, sur la route de Merlines.

Quand la lettre de François arriva, à la fin du mois de mai, Aloïse avait été trop ébranlée pour comprendre qu'il lui reviendrait un jour. Elle s'était enfuie loin de ce monde dans lequel elle souffrait trop. Et cependant, François était vivant. Prisonnier dans un camp de Prusse-Orientale, d'où il avait pu écrire, enfin, après un terrible hiver où il avait été obligé de manger des racines. Point de papier ni de crayon. Il avait pu en obtenir d'un autre prisonnier contre son pain d'une semaine. Alors, enfin, il avait écrit. Trop tard pour Aloïse qui ne pouvait plus entendre la voix de sa mère lui lisant les quelques lignes tracées par François à son intention.

Pauline fit venir le médecin de Saint-Vincent qui

examina longuement Aloïse, réfléchit en silence et dit, rangeant ses affaires dans sa sacoche :

– C'est le choc. Elle ne l'a pas supporté. Vous savez, il y a des gens qui souffrent plus que d'autres.

– Que faut-il faire ? demanda Pauline.

– Attendre et espérer. Je ne vous donne pas de remèdes, ça ne servirait à rien.

La vie reprit, donc, ou ce qu'il en restait. Aloïse, maintenant, avait une idée fixe : se réfugier dans la hutte de charbonnier où François s'était caché pendant une semaine. Sa mère la suivait, traînant Edmond derrière elle. Dans la hutte, les traits d'Aloïse se détendaient un peu et elle paraissait reprendre figure humaine. Mais dès qu'elle revenait à la maison, c'était fini. Elle s'enfuyait de nouveau dans ses songes muets et nul éclair de vie ne traversait plus ses yeux devenus plus sombres que jamais.

– Enfin, disait Pauline, ce n'est pas possible ! Regarde-moi, ma fille, et parle-moi !

Mais les yeux d'Aloïse semblaient ouverts sur un gouffre sans fond et Pauline se demandait avec horreur si sa fille n'était pas devenue folle.

On était en août, un mois d'août superbe où le ciel, d'un bleu profond, répercutait les échos sonores des forêts. Le matin, la lumière était rose le long des lisières. Le soir, l'air épais charriait des vagues de parfums où dominait celui des bruyères en fleur. Cependant, ni les moissons ni la compagnie des gens du village ne purent ramener Aloïse à la vie.

Malgré son jeune âge, on eût dit qu'Edmond devinait qu'il était arrivé quelque chose de grave. Il cherchait sans cesse à attirer l'attention de sa mère, grim-

pait sur ses genoux, lui parlait dans son langage
d'enfant, mais plus les jours passaient et plus la situation s'aggravait. En septembre, Aloïse refusa de suivre sa mère au-dehors. Elle ne voulait plus sortir.
Elle restait dans sa chambre, assise sur une chaise
devant la fenêtre, face à la sapinière qui avait brûlé.
De temps en temps, une larme coulait sur sa joue,
dont elle ne se préoccupait pas. Elle refusait de manger. Sa mère lui donnait de la nourriture à la cuillère, comme à une enfant. Le médecin qu'elle avait
fait venir pour la deuxième fois évoqua la possibilité
de faire hospitaliser Aloïse, mais Pauline refusa : elle
était capable de s'occuper de sa fille.

Quand elle était obligée de sortir, Pauline fermait
la porte de la chambre à clef. Si elle avait à faire
dans la maison, elle laissait Edmond aller et venir
entre la cuisine et la chambre, en espérant que
l'enfant au moins parviendrait à maintenir le lien
qui s'amenuisait chaque jour entre Aloïse et le
monde des vivants. Un soir, Aloïse, parlant pour la
première fois depuis longtemps, appela son fils
François et non pas Edmond. Pauline eut peur, terriblement peur. De ce jour-là, elle fut persuadée que
sa fille avait perdu la raison.

A Paris, l'hiver 1917-1918 avait été encore plus
rude que le précédent. Arrivé au pouvoir en novembre, Clemenceau avait accentué les rationnements
de pain et de sucre, et le manque de charbon avait
été si dramatique que des dizaines d'hommes et de
femmes étaient morts de froid. Lucie n'avait pu se

rendre qu'une seule fois à Chanteau voir sa fille, entre le 1er décembre et le 1er janvier. Elle en était revenue rassurée : à la campagne on souffrait moins du rationnement que dans les grandes villes, et l'on trouvait suffisamment de bois pour se chauffer.

Chez les Douvrandelle, Monsieur avait encore plus de travail depuis que Clemenceau avait pris le pouvoir. Il rentrait très tard, et les dîners se faisaient rares. On avait repris espoir avec l'arrivée du printemps, mais les nouvelles du front avaient rapidement anéanti cet espoir : une offensive allemande avait emporté les forces françaises et anglaises dans le nord du pays. A Paris, les obus de la Grosse Bertha tombaient depuis le 23 mars. En mai, les Allemands avaient regagné les rives de la Marne, comme en septembre 1914. Mme Douvrandelle avait voulu quitter Paris, ce qui avait plongé Lucie dans les affres du désespoir. En effet, elle ne voulait surtout pas s'éloigner de sa fille. Mais M. Douvrandelle avait tenu bon : les Américains allaient arriver. La contre-offensive s'engagerait bientôt. Il fallait garder confiance dans l'armée et dans celui qui la personnifiait le mieux : Clemenceau, le président du Conseil, que l'on appelait désormais « le Tigre ».

Il avait eu raison. Les contre-attaques de Foch et de Pétain, épaulés par les Américains, avaient ébranlé les positions allemandes dès le mois de juillet. En août, l'offensive générale des alliés avait commencé, remportant aussitôt les succès que l'on escomptait. M. Douvrandelle, au cours des repas, ne cessait de vanter avec la plus grande admiration le discours de Clemenceau à l'Assemblée : « Nos soldats, nos grands soldats, les soldats de la civilisation, pour les appeler par leur vrai nom, sont en train de refouler, de bousculer victorieusement les hordes de la barbarie. » L'automne n'avait été qu'une suite de communiqués de victoires. Aussi ne fut-on pas étonné, rue de Tournon, quand toutes les cloches de Paris se mirent à sonner le 11 novembre à onze heures du matin.

Lucie s'était beaucoup plus inquiétée pour Mathieu que pour François qui lui avait écrit depuis son camp de prisonniers. De Mathieu, en effet, elle n'avait pas de nouvelles depuis la fin du mois d'août. Aussi pensa-t-elle beaucoup à lui, pendant cet après-midi du 11 novembre où, après le déjeuner, elle était sortie pour participer à la liesse populaire, avec l'autorisation de Mme Douvrandelle. Il y avait une foule énorme boulevard de Sébastopol, depuis les hauteurs de Montparnasse jusqu'à la Seine : des milliers d'hommes et de femmes brandissant des drapeaux français, anglais et américains, chantant, criant, dansant jusque sur le toit des voitures automobiles. Ce fut un fol après-midi où l'on oublia tous les morts, tous les estropiés, toutes les horreurs d'une guerre sans merci. Lucie, comme les autres, chanta et dansa jusqu'à sept heures du soir, heure à laquelle, enfin, elle rentra, épuisée, rue de Tournon. Ses maîtres n'étaient pas là : ils dînaient au Sénat pour fêter l'événement.

Une fois dans sa chambre, la fièvre de cette folle journée retombée, Lucie songea de nouveau à Mathieu, et aussi à Norbert de Boissière qu'elle comptait bien retrouver, si toutefois il avait survécu.

Elle n'eut pas longtemps à attendre Mathieu : il vint la voir le 15 novembre, mais ce n'était plus le même Mathieu : il avait été amputé d'un bras.

– Mon Dieu ! gémit-elle en le découvrant debout dans le couloir, une manche retroussée épinglée sur l'épaule.

– Ce n'est que le bras gauche, dit-il.

Et il la serra contre lui de son bras valide, si fort que les larmes vinrent aux yeux de Lucie.

– Pourquoi pleurer ? dit-il. Regarde-moi : je suis vivant alors que des centaines de milliers d'autres sont morts.

Comment lui dire qu'elle le revoyait au Pradel, courant près de François ou travaillant à côté de lui à ramasser les châtaignes, à grimper dans les arbres, à tenir les fourches et les râteaux ?

– J'ai été blessé fin août, pas très loin d'Amiens. Depuis, j'étais à l'hôpital.

– Tu aurais pu m'écrire, quand même.

– Je suis là. N'est-ce pas tout ce qui compte ?

Il ajouta, après avoir hésité à poser la question qui lui brûlait les lèvres :

– Et François ? Tu as des nouvelles ?

– J'ai reçu une lettre il y a un mois. Il allait bien. Il ne devrait pas tarder à rentrer maintenant.

– Avant Noël, j'espère. Je lui ai promis de le passer avec lui à Puyloubiers. Est-ce que tu viendras ?

– Si je le peux, oui. Ce serait si merveilleux de se retrouver enfin tous les trois.

Il y eut un instant de silence, puis Lucie demanda :

– Et après ? Que vas-tu faire ?

– Je vais retourner en Algérie.

– Si loin de nous ?

Mathieu hésita, répondit :

– On a trop souffert, ici, tu comprends ? Je ne veux plus revivre ce que nous avons vécu après le Pradel. Et puis, là-bas, on peut vivre plus facilement avec un seul bras.

– Tu es sûr ?

– Tout à fait sûr.

Il n'osait pas lui dire combien les vignes de la Mitidja lui manquaient, et combien il lui tardait de repartir.

– En attendant, tu vas rester à Paris ?

– Non. Il faut que je retourne à l'hôpital d'Amiens où je serai démobilisé. De là, je partirai à Puyloubiers. Avant, je repasserai par ici, c'est promis.

– Tu repars déjà ?

– Oui, je n'ai qu'une permission de douze heures.

– A bientôt, alors, tu me le promets ?

– Je te le promets.

De nouveau il la serra contre lui avec son bras valide, et une nouvelle fois Lucie sentit les larmes au bord de ses paupières. Elle suivit son frère jusque dans la rue et le regarda s'éloigner avec l'impression douloureuse que ce n'était plus le Mathieu qu'elle avait connu, que ce qui avait existé au Pradel avait été sali, défait, détruit, à tout jamais.

Pendant les jours qui suivirent cette visite, elle se décida à retourner boulevard des Capucines pour prendre des nouvelles de Norbert de Boissière auquel, depuis plus d'un an, elle n'avait cessé de penser. Elle avait tenu la promesse qu'elle s'était faite à elle-même de ne pas essayer de le revoir, mais elle pensait maintenant, avec la fin de la guerre, qu'il trouverait peut-être un sursaut d'énergie, une nouvelle raison de vivre.

Elle s'y rendit une semaine après l'armistice, avec un mauvais pressentiment en elle. En même temps, elle se disait qu'elle aurait peut-être dû passer outre son interdiction, revenir plus tôt, l'aider de son mieux. Non, tout cela n'avait pas de sens. Norbert de Boissière, elle le savait, avait trop d'orgueil pour accepter qu'on l'aide à vivre. Elle monta en tremblant les marches de l'escalier de service, frappa à la porte qu'ouvrit la même forte femme à chignon que la première fois.

– Oui, je vous reconnais, dit-elle.

Lucie n'osa demander à entrer, mais elle murmura :

– Dites-moi simplement comment il va, s'il vous plaît.

– Il est mort en septembre l'an dernier, un peu après votre visite, mademoiselle.

– Vous pouvez me dire comment ? fit Lucie, anéantie.

– Revolver. Ses parents n'ont jamais réussi à lui arracher. Il le portait toujours sur lui.

Le monde se mit brusquement à tanguer autour de Lucie qui s'écroula, les jambes fauchées, sans que la matrone ne réussisse à la retenir. Quand elle revint à elle, Lucie était assise sur une chaise, et sentait une brûlure dans sa gorge : celle de l'alcool que la femme aux gros bras faisait glisser entre ses lèvres. Elle toussa, suffoqua, puis, aussitôt, se leva, de peur que n'entre Mme de Boissière, au cas où elle aurait

271

été alertée. Sans même remercier, Lucie prit l'escalier et, une fois dans la rue, elle s'enfuit, épouvantée
de n'avoir pas deviné que Norbert de Boissière avait
quitté ce monde depuis plus d'un an, huit jours
après avoir glissé sa main dans ses cheveux.

Ce qui avait le plus meurtri François, depuis qu'il
était rentré dans son pays, c'étaient la joie et les
sourires qui illuminaient le visage de ceux qu'il croisait. Lui, il revenait de trois ans de guerre et il était
resté un an dans un camp de prisonniers. Il n'avait
ni l'envie ni la force de rire. Il était maigre, il était
épuisé, il avait froid, et il ne lui tardait qu'une
chose : pousser la porte de son foyer, là-haut, à Puyloubiers, serrer les siens dans ses bras, avoir chaud,
enfin, manger à cette table qu'il n'aurait jamais dû
quitter, et tenter d'oublier. Pourrait-il jamais oublier,
au demeurant ? C'était la question qu'il se posait,
ce jour-là, un peu avant midi, alors qu'il montait le
sentier à travers la forêt dont les chênes avaient
encore leurs feuilles.

Derrière lui, la rivière, lourde des pluies de
l'automne, roulait ses eaux grises, débordant sur les
rives toujours vertes. François se retourna et la
regarda un long moment, comme pour se persuader
qu'il ne rêvait pas, qu'il était bien rentré dans son
pays, au cœur des forêts où il avait cru trouver un
refuge il y avait plus de cinq ans de cela. Il y avait
rencontré surtout Aloïse, qui était devenue toute sa
vie. Dans un quart d'heure, il allait de nouveau la
serrer dans ses bras, oublier toutes les années pas-

272

sées loin d'elle, embrasser son fils aussi, qui devait avoir grandi. A cette idée, il pressa le pas malgré sa fatigue.

En arrivant, là-haut, sur le plateau, débouchant de l'abri de la forêt, il sentit le vent sur ses joues, puis l'odeur du bois de chêne brûlé qui s'échappait des cheminées, et ce fut comme si le monde, de nouveau, redevenait ce qu'il n'aurait jamais dû cesser d'être. François inspira bien à fond, regarda un moment les fumées qui montaient dans un ciel qui annonçait la neige, un ciel familier, auquel il était habitué depuis l'enfance. Il songea vaguement au Pradel, mais il chassa ces pensées et descendit vers le hameau, courant presque, malgré le peu de force qui lui restait.

Il frappa, ouvrit la porte, vit les flammes dans l'âtre, mais il n'y avait personne dans la cuisine. Il appela. Nul ne lui répondit. Il passa dans la chambre pour y déposer son sac, aperçut une silhouette assise devant la fenêtre, murmura :

– Aloïse ?

Silence. Il fit le tour du lit, s'agenouilla devant elle.

– Aloïse, c'est moi, dit-il.

Il posa sa tête sur ses genoux, répétant :

– Je suis là, c'est moi, François.

Comme elle ne disait toujours rien, il se releva, la prit aux épaules, approcha son visage du sien, l'embrassa :

– Aloïse.

Le regard qu'elle posa sur lui le transperça. Il semblait provenir de si loin que François en eut

273

froid jusque dans son cœur. Il sentit passer sur son corps un vent glacé, et il cria :

— Aloïse ! C'est moi, François !

Et il eut peur atrocement, soudain, redoutant que toutes ces années de souffrance n'eussent servi à rien, alors qu'il avait survécu en ne songeant qu'à elle, la retrouver, revoir ses yeux de lavande, la serrer dans ses bras, et vivre, vivre enfin, au cœur de ces forêts profondes qui savent si bien faire fondre les douleurs.

Il se retourna brusquement en entendant du bruit. Pauline, debout derrière lui, était en larmes. Un enfant tenait son tablier, considérant François d'un air grave. François se redressa brusquement, vint embrasser Pauline, puis il embrassa Edmond en le hissant dans ses bras jusqu'à son visage, et il le reposa ensuite, avant de demander :

— Qu'est-ce qu'il se passe ?

— Elle ne parle plus, répondit Pauline d'une voix brisée, et ça fait déjà plusieurs mois.

— Pourquoi ?

— Elle vous a cru mort.

— J'ai écrit dès que j'ai pu.

— Oui, je sais. Bien sûr.

Pauline ne pouvait s'arrêter de pleurer.

— On dirait une enfant, dit-elle : il faut lui donner à manger, la coucher, la surveiller.

Elle ajouta, dans un souffle :

— C'était trop de douleur pour elle. On dirait qu'elle a perdu toute raison.

— Non, dit François, non.

— Si, mon pauvre, soupira Pauline.

François baissa les yeux vers Edmond, s'agenouilla, le prit dans ses bras.

— Et toi, petit ? demanda-t-il.

— Il endure, le pauvre, dit Pauline, et il est bien
courageux.

— Je suis là, dit François à son fils, il ne faut plus
avoir peur. Je ne repartirai pas.

En même temps, il se demandait comment il allait
trouver la force de se battre encore contre le malheur.

— Heureusement que vous êtes là, dit Pauline,
Moi, je ne peux plus.

— Oui, dit François, je suis là maintenant.

Il ne sentait plus la douleur. Elle était là, tapie au
fond de lui, et il savait qu'elle allait lui revenir d'un
coup, dès qu'il reverrait Aloïse. Il pensait surtout à
ses yeux dans lesquels il avait aperçu un gouffre
insondable. Où la chercher si loin ? Il avait mal partout, dans les jambes, dans les bras, et il avait envie
de hurler.

— Je reviens, dit-il.

Il emporta une hache, descendit vers la forêt,
entra sous les charmes, respira à fond les parfums
de mousse, d'écorces, de fougères et d'aiguilles mortes puis il cria douloureusement, de toute la puissance de sa voix :

— Aloïse ! Aloïse !

Alors il se mit à frapper, à cogner contre les
troncs, si violemment, si désespérément que le fer
rebondit contre sa jambe, le faisant gémir de douleur. Il s'arrêta, épuisé, anéanti, s'allongea, se roula
en boule malgré le froid et ne bougea plus.

De longues minutes s'écoulèrent sans qu'il trouve

la force de se relever. Il tremblait, ne cessait de répéter :

– Aloïse, Aloïse.

Peu à peu, la pensée qu'elle était seule, là-bas dans la chambre, lui parut insupportable. Il ne fallait pas qu'elle le demeure une seconde de plus, car elle devait souffrir dans cette solitude. Rassemblant ses forces, il se leva et revint vers le hameau, en faisant un détour pour n'être aperçu de personne, car il n'avait pas le cœur à parler. Des flocons de neige se mirent à tomber, recouvrant bientôt les bois et les champs corrompus par l'hiver. François s'arrêta, écarta les bras, leva la tête vers le ciel. Les flocons se posèrent sur son visage, et leur extrême douceur fut comme un baume sur ses blessures.

Il repartit, marcha plus vite. Une fois dans la maison, il remit du bois dans la cheminée, se chauffa un instant, puis s'en fut se changer dans la chambre. Aloïse n'avait pas bougé. Il s'approcha d'elle, lui saisit la main, la força à se lever. Il la prit dans ses bras, la serra, murmurant près de son oreille :

– C'est moi, François. Je suis revenu pour toi. Ecoute-moi, Aloïse.

Il se détacha d'elle, planta son regard dans le sien, n'aperçut pas la moindre lueur familière au fond de ses yeux.

– Ça ne fait rien, dit-il, nous avons le temps maintenant.

Mathieu avait retrouvé la trace du lieutenant Batistini au début du mois de décembre. Il avait survécu, mais le sergent Renquin, lui, était mort. Mathieu s'était rendu à la caserne Caffarelli, à Toulouse, car il avait appris que le lieutenant y était en poste depuis un mois.

– Tu vas toucher une pension, Barthélémy, avait dit le lieutenant Batistini en parcourant le livret militaire de Mathieu. Et en plus, ta blessure ne t'empêchera pas de travailler, puisque tu es droitier.

– Justement, avait dit Mathieu, la seule chose qui m'intéresse, c'est de retourner là-bas.

– Je n'ai qu'une parole, Barthélémy, tu peux retourner à El Salah. Tu en as, de la chance. Pour moi, c'est fini, l'Afrique. Je vais être nommé colonel.

– Félicitations, mon colonel.

– Ce sont des gars comme toi qu'il faut féliciter. Pas les vieilles badernes qui s'endorment sur les cartes d'état-major. Je vais m'occuper de toi, Barthélémy.

– C'est El Salah qui m'intéresse, mon colonel. Vous avez des nouvelles de là-bas ?

– J'en ai eu. Gonzalès m'a écrit une fois ou deux. Tout allait bien.

– Tant mieux, dit Mathieu.

– Puisque tu l'aimes tant, l'Algérie, reprit le colonel, je veux que tu t'y installes, que tu aies des terres à toi.

– J'aime El Salah, mon colonel.

– Ça n'empêche pas. Mon oncle est mort et je suis désormais le seul propriétaire du domaine. Je vais prendre des dispositions et te donner quinze hectares, à charge pour toi de veiller toujours sur El Salah.

– Je n'ai aucun droit sur ces terres.

— C'est ma façon à moi de payer les services que tu m'as rendus, et que tu vas d'ailleurs continuer à me rendre.

— Mon colonel, je ne peux pas...

— Tu n'as pas à discuter, mais à exécuter les ordres.

Le colonel avait souri. Mathieu n'avait plus protesté. Il était reparti de Toulouse avec un fol espoir au cœur, celui d'une vie nouvelle malgré son bras amputé, des années à vivre dans la Mitidja de ses rêves. Cependant, avant d'être démobilisé et de regagner l'Algérie, il avait voulu tenir sa promesse et passer Noël avec François à Puyloubiers. De Toulouse, il avait pris le train pour Brive, et, de là, pour la gare de Merlines, à proximité d'Eygurande. Il avait gagné à pied Puyloubiers, traversant le haut pays dans la neige, heureux de marcher entre les arbres de la forêt pétrifiée dans un silence d'étoupe, bouleversé par des souvenirs de jeux de bataille avec François, des longues marches vers l'école, des pièges tendus dans les taillis où, parfois, se trouvait l'oiseau encore tiède.

Mathieu arriva à Puyloubiers par la route de Saint-Vincent. On était le 23 décembre, un peu après midi. Il rencontra un homme qui le renseigna : la maison de François Barthélémy était la première sur la droite. Mathieu frappa à la porte qui s'entrouvrit après quelques secondes d'attente.

— Je suis le frère de François, dit-il à la femme qui tenait la poignée.

— Entrez, je vous en prie.

François, qui mangeait, s'était levé, venait vers lui.

— En voilà un qui tient ses promesses, dit-il.

Il serra Mathieu contre lui, sentit quelque chose d'anormal du côté gauche, mais il comprit seulement quand Mathieu enleva son manteau. Il fit comme s'il n'avait rien remarqué et il présenta Pauline, Edmond, et Aloïse, disant de celle-ci :

– Elle a souffert, elle ne parle pas encore.

Mathieu non plus ne posa pas de questions. Il était heureux d'être assis à cette table, dans la bonne chaleur de la cuisine, et de manger. De temps en temps, le regard de François revenait vers le bras de Mathieu, mais il n'en parlait pas, pas plus que d'Aloïse. Il parlait à Edmond, qui l'interrogeait sur ce visiteur inconnu. Mathieu, lui, n'osait pas interroger son frère sur Aloïse. Il raconta son voyage à Toulouse, sans paraître se rendre compte que François se fermait à l'idée que Mathieu allait repartir.

– Si tu voulais, il y aurait de l'ouvrage pour toi, ici.

– Merci, dit Mathieu, mais je vais retourner là-bas.

Il y eut alors une sorte de barrière entre les deux frères, que dissipèrent heureusement le cidre et le ragoût de pommes de terre apportés par Pauline. Puis Edmond se rapprocha de cet oncle qu'il ne connaissait pas et Mathieu le prit sur ses genoux. Pendant ce temps, François faisait manger Aloïse à la cuillère. Le regard de Mathieu croisa un bref instant les yeux bleu lavande d'Aloïse et ce qu'il y décela lui donna un frisson : il y avait tout au fond une insondable souffrance, une sorte de folie. Pourtant, elle mangeait ce que François lui donnait, len-

279

tement, très lentement. Pauline, sa mère, allait de l'âtre à la table et demeurait debout, comme Mathieu l'avait vu faire à sa mère au Pradel. A la fin, François dit à Edmond de conduire Aloïse dans sa chambre et les deux frères, face à face mais silencieux, burent de l'eau-de-vie de poire.

Quand ils eurent fini, afin de parler à leur aise, ils sortirent dans la neige épaisse sous un ciel redevenu bleu. Le froid, aiguisé par le vent de la montagne, mordait les parcelles de peau découvertes, le nez comme les oreilles.

— Tu te rappelles le chemin de l'école ? demanda Mathieu sans regarder son frère.

François sourit mais ne répondit pas. Il pensait à ce bras qui manquait à son frère et c'était comme si ce bras lui manquait à lui aussi. Comment le dire à Mathieu ? Ils se réfugièrent dans l'étable et s'assirent sur deux bottes de paille, côte à côte.

— C'est arrivé quand ? demanda François.

Mathieu se demanda de quoi parlait son frère, comprit au regard furtif de François.

— A la fin du mois d'août, à une vingtaine de kilomètres d'Amiens. Un éclat d'obus de dix centimètres. Je suis resté couché dans la boue quarante-huit heures avant qu'on me trouve. La gangrène s'y mettait.

Il soupira, ajouta :

— Heureusement, je suis droitier.

François hocha la tête, demanda :

— C'est pour ça que tu veux repartir ? On s'arrangerait, tu sais, tous les deux.

— C'est pour ça aussi, que je veux repartir.

– Bon, dit François. Mais sache que, si tu as besoin, tu peux venir ici et t'installer.

– Merci, dit Mathieu, je savais que je pouvais compter sur toi.

Il y eut un instant de silence entre les deux frères, puis Mathieu murmura :

– Et elle ?

– Aloïse ?

– Oui.

– Je cherche à la rejoindre, dit François, mais elle est loin. Tu comprends, c'est comme si elle s'était coupée du monde pour rester en vie. C'est une femme qui souffre trop. Alors j'essaye de la ramener doucement.

Il se tut un instant, ajouta :

– J'y arriverai.

– Bien sûr, que tu y arriveras, dit Mathieu.

Les deux frères se firent face.

– Si je n'y arrive pas, dit François à voix basse, je me tuerai.

– Tu y arriveras, fit Mathieu, j'en suis sûr.

Leurs yeux brillaient. Ils s'étreignirent violemment, comme le jour où ils s'étaient revus sur le front, puis ils se détachèrent l'un de l'autre et demeurèrent pensifs un moment.

– Elle est belle, tu sais, reprit Mathieu.

– Oh oui ! dit François.

– Est-ce que tu crois..., commença Mathieu, puis il s'arrêta, comme si les mots qu'il allait prononcer étaient trop graves, trop chargés d'émotion.

– Tu sais, dit François, il vaut mieux parler, parfois ça fait du bien.

– Est-ce que tu crois que nous pourrons oublier un jour tout ce que nous avons vécu ?

– Non, dit François. Jamais.

– Avons-nous mérité de vivre ça ?

– Non, dit François.

Il y eut de nouveau un silence entre les deux frères, puis :

– Il n'aurait jamais fallu quitter le Pradel, soupira Mathieu. Là-bas, rien ne pouvait nous arriver.

Il hésita une nouvelle fois, reprit :

– Ce que nous avons été heureux, François !

Ils ne purent s'empêcher d'évoquer ces premières années de leur vie : le premier de l'an 1900, les cherche-pain, l'école, le planteur de caïffa, cette fameuse Saint-Jean où le père avait rapporté une robe, la fête du village, et les chants de la mère à Noël.

– Aloïse chantait aussi, avant, murmura François.

– Elle rechantera bientôt, dit Mathieu.

– Oui, dit François en se tournant vers son frère, ou alors ce sera trop, vraiment, déjà que je n'ai plus de forces...

– Tu as un fils, ne l'oublie pas.

Ils discutèrent encore un long moment, regrettèrent que Lucie n'ait pu se libérer pour ce Noël, puis ils rentrèrent car François ne voulait pas laisser Aloïse seule trop longtemps.

Pendant l'après-midi, Mathieu joua avec Edmond tandis que Pauline s'affairait dans la cuisine. Le lendemain, ils préparèrent le réveillon que l'on ferait après la messe de minuit. Ils partirent à Saint-Vincent dans la neige, sur la charrette tirée par la jument. François tenait les rênes, et Aloïse était assise près de lui, aux côtés de sa mère. Mathieu et Edmond s'étaient installés à l'arrière, à l'abri du vent.

Ce soir-là, en rentrant dans l'église, Aloïse leva la tête vers la lumière des lustres. François, aussitôt, tenta de se placer entre elle et le plafond, mais elle rebaissa la tête et nulle autre lueur ne passa dans ses yeux. Plus tard, il sembla à François qu'elle fredonnait les chants qui montaient vers les voûtes. Il lui prit le bras, le serra, et son cœur se mit à battre follement. Non, il avait dû rêver. Au retour, en revanche, il fut certain qu'elle regardait les étoiles et il trouva de l'espoir dans cette constatation, un fol espoir, même, qui lui rendit ce réveillon de Noël plus heureux qu'il ne l'avait imaginé. Mathieu faisait sauter Edmond sur ses genoux. Ils mangèrent des crêpes de blé noir, des tartes aux pommes, et, à un moment, quand Pauline chanta le *Minuit chrétien*, Aloïse sourit. Fugacement, certes, mais ce sourire éclata comme un soleil dans la grande pièce qui sentait si bon le gâteau chaud.

Le lendemain, après avoir mangé la dinde traditionnelle, Mathieu partit en promettant de revenir dès qu'il le pourrait. François l'accompagna avec Edmond sur la route blanche.

– Souviens-toi, lui dit-il au moment de se quitter : si tu as besoin, il y a ici un foyer pour toi.

Mathieu remercia, demanda à François d'embrasser Lucie qui devait venir pour le premier de l'an, puis il s'en alla, se retournant souvent, se demandant s'il ne devait pas revenir sur ses pas et se précipiter vers cet homme qui tenait son fils par la main, là-bas, ce frère qui seul avait le pouvoir de lui faire oublier la Mitidja et son ciel à nul autre pareil.

Bientôt, les terribles froidures de janvier paralysèrent le haut pays. François profitait du mauvais temps pour s'occuper d'Aloïse, tentant de renouer ce lien que la douleur avait sectionné. Il pensait à ce sourire entrevu la nuit de Noël, et, souvent, il chantait pour elle, espérant le faire surgir de nouveau. Puis, comme chanter ne servait à rien, il lui parlait. Il disait n'importe quoi. Il racontait tout ce qu'il avait vécu, là-bas, dans les tranchées, la mort de Tiburce, le camp de prisonniers. Mais rien, jamais, ne venait éclairer ce pauvre regard qui demeurait fixe et sans la moindre lueur de vie. Où était-elle partie ? Où se cachait-elle ? François cherchait chaque jour, chaque nuit, désespérant parfois de parvenir à la ramener dans le monde des vivants.

Dans leur chambre, une fois la lumière éteinte, il la gardait contre lui toute la nuit, la tenait embrassée, ne faisait qu'un avec elle, espérant qu'au matin sa chaleur l'aurait réveillée. Non : au réveil, son regard était le même et François, chaque fois, en était désespéré. Il s'obstinait, pourtant, ne pouvant se résoudre à abandonner ce combat, sachant qu'il était aussi vital pour lui que pour elle.

Cherchant une autre voie, au lieu de rester à l'intérieur, il la contraignit à sortir pour de longues marches dans la neige. Elle paraissait ne pas sentir le froid, ni accorder la moindre attention à la blancheur superbe des hautes collines. Quelquefois, ne sachant plus que faire, fou de douleur, il criait, la prenant par les épaules :

— Parle-moi ! Parle-moi !

Elle fronçait les sourcils, se détournait, comme si elle avait été contrariée. En même temps, elle se mettait à trembler, et François se reprochait sa violence inutile. Alors il répétait pour lui-même à voix basse, serrant les poings :

— Je vais me tuer... Je vais me tuer...

Et il ajoutait, épouvanté :

— Non. D'abord elle, et moi tout de suite après.

Les trois premiers mois de cet hiver de l'année 1919 furent autant d'efforts inutiles et de moments de désespoir. François cherchait en vain la route qui le conduirait vers Aloïse. Il en rêvait la nuit. Il la retrouvait très loin, au fond d'un pays inconnu et hostile, lui prenait la main, faisait demi-tour et la conduisait vers une lumière fragile qui, le plus souvent, s'éteignait avant qu'ils ne l'atteignent. Il se servit aussi d'Edmond qui parlait, maintenant. Mais l'enfant avait peur de sa mère. Tout le monde, d'ailleurs, en avait peur, sauf François. Les gens du village ne venaient plus. Ils ne savaient plus quoi dire ni quoi faire.

Un jour du mois de mars, François essaya autre chose : une idée folle lui était venue la nuit précédente. Il alla demander son écharpe tricolore au maire, demanda à Pauline de placer Aloïse exactement à l'endroit où elle l'avait trouvée le jour où elle avait perdu connaissance, puis il s'avança vers elle, une enveloppe à la main. Mais c'est à peine si, ce jour-là, le regard d'Aloïse s'arrêta sur lui.

Quelques jours plus tard, cependant, alors qu'il n'en pouvait plus, que le désespoir l'accablait, il sentit deux larmes couler sur ses joues qu'il essuya furtivement. Face à lui, dans le même temps, le regard d'Aloïse changea durant quelques secondes, et cette pauvre lueur suffit à lui rendre l'espoir.

Dès que la neige fondit, début avril, il l'emmena avec lui dans la forêt, au milieu des coupes de chênes. C'était le premier jour de beau temps. Le vent ne venait plus du nord mais de l'ouest. Il y avait dans l'air des vagues tièdes qui sentaient déjà les bourgeons. La forêt s'éveillait en soupirant de son long sommeil de l'hiver. François, qui portait ses outils, ne pouvait donner la main à Aloïse et se retournait de temps à autre pour vérifier qu'elle le suivait.

Une fois sur le chantier, il la fit asseoir plus haut que la coupe, en lui recommandant de ne pas bouger. Puis il descendit un peu plus bas, aiguisa sa hache, et se mit à cogner contre le tronc. Tout à sa tâche, il ne s'aperçut pas qu'elle sursautait à chaque coup de hache, et il continua de frapper jusqu'à ce que l'arbre soit sur le point de tomber. Avant de donner le dernier coup qui l'abattrait, il descendit d'un pas pour vérifier la bonne inclinaison de la tranche et il glissa. Se retenant au tronc, il pesa suffisamment pour le faire basculer. Il y eut alors un craquement lugubre, comme une plainte, et il eut juste le temps de repousser le tronc qui tomba à un mètre de lui dans un grand froissement de branches fracassées.

– François !

Qui avait crié ? Il regarda vers le haut. Aloïse était debout, les poings serrés devant sa bouche. Il n'avait pas rêvé : c'était bien elle qui avait crié. Il remonta précipitamment, la prit dans ses bras, tandis qu'elle gémissait :

– François ! François !

– Oui, dit-il, je suis là, n'aie pas peur, n'aie pas peur.

Quand il se détacha d'elle, il s'aperçut que le voile de ses yeux s'était déchiré. Elle pleurait, mais elle le voyait. Il en était persuadé : elle le voyait. Il y avait dans ses yeux une terreur sans nom, pourtant elle était là, juste derrière.

– N'aie pas peur, n'aie pas peur, répétait-il.

Et il la serrait, il la serrait pour ne pas la laisser repartir, il la serrait si fort qu'il lui faisait mal sans s'en rendre compte. De nouveau, elle gémit.

– Aloïse, c'est moi, François. Tu me vois ?

– François, murmura-t-elle, François.

Il ne savait que faire, avait peur de la lâcher, de la voir s'éloigner de nouveau dans le monde redoutable où elle avait erré si longtemps. Alors il se mit à lui parler, et il ne se tut pas un seul instant pendant qu'il remontait vers le hameau, la tenant par les épaules.

– Tu m'entends ? Dis ! Tu m'entends ?

– François, François, répétait-elle.

Quand ils arrivèrent dans la maison, Pauline ne voulut pas croire ce qui se passait. Puis elle se souvint que sa fille était présente dans les coupes le jour où son père avait été écrasé par un chêne rouvre. François, lui, se rappela ce qu'elle lui avait dit au terme de leur première rencontre : « Surtout, faites attention aux arbres quand ils tombent. » Ainsi, la lumière qu'un choc violent avait éteinte le jour où Aloïse avait aperçu le maire devant elle avait été rallumée par un choc d'une égale violence : celui de la chute d'un arbre qui avait failli tuer François.

Le soir, Aloïse nomma Edmond. Elle essaya de lui parler mais elle ne put trouver les mots. François comprit que tout cela était fragile, et il redouta toute la nuit de la retrouver au matin comme elle était les jours précédents. Mais non : la lueur de ses yeux s'était ravivée. D'ailleurs, en peu de temps, elle retrouva ses mots, se remit à parler, surtout à son fils, et elle parvint à manger seule. Pauline et François n'osaient y croire. Ils protégeaient Aloïse des villageois, n'ayant pas assez confiance encore. A François, elle demandait des nouvelles de ce qui s'était passé cet hiver. Il lui racontait doucement pour ne pas la brusquer. Petit à petit elle se réhabituait à la vie, et son regard retrouvait la profondeur de celui qui avait tant ébloui François le jour de leur rencontre.

Les beaux jours finirent par parachever la renaissance d'Aloïse. Elle demeurait fragile, mais la vie s'était ranimée en elle comme elle se réveillait sur le haut pays, verdissant les bois et les prés, illuminant les cours et les chemins, ouvrant dans le ciel des routes vers l'horizon d'un bleu de porcelaine. François s'aperçut alors que le seigle était beau. Il se dit qu'il moissonnerait avec Aloïse et Edmond à ses côtés, et cette seule pensée le réconcilia lui aussi avec la vie qui éclatait partout, en feuilles, en fleurs et en épis, sur les épaules de la montagne.

III

Un si long chemin

11

E N traversant le jardin du Luxembourg, cet après-midi-là, Lucie souriait en songeant à sa fille avec qui elle avait passé le dimanche précédent. Elle se portait à merveille, était bien nourrie, là-bas, à Chanteau, chez la mère et la sœur de Madeleine, et elle profitait parfaitement. A sept ans, elle ressemblait tout à fait à son père disparu : c'étaient le même front haut, les mêmes yeux noirs aux reflets d'or, et la même expression ironique du visage, qui, inévitablement, face à sa fille, bouleversaient Lucie.

Comme chaque fois qu'elle pensait à Elise, le souvenir de Norbert de Boissière surgissait aussitôt. Lucie n'avait rien oublié de lui, mais elle n'y songeait plus avec la même souffrance. Elle s'était persuadée qu'il l'avait aimée. Si ce n'était pas le cas, pourquoi se serait-il tué une semaine après sa visite ? Elle en était sûre, désormais : s'il avait vécu, ils se seraient revus, et elle aurait partagé un peu de sa vie. Elle vivait dans cette consolation et s'en trouvait apaisée, le plus souvent, comme à l'évocation d'un événement qui a été heureux. Aujourd'hui, quoi qu'il en soit, il lui restait Elise, dont le visage lui restituait précieusement l'image de celui qui avait disparu.

Comme elle avait le temps, elle s'assit sur une chaise, face au kiosque à musique dans lequel un orchestre s'apprêtait à jouer. Les musiciens mirent beaucoup de temps pour accorder leurs instruments, puis ils entamèrent une valse de Strauss qui se maria merveilleusement à la lumière légère de ce mois de juin. Les privations et les dangers de la guerre étaient oubliés en cet été 1922. L'éclat du sable blanc sous le soleil rejaillissait sur les fleurs et les feuilles des arbres au faîte de leur gloire. Les promeneurs avaient tous le sourire aux lèvres. On ne songeait plus qu'à être heureux dans ce Paris de l'après-guerre. Les toilettes de deuil avaient disparu pour laisser place à des vêtements plus souples, plus gais, qui laissaient désormais les épaules et les chevilles découvertes. Les années folles imposaient le music-hall à la place du bal musette, et le jazz venu d'Amérique apportait des rythmes nouveaux que l'on pouvait écouter à la T.S.F.

Il y avait un poste chez les Douvrandelle, et Lucie ne se privait pas de l'allumer en l'absence de sa maîtresse, pendant qu'elle faisait le ménage, écoutant le récit des exploits de Mermoz ou de Saint-Exupéry lancés dans l'aventure de l'Aéropostale, ou, précisément, ces musiques modernes qui donnaient tellement envie de danser. M. et Mme Douvrandelle, eux, recevaient moins qu'avant : depuis que Clemenceau avait quitté le pouvoir, en janvier 1920, son chef de cabinet était désormais à l'écart des affaires et il n'entretenait plus les mêmes relations qu'avant la guerre. Si lui ne s'en formalisait pas, Mme Douvrandelle, elle, vitupérait contre les Deschanel, les Millerand, les Aristide Briand qui n'arrivaient pas à la cheville du Tigre et conduisaient le pays à sa perte.

Comme beaucoup de Français, les Douvrandelle avaient souffert de l'inflation, et ils ne pouvaient plus vivre dans le même luxe qu'au temps où ils recevaient les sommités du régime. Lucie avait même craint un moment de perdre sa place, mais il semblait que la situation s'arrangeât grâce à un héritage bien venu, dont venait de bénéficier sa maîtresse.

L'orchestre s'arrêta de jouer, tirant Lucie de ses songes. Elle se leva, prit la direction de la sortie et se dirigea vers la rue de Tournon avec un regard d'envie vers les hommes et les femmes à bicyclette dont la mode battait son plein. Elle descendit l'avenue de Fontainebleau en s'attardant devant les vitrines des magasins qui avaient retrouvé leur opulence, puis elle tourna à gauche dans la rue de Vaugirard et se trouva très vite à l'extrémité de la rue de Tournon qu'elle emprunta sans se presser.

Dix minutes plus tard, à l'instant où elle entrait dans le couloir de l'appartement, Mme Douvrandelle sortit du salon et lui demanda de la rejoindre. Lucie la suivit et demeura figée sur place en reconnaissant, assise dans un fauteuil, Mme de Boissière vieillie, transformée, entièrement vêtue de noir, et, de ce fait, très différente de Mme Douvrandelle, alors que, dans la mémoire de Lucie, elles avaient toujours été très ressemblantes.

— Entrez, ma petite, entrez, dit Mme Douvrandelle. N'ayez pas peur.

Et, comme Lucie hésitait :

— Vous reconnaissez, bien sûr, Mme de Boissière.

Lucie hocha la tête, s'approcha. Mme de Boissière
se leva et, au grand étonnement de Lucie, l'embrassa.

— Asseyez-vous, Lucie, dit Mme Douvrandelle.
Nous avons à parler toutes les trois.

Elle lui servit un peu de madère dans un verre de
couleur bleu nuit semblable à ceux qui se trouvaient
déjà devant elles. Lucie examinait Mme de Boissière
qu'elle avait du mal à reconnaître tant elle semblait
avoir été blessée par la vie.

— Mme de Boissière a quelque chose à vous
confier, dit la maîtresse de Lucie. Je vais donc vous
laisser en sa compagnie.

— Non, restez, je vous en prie, dit Mme de Boissière avec un geste délicat de la main.

Son hôtesse hocha la tête et accepta avec une
évidente satisfaction.

— Voilà, commença Mme de Boissière en s'adressant à Lucie, après une brève hésitation. Vous ne
savez sans doute pas que mon fils Norbert n'a pas
survécu à la guerre.

Lucie ne répondit pas. Elle demeurait fascinée
par ce visage blanc comme un cierge, ces épaules
aujourd'hui voûtées après avoir été si belles, ces
yeux jadis pleins de vie, qui ne laissaient plus filtrer
le moindre éclat.

— Il est mort en 1917, enchaîna Mme de Boissière,
mais nous n'étions pas au bout de nos chagrins :
notre fille Aurore est morte de la grippe espagnole

à la fin de l'année 1918, si bien que nous n'avons aujourd'hui plus d'enfants.

Lucie se taisait toujours, mais elle commençait à comprendre et sentait percer une menace dans les mots prononcés à mi-voix par son ancienne maîtresse. Elle but une gorgée de madère, qui la fit tousser car elle n'était pas habituée à l'alcool.

– Je sais que vous n'avez pas abandonné l'enfant que vous avez eu au début de la guerre, mais je ne suis pas là aujourd'hui pour vous en faire le reproche, au contraire : je vous en félicite. Nous n'aurions jamais dû exiger de vous une telle lâcheté. Vous avez eu le courage de ne pas nous obéir et c'est tout à votre honneur. Voilà d'abord ce que je voulais que vous sachiez.

Lucie respira un peu mieux. Mme de Boissière jeta un regard vers son amie, reprit :

– Je sais que votre enfant était bien celui de Norbert. Il a laissé une lettre avant de mourir.

Mme de Boissière soupira, puis elle continua, un ton plus bas, avec une humilité qui surprit Lucie :

– Mon mari et moi sommes très seuls aujourd'hui. Cet enfant, votre enfant, mais aussi celui de Norbert, est un peu le nôtre. Nous pourrions vous aider à l'élever, si vous le voulez. Cela nous rendrait un peu de notre bonheur perdu et ce serait plus facile pour vous.

Lucie se raidit. En un instant elle était devenue un bloc de refus et d'hostilité.

– Nous savons que c'est une fille et qu'elle est élevée par une famille de paysans près d'Orléans, poursuivit Mme de Boissière, d'une voix tout à coup hésitante.

– Comment avez-vous osé ? s'exclama Lucie, révoltée. Vous n'aviez pas le droit.

– Ne vous fâchez pas, je vous prie, la coupa Mme de Boissière. Il est très facile, avec de l'argent, d'obtenir tous les renseignements que l'on souhaite.

Lucie se leva, furieuse :

– Je me suis occupée de ma fille toute seule. Si je vous avais écoutée, elle serait perdue aujourd'hui.

– Oui, je le sais, fit Mme de Boissière. Asseyez-vous, je vous en prie. Il ne s'agit pas de vous prendre quoi que ce soit, au contraire : il s'agit simplement de réparer le tort que nous vous avons fait.

– Je n'ai pas besoin d'argent. Je me suis très bien débrouillée seule.

– Allons, Lucie, intervint Mme Douvrandelle, c'est ce que nous sommes en train de vous dire ; tout ce que vous avez fait, vous l'avez bien fait, et vous en êtes très méritante.

– Comprenez-moi, reprit Mme de Boissière, notre fortune ne nous sert à rien. Il vaudrait mieux qu'elle revienne à quelqu'un, et comme ce ne peut pas être à vous, que ce soit au moins à votre fille. Nous sommes prêts à signer tous les papiers nécessaires.

– Je ne veux pas de vos papiers, répliqua Lucie. Ce que vous voulez, c'est me prendre ma fille.

– Détrompez-vous, mon enfant, dit doucement Mme de Boissière, ce que nous voulons, c'est lui donner une vie meilleure, ici, à Paris, où vous pourriez la voir chaque jour.

Lucie se sentit ébranlée. Cela faisait des années

qu'Elise lui manquait, qu'elle devait se cacher pour la voir de temps en temps, à peine une fois par mois, et elle en avait beaucoup souffert. Comprenant que Lucie faiblissait, Mme de Boissière proposa :

– Je comprends très bien que vous ayez besoin de réflexion. Sachez, en tout cas, que, quoi que vous décidiez, nous ne vous en voudrons pas.

Il y eut un long silence, que rompit Mme Douvrandelle en disant :

– Vous avez tout le temps, ma petite Lucie. Je vous aiderai, si vous voulez. Vous voyez que Mme de Boissière ne vous veut que du bien.

Lucie ne répondit pas. Beaucoup de pensées se mêlaient dans sa tête, et elle hésitait entre la vengeance et la possibilité de serrer chaque jour sa fille dans ses bras.

– Permettez-moi de me retirer, dit-elle.

– Oui, Lucie, dit Mme Douvrandelle, vous pouvez aller.

Mme de Boissière se leva aussi, fit un pas vers elle, mais Lucie préféra l'ignorer et elle sortit, bouleversée, pour se réfugier dans sa chambre.

Le lendemain, Mme Douvrandelle insista pour que Lucie l'accompagne dans les grands magasins, où elle avait d'importants achats à effectuer. Lucie ne fut pas dupe : il s'agissait de l'amadouer pour l'inciter à accepter la proposition de Mme de Boissière. Elle ne put refuser cependant, et elle suivit sa maîtresse jusqu'à l'Odéon où elles prirent un fiacre pour le quartier de l'Opéra, que Lucie connaissait déjà, car elle était allée boulevard des Capucines. Il y avait foule au Printemps et aux Galeries

Lafayette, où Lucie n'avait jamais osé pénétrer. Elle fut très impressionnée par les tapis roulants et par les ascenseurs où des liftiers en uniforme annonçaient lors de chaque étage la liste des rayons. Mme Douvrandelle voulut tout voir : les tissus, les dentelles, la lingerie, les soieries, les robes. Elle en essaya dix avant de se décider pour une gris perle, à collier large, avec une ceinture très lâche en demi-cercle, et qui couvrait à peine ses genoux. Ensuite, elle se dirigea vers le rayon des parfums, insista pour offrir à Lucie un flacon baptisé « Fantaisie d'Espagne » dont elle vanta la qualité. Après quoi, Mme Douvrandelle fit livrer les achats rue de Tournon et elle emmena Lucie dans un salon de thé de la Madeleine où, enfin, elle en vint au vrai motif de cette sortie : il ne tenait qu'à Lucie de pouvoir vivre d'autres journées comme celle-là. Elle devait comprendre où se trouvaient son intérêt et celui de sa fille. Bref, Mme de Boissière ne lui voulait que du bien. Lucie avait donc tout à gagner à accepter sa proposition.

Sur le chemin du retour, Lucie comprit qu'elle avait mis la main dans un engrenage auquel elle n'échapperait plus. Qu'importait, au fond, si elle pouvait voir grandir sa fille, la sentir près d'elle, s'en occuper comme elle l'avait toujours souhaité. L'important était de poser des conditions qui la préserveraient du risque de la perdre un jour.

Le temps avait passé aussi, à Puyloubiers : les jours, les semaines, les hivers comme les étés, les printemps comme les automnes. Des ciels couleur de feuille morte avaient succédé à des ciels lumineux. L'or des genêts avait répondu au rose mauve des bruyères. La forêt s'endormait dans des tuniques cuivre ou pourpre, puis se réveillait dans des miroitements superbes. La nuit, des poussières d'étoiles ensemençaient le ciel, épousant la rondeur des collines que François et Aloïse apercevaient par la fenêtre ouverte.

Il faisait si chaud, en ce début d'été ! François caressait le ventre d'Aloïse qui attendait un troisième enfant pour l'automne. Ils en avaient eu un deuxième en 1920, il y avait deux ans de cela. Un garçon, comme l'aîné, qu'ils avaient appelé Charles. Cette même année 1920, en décembre, Pauline était morte d'une congestion cérébrale, et François avait eu peur qu'Aloïse ne retombe dans sa prostration de la fin de la guerre. Mais non : la vie, heureusement, avait continué de briller au fond de ses yeux sombres et graves. Le travail avait fait défiler les semaines et les mois sans qu'ils n'y prennent garde, car le temps leur manquait pour arriver à bout de tout ce que, ensemble, ils avaient entrepris.

Dès la fin de l'année 1919, ils avaient acheté deux parcelles à défricher, au bord du plateau. La terre, en effet, avait perdu de sa valeur, car on ne trouvait guère de bras pour la travailler. Ces parcelles étaient en culture, aujourd'hui : du blé noir et du seigle. Ils avaient également acheté un pré, où Edmond et Aloïse gardaient les moutons. Il aurait fallu acheter d'autres terres pour bien vivre, mais François n'y tenait pas : lui, sa vie, c'était la forêt. Dès qu'il avait un moment de libre, il partait sur les coupes qu'il avait étendues en direction de la rivière. Aloïse lui portait le repas de midi, et ils mangeaient l'un près de l'autre, en compagnie de leurs fils. Pour un peu, il eût couché dans la forêt, François, tellement il se sentait libre et heureux sous les grands arbres séculaires.

C'était là, surtout, qu'il s'était réconcilié avec le monde. Il ne se lassait pas du velours sombre des clairières, de la caresse des feuilles, de la lumière qui jouait entre les branches, des murmures profonds venus de nulle part, de ce silence épais, au parfum de mousse et de fougères, qui l'enveloppait dès qu'il prenait sa hache, lui donnant l'impression que le monde était né du matin. Il aimait jusqu'à l'odeur que la forêt déposait sur lui : odeur de bois, d'écorce, de sciure, odeur antique qui le faisait penser à de très anciens essartages auxquels il aurait participé. Il lui semblait qu'il était là depuis toujours, que rien n'avait existé avant ces journées qui le rendaient à lui-même, lui faisaient oublier tout ce dont il avait souffert.

Il se leva bien avant l'aube, ce matin-là, car le jour qui allait naître n'était pas un jour ordinaire : c'était jour de flottage. Les bûcherons des gorges de la rivière avaient obtenu l'autorisation de flot jusqu'à la scierie de Port-Dieu. Une journée seulement. Il ne fallait pas perdre de temps. Aloïse rejoignit François pendant qu'il buvait son café, lui recommanda d'être prudent : il y avait des accidents chaque année, quand les grumes emportées par le courant heurtaient les hommes mal placés.

– Ne t'inquiète pas, dit François. J'ai l'habitude, maintenant. Je ferai attention.

Elle l'accompagna un peu sur la route, le laissa partir après une ultime recommandation de prudence. Il se retrouva seul dans les bois, suivant d'instinct le sentier qui descendait vers les coupes, et plus bas, vers la rivière. Il n'aimait pas laisser Aloïse seule, car il savait qu'elle avait peur de ne plus jamais le revoir. Elle n'avait pas oublié la guerre, Aloïse, et elle demeurait fragile, comme si un danger les menaçait toujours. Il s'arrangeait d'ordinaire pour ne pas rester absent une journée entière, sauf le jour du flottage, précisément, et la pensée de la savoir inquiète tempérait le plaisir qu'il ressentait à se retrouver seul dans la forêt.

Malgré la lune, François n'apercevait pas encore l'éclat de la rivière. Il respirait bien à fond le parfum entêtant de la mousse et des fougères humides, descendait lentement, attentif à ne pas glisser sur la pente. Bientôt des scintillements d'argent trouèrent l'obscurité. Il arrivait. Quand il déboucha sur le chemin de rive, le jour se levait sur le flot arrêté par un câble tendu depuis la veille à l'intérieur d'une anse, à l'abri du courant. Des hommes étaient là, déjà, leur gaffe à la main, scrutant le ciel qui pâlissait étrangement à l'horizon. François les connaissait tous. C'étaient des hommes du plateau, comme lui, silencieux, graves, qui descendaient à Port-Dieu une fois par an, à cette occasion. Il les salua un par un, but avec eux un peu d'eau-de-vie, car il faisait frais, même au début de l'été, dans ces gorges au fond desquelles ne pénétrait jamais le soleil.

Une fois que tout le monde eut gagné son poste, le câble fut détaché et tiré sur la rive. Aussitôt la masse des chênes, des bouleaux, des hêtres et des sapins amorça un mouvement très lent vers le centre de la rivière, puis s'emballa dès qu'elle fut prise par le courant. Les hommes suivaient sur les chemins de rive. Il fallait souvent entrer dans l'eau glaciale pour dégager un tronc arrêté par les obstacles constitués par les rochers, les méandres, les avancées de terre, ou simplement les grumes qui le précédaient.

François était heureux, ce matin-là, dans cet univers de premier jour du monde, entre forêt et rivière, sous un ciel aux éclats de médaille, dans l'air d'une sonorité d'église. Au moment où le soleil surgit au-dessus des collines, les bois crépus des rives parurent s'embraser. Des nuées d'oiseaux se levèrent et se mirent à monter vers les plateaux, comme aimantés par le soleil. Le troupeau fou des troncs empêchait d'entendre la rivière. Les hommes étaient obligés de crier pour se faire comprendre. Une barque suivait le flot pour atteindre les endroits inaccessibles aux hommes de la rive.

Il devait être onze heures du matin, quand le flot entra dans le rapide qui précédait le méandre d'avant Port-Dieu. Des troncs de sapins, alors, se tournèrent en travers. Pris contre les rochers affleurant du lit de la rivière, ils finirent par former un barrage. L'eau n'était pas très profonde à cet endroit : un mètre cinquante au plus, un mètre au minimum. En raison de la violence du courant, la barque ne pouvait pas s'approcher. Il fallut entrer

dans l'eau. François s'avança dans le courant, sa
gaffe à la main. Deux ou trois « flotteurs » perdirent
l'équilibre et se retrouvèrent dix mètres plus loin,
après avoir repris pied à grand-peine. Malgré leurs
efforts, le flot ne bougeait pas. Il était très dangereux
de se tenir devant lorsque les premiers troncs repar-
tiraient. François le savait. Mais comment intervenir
depuis l'arrière ? Il fallait essayer de manier la gaffe
sans trop s'éloigner de la rive pour pouvoir s'écarter
à temps. Ils étaient trois à peser sur un sapin qui
était calé à ses deux extrémités sur des rochers, et
ce sapin-là était bloqué au beau milieu de la rivière.
Quatre hommes vinrent aider à leur tour, puis,
oubliant le danger, trois autres les rejoignirent.
Enfin l'arbre bougea. Mais il fallut peser encore
davantage sur lui pour l'écarter totalement du
rocher le plus haut. Alors, pris par le courant, il
pivota d'un coup et faucha les quatre hommes qui
se trouvaient à cette extrémité-là.

François avait deviné le piège et, dès que l'arbre
avait pivoté, il s'était reculé d'un mètre. Mais il avait
oublié la force du courant et il avait perdu l'équilibre. Le temps de se relever pour tenter de reprendre
son souffle, l'arbre était sur lui. Il sentit le choc
contre sa jambe, cria, perdit l'équilibre de nouveau,
puis il se retrouva sous l'eau, essaya de nager, mais
ce fut comme si l'une de ses jambes était morte. Il
se laissa couler, frappa le sol de sa jambe valide pour
remonter, mais il fut heurté à la tête par le flot qui
déferlait, et il ne put prendre l'air dont il avait
besoin. Alors tout se brouilla et il se sentit étouffer.
Il tenta de lutter encore mais la douleur fut si vive

qu'il y renonça. Il pensa fugaccment à Aloïse, à la guerre, n'eut même pas le temps de s'en vouloir de son imprudence coupable. Il avait perdu connaissance.

Ce qui se passa par la suite lui fut raconté à l'auberge de Port-Dieu où il avait été transporté : le courant qui sévissait dans la profondeur du méandre l'avait miraculeusement roulé vers la rive à l'abri du flot, où deux hommes avaient réussi à l'agripper avec leur gaffe. Il avait le crâne ouvert et la jambe droite cassée. C'était miracle qu'il en ait réchappé. Il avait failli être pris entre les arbres en furie, où il eût été broyé comme des graines entre les meules d'un moulin. Allongé dans l'arrière-salle de l'auberge, il sentait à peine la douleur de sa jambe que le médecin avait immobilisée. Il pensait à Aloïse qui lui avait fait confiance. Il pensait à l'absurdité de mourir ici, dans ce pays qui lui était cher, qu'il aimait tant, alors qu'il avait survécu à quatre années de guerre.

L'aubergiste le ramena à Puyloubiers en fin d'après-midi. François avait le sommet du crâne recouvert par un linge blanc. Le médecin avait réduit la fracture et posé des attelles sur la jambe fracturée. Sur la petite route qui serpentait entre les arbres de la forêt, François se sentait coupable vis-à-vis d'Aloïse. Il craignait sa réaction en le découvrant blessé de la sorte, se promettait de ne pas lui expliquer à quoi il avait échappé. Mais elle le devina, dès qu'elle l'aperçut à l'arrière de la charrette. Si bien, même, que pendant un instant, il crut retrouver dans ses yeux la même terreur qu'il avait découverte à la fin de la guerre, le jour où il était revenu du camp.

– Ne t'inquiète pas, lui dit-il aussitôt. Plus jamais tu ne trembleras. Même si je dois renoncer à la forêt.

– Tu sais que j'ai peur des arbres.

– Oui, dit François, je te promets, plus jamais.

Alors elle se pencha vers lui pour embrasser le linge blanc qui, sur le côté droit, était teinté de rouge.

Batistini avait tenu ses promesses. Trois mois après son retour à El Salah, Mathieu avait reçu un courrier du notaire de Blida, lui demandant d'aller le voir. Là, Mathieu était devenu propriétaire de quinze hectares, conformément à la volonté du colonel Batistini qui avait envoyé au notaire des instructions formelles et une procuration. Ces terres se trouvaient à l'extrémité du domaine vers le sud, dans la direction de Bouïnan, près d'un douar nommé Ab Daïa. Elles étaient plantées de vignes, d'orge et d'orangers.

Dès qu'il avait pu en prendre possession, Mathieu avait entrepris de construire une maison au milieu d'un îlot d'eucalyptus, aidé en cela par les fellahs qui l'avaient suivi : une dizaine, grâce auxquels, en quelques mois, il avait bâti une maison blanche couverte de tuiles romaines, aux volets verts, simple, rectangulaire, sans étage, bien différente de celle d'El Salah. Il avait emménagé à une extrémité et avait installé Hocine, l'un des fellahs les plus anciens, à l'autre extrémité. Sa femme, Nedjma, s'occupait de la maison, aidée de sa fille Leïla, tandis que Ali, son fils, travaillait aux champs avec les autres fellahs qui avaient monté leurs gourbis à proximité du verger d'orangers.

Mathieu était heureux de posséder enfin de la terre, ce à quoi son père n'avait pu parvenir. Il ne se passait pas un seul jour sans qu'il pensât au Pradel et aux difficultés de la vie, là-bas, dans les montagnes. Il comptait bien développer cette petite propriété et, à cette fin, acheter d'autres terres dès qu'il en trouverait la possibilité, c'est-à-dire dès qu'il aurait fini de payer les matériaux de la maison. Dans son prolongement, vers l'oued El-Harrach, il y avait encore des marécages désertiques qu'il espérait acquérir pour une bouchée de pain.

Son seul véritable souci était de ne pas pouvoir travailler comme il le souhaitait à cause de son bras manquant. Heureusement qu'il avait ses fellahs, des hommes fidèles, dans les yeux desquels il devinait la confiance chaque matin, en les trouvant dans la cour, prêts à se mettre au travail. Hocine lui servait de contremaître. C'était un Kabyle de grande taille, très maigre, dont les os des mâchoires saillaient de chaque côté du visage, qui parlait doucement mais n'avait pas besoin de hausser la voix pour se faire obéir. Il était reconnaissant à Mathieu de l'avoir sorti de son gourbi pour le loger dans sa maison et de lui avoir donné des responsabilités. Sa femme Nedjma, toujours voilée dans son haïk blanc, se montrait aussi dévouée que lui. Quant à sa fille Leïla, Mathieu n'avait jamais croisé son regard, pour la bonne raison qu'elle disparaissait aussitôt qu'il pénétrait dans la pièce où elle travaillait.

Il avait laissé la responsabilité d'El Salah à Gonzalès, mais il se servait du matériel et parfois aussi des chevaux. Dès son retour, Mathieu avait compris qu'il aurait du mal à cohabiter avec un homme qui avait dirigé le domaine sans partage pendant des années, et dont la famille, au reste, l'avait rejoint à El Salah : une femme et un fils qui, auparavant, vivaient à Boufarik. C'était pour cette raison que Mathieu avait entrepris de construire une maison. Là, au moins, il était chez lui, et il songeait chaque matin, en s'éveillant, que c'était ce dont il avait toujours rêvé.

Cela faisait trois ans et demi qu'il était revenu. Avec la première récolte, il avait payé les matériaux, avec la deuxième, il avait acheté un mulet. Avec l'argent de la troisième, il avait commencé à négocier pour acquérir les marécages voisins. Ce n'avait pas été facile, bien que ces terres n'eussent pas grande valeur, le propriétaire étant un commerçant retors. Il avait fallu à Mathieu un an pour le décider. Heureusement, le notaire, qui travaillait pour l'armée et connaissait les relations de Mathieu, l'avait aidé dans ses négociations. Voilà pourquoi, en ce soir d'été paisible qui rougissait les lointains, Mathieu, revenant de Blida, n'était pas à la tête de quinze hectares, mais de trente. Certes, beaucoup de travail l'attendait, mais il espérait assécher rapidement ces terres alluvionnaires en creusant des canaux qui, ensuite, deviendraient des canaux d'irrigation pour les cultures.

C'était la clef du succès de l'agriculture dans la Mitidja, Mathieu l'avait compris très vite : arroser quand les étés de feu faisaient souffler le sirocco, et protéger les cultures du vent de l'Atlas par des haies de cyprès, de figuiers de Barbarie ou de grenadiers dont les fruits, mûrissant à l'automne, étaient délicieux. Son seul regret était de ne pouvoir faire pousser du blé, du vrai froment dont on avait tellement manqué là-haut, au Pradel. Ces terres marécageuses, en effet, étaient des terres à vignes et à fruits. Il produirait donc du vin et des oranges. Seulement un peu d'orge pour le bétail : c'est-à-dire les chevaux, les mulets destinés au travail de la terre, et les deux vaches qui lui donnaient le lait.

Il rentrait lentement vers Ab Daïa en charrette ce soir-là, dans l'odeur de la poussière, des eucalyptus qui escortaient la route droite, de l'air saturé qui semblait onduler sur les collines de l'Atlas blidéen, au loin. Trente hectares ! Lui, Mathieu Barthélémy, il était propriétaire de trente hectares ! Et il songeait déjà à ce qu'il devrait entreprendre dès le lendemain afin de les mettre en valeur le plus vite possible. Il croisa un vieil Arabe qui poussait un âne chargé de sacs de farine, lui rendit son salut. Il s'inquiéta de la chaleur très en avance cette année, et craignit pour ses vignes si, par malheur, le sirocco se levait.

Il arriva à la tombée de la nuit. Nedjma lui porta un couscous, dont la semoule blonde, cuite à la vapeur selon la coutume ancestrale, était un véritable délice. Il se mit à manger à la lueur jaune de la lampe Pigeon, seul comme il le faisait depuis toujours. Ce soir, pour la première fois, il lui vint à l'idée qu'il devrait songer à trouver une femme. Il n'avait qu'un bras, certes, mais il était propriétaire, désormais, et il pouvait fonder un foyer, élever une famille qui serait semblable, espérait-il, à celle qu'il avait connue au Pradel, et au milieu de laquelle, malgré les difficultés de la vie, il avait été heureux. Quand il eut terminé, il alla se coucher, mais ne dormit guère, car il craignait le sirocco. Il était un peu tôt encore, dans l'année, et heureusement. Juin gardait toujours des douceurs et des couleurs que le soleil des premiers jours de juillet dissiperait en quelques jours. Il faudrait alors se méfier du vent chaud, des orages ou des sauterelles. Telle était la loi ici, une loi que Mathieu avait acceptée une bonne fois pour toutes, avec la même fatalité que celle des fellahs.

Trois semaines après son retour de Blida, le 10 juillet, le ciel se montra soudain menaçant au-dessus de l'Atlas. De sombre d'abord, il devint rapidement d'un blanc étincelant. Gonzalès, qui était venu entretenir Mathieu d'un problème de bétail, se hâta de rentrer après avoir prédit :

– Cette fois-ci, on est bons. Si le vent ne se lève pas de la mer, la grêle est pour nous.

Le vent du nord-ouest se mit à souffler légèrement à l'approche du soir, mais pas suffisamment pour renvoyer les nuages sur la montagne. Ils basculèrent lentement vers la grande plaine et s'ouvrirent bientôt dans un fracas de tonnerre et d'éclairs. D'abord la pluie tomba, d'une extrême violence, puis la grêle lui succéda. Mathieu l'entendit s'écraser sur les tuiles de la maison pendant plus d'une demi-heure, puis elle cessa brusquement. Une petite pluie fine, maintenant, tombait sur le toit et les terres du domaine, tandis que les éclairs devenaient plus rares et que le tonnerre roulait sur les montagnes de l'Atlas voisin.

Mathieu savait ce que cela signifiait : il n'y aurait pas de vendanges cette année. Il ne put trouver le sommeil, se tourna et se retourna dans son lit, se demandant comment il pourrait payer ses fellahs et subvenir à ses besoins pendant une année. Le lendemain matin, debout avec l'aube, il ne put que constater la catastrophe : les feuilles des vignes avaient été hachées, de même que les raisins gros comme des petits pois. Hocine, près de lui, n'osait parler. Depuis l'arrivée de Mathieu dans la Mitidja, c'était la première fois que ces terres se montraient aussi inhospitalières. Pourtant Mathieu ne douta pas une seconde de son succès. Au contraire, sans savoir comment il les payerait, il commanda le jour même les ceps qu'il envisageait de planter en octobre.

De fait, dès le mois de septembre, au lieu de se consacrer aux vendanges, il conduisit ses fellahs dans les marécages pour leur montrer les limites et entreprendre les opérations de défonçage des hectares qu'il avait achetés. Il fallait labourer la terre en profondeur et creuser des canaux perpendiculaires les uns aux autres, de manière à irriguer convenablement chaque parcelle de terrain. Il était indispensable que les canaux fussent profonds pour absorber les crues de l'oued El-Harrach et conserver l'eau durant tout l'été, si possible. Ce n'était pas une mince affaire. Heureusement, Mathieu pouvait se servir de la charrue géante prêtée par Gonzalès, une sorte de monstre dont le soc était actionné par des treuils et arrachait les plantes vénéneuses, les racines des anciens palmiers nains, tout ce qui faisait obstacle à l'énorme lame d'acier tirée par des filins reliés aux treuils. La terre, ainsi charruée en profondeur, éventrée, déchirée, ameublie, devenait accueillante et propice à toutes les plantations.

Les opérations durèrent quinze jours, et, malgré les nombreuses pannes de la monstrueuse machine, Mathieu et ses fellahs réussirent à venir à bout de leur entreprise. Il s'agissait maintenant de planter les ceps qu'il venait de recevoir. Mathieu se mit au travail dès la fin du défonçage. Il avait foi dans ce pays, dans cette plaine immense écrasée de soleil, et rien ni personne ne parviendraient à le détourner de ses projets.

L'automne était toujours aussi beau à Puyloubiers. L'or des chênes et des érables répondait au vert sombre des sapinières. Le vent portait des senteurs de châtaigne et de bois coupé. De grands vols d'oiseaux traversaient le ciel dont l'éclat avait faibli : ce n'était plus le métal bleu de l'été, mais des roses et des jaunes plus tendres, que l'air tiède adoucissait davantage. Le haut pays n'avait pas basculé vers la saison froide : il s'y préparait seulement, creusant l'échine, jetant ses derniers feux, profitant des derniers beaux jours en poussant des soupirs lourds de regrets.

François recommençait juste à marcher. Il avait eu le temps de réfléchir à l'accident de la rivière qui l'avait immobilisé tout l'été. Il avait décidé de renoncer à la forêt. Aloïse avait raison : c'était trop dangereux. Non seulement la chute des arbres, mais le flottage également, au cours duquel, en juin dernier, il avait failli perdre la vie. Ils avaient décidé de vendre les coupes aux bûcherons, et, avec cet argent, d'acheter des parcelles de terre sur le plateau, si possible pas trop éloignées du Pradel. Cela ne l'empêcherait pas de couper du bois pour l'hiver dans les bordures, là où les arbres étaient plus petits et plus faciles à débiter. Il pourrait ainsi profiter des odeurs, des sensations, des gestes qu'il aimait sans nourrir trop de regrets. En ce qui concernait leurs projets, il devrait consacrer l'hiver aux ventes et aux achats des parcelles, à condition que sa jambe lui permette de se déplacer. Mais il boitait encore, et il avait du mal à ramasser les châtaignes, comme Aloïse, dont la grossesse arrivait à terme.

Les châtaignes étaient belles, cette année-là : grosses, luisantes et sans la moindre humidité. Charles, à un peu plus de deux ans, essayait d'aider ses parents, mais il se piquait souvent aux bogues et renonçait rapidement. C'était un enfant calme et silencieux, à l'image de sa mère, qui ne le quittait pas du regard, et, souvent, à la maison, le prenait sur ses genoux. Alors il restait là, souriant, étonné de la vivacité de son frère Edmond, qui, de retour de l'école, ne cessait d'aller et venir, de tout bousculer, de prétendre remplacer son père. François songeait parfois que ses fils étaient aussi différents qu'il l'avait été, lui, de Mathieu, et quelque chose d'infiniment précieux naissait en lui à cette idée, lui donnant la conviction de bien les connaître, de pouvoir les comprendre et mieux les aider.

Ils n'avaient pas fini de ramasser les châtaignes le jour où Aloïse ressentit les premières douleurs. Cette fois, sa mère n'était plus là pour l'assister. Restaient Maria, heureusement, et Rose, aussi, dont la fidélité, au cours des dernières années, ne s'était jamais démentie. On était le vendredi 13 octobre après-midi. L'or des chênes tournait au cuivre et au bronze. Il n'y avait nulle menace dans l'air couleur de cidre ni dans les échos sonores qui parcouraient le haut pays depuis le début de l'après-midi.

Quand les deux voisines eurent aidé Aloïse à se coucher, François repartit dans la châtaigneraie en emmenant Edmond et Charles. Il y travailla un moment avant d'entendre appeler au loin. Vite, il se précipita, croyant qu'Aloïse avait été délivrée, mais ce n'était pas le cas. Au contraire, Rose lui expliqua que l'enfant se présentait très mal et qu'il valait mieux prévenir le médecin de Saint-Vincent. François attela rapidement, fit monter ses deux fils sur la charrette et partit sans perdre une seconde.

S'il n'avait pas été inquiet pour Aloïse, François eût été heureux sur la petite route familière entre les arbres qui changeaient de couleur. C'était la saison qu'il préférait, celle qui, jadis, le ramenait vers l'école et lui faisait espérer des Noëls de neige.

Il mit seulement trois quarts d'heure pour arriver à Saint-Vincent. Le médecin ne s'y trouvait pas : il était parti en visite du côté de Monestier. C'est ce qu'expliqua sa femme à Mathieu, ajoutant qu'il le croiserait certainement sur la route s'il ne voulait pas l'attendre. François repartit, un peu inquiet du retard qu'il mettait à venir en aide à Aloïse. Il s'attendait à apercevoir la voiture du médecin à chaque tournant, mais il arriva à Monestier, une heure plus tard, sans avoir fait aucune rencontre. Il découvrit enfin le médecin dans la maison voisine de l'église où une femme se mourait. François crut discerner dans cette agonie un présage funeste et il eut peur, très peur, même, pour Aloïse. Aussi pressa-t-il le vieux médecin qui paraissait las, en remontant dans sa Citroën toute neuve, d'un jaune citron étonnant. Il partit devant François qui se sentit un peu rassuré. Dans moins de vingt minutes, Aloïse serait secourue.

Lui-même repartit plus lentement, dans la nuit qui tombait maintenant, projetant sur la route des ombres froides, tout autant parfumées qu'au milieu du jour. Il allait le plus vite possible, mais la jument était fatiguée, et la route montait vers un ciel brusquement privé de lumière, où s'élargissaient des plages violettes, couleur de prune trop mûre. Quand il arriva à Puyloubiers, Maria l'attendait devant la porte.

– L'enfant n'a pas vécu, lui dit-elle. C'était une fille.

– Et Aloïse ?

– Elle est sauvée.

Il confia Charles et Edmond à Maria, et elle les emmena chez elle. Puis il pénétra dans la chambre où le médecin était encore penché sur Aloïse. Elle

avait les yeux clos, respirait difficilement. A l'instant
où François s'approcha, comme si elle avait deviné
sa présence, elle ouvrit les yeux et murmura :

– Je n'ai pas pu.

Il lui prit la main, la serra. Le regard d'Aloïse
l'avait transpercé jusqu'aux os.

– Dors, dit-il. Repose-toi. Je suis là.

Elle battit des paupières, ne dit plus rien. François
passa alors dans la cuisine avec le médecin.

– Il s'en est fallu de peu que nous perdions la
mère et l'enfant, dit celui-ci. Le passage a été trop
long. C'était un siège. Elle a manqué d'oxygène. Si
vous voulez, je m'occupe de tout.

Il ajouta, avec un signe de tête :

– Je veux dire : de l'enfant.

– Oui, dit François, s'il vous plaît.

– Et Aloïse ?

– Je reviendrai demain matin, répondit le médecin. D'ici là, ça devrait aller.

Il partit, suivi par Rose, emportant dans ses bras
un petit corps recouvert d'un drap blanc. François
revint au chevet d'Aloïse, s'assit sur une chaise, veilla
près d'elle toute la nuit. Elle s'agita beaucoup dans
son sommeil, se plaignit, et il lui sembla, vers trois
heures, qu'elle délirait. Alors il lui épongea le front
et lui parla. Au matin, elle dormait paisiblement.
Lui, il était trop épuisé pour sentir la souffrance.

Maria et Rose revinrent vers huit heures, s'occu-
pèrent des enfants. François n'avait qu'une seule
idée en tête : agir vite, de façon qu'Aloïse ne voie
pas son enfant porté en terre. Il espérait que cela
resterait pour elle un mauvais rêve. Quand il revint,

elle ne lui posa pas de question, mais elle murmura une nouvelle fois :

– Je n'ai pas pu.

Comme il avait à faire, encore, il demanda à Rose de rester près d'Aloïse avec Charles et Edmond, sa seule crainte étant qu'elle ne reparte dans ces contrées lointaines où trop de douleur, une fois, l'avait entraînée. Il fit face, comme il avait toujours fait : avec courage. Le médecin se montra rassurant : les risques d'hémorragie étaient dissipés. A Charles et à Edmond, François expliqua ce qui s'était passé. Les deux enfants ne parurent pas trop choqués par la nouvelle, sans doute, songea François, parce qu'ils n'avaient pas vu le corps de leur petite sœur. Lui, il évitait d'y penser et ne se préoccupait plus que d'Aloïse.

Sitôt que toutes les formalités furent achevées, il ne quitta plus la chambre. Dès le matin, il s'asseyait près d'Aloïse, lui prenait la main, essayait de se montrer souriant. C'était la seule solution, il le savait. Il lui parlait de leurs projets, de Noël qui approchait, de Charles et d'Edmond qui étaient si pleins de vie. Parfois, elle souriait tristement, mais elle souriait.

Quand elle put se lever, enfin, après trois semaines de lit, la neige se mit à tomber. Aloïse ne parlait pas de ce qui s'était passé. Jamais. Elle s'empressait auprès de ses garçons, les serrait souvent contre elle, fermait les yeux, et François comprenait qu'elle puisait dans ces contacts les forces nécessaires à la vie de tous les jours. Il fit en sorte qu'à Noël tout se déroule comme d'habitude. Après la messe de minuit à Saint-Vincent, la joie des enfants devant les cadeaux placés dans les sabots fut précieuse à l'un comme à l'autre. Ainsi, une année nouvelle commença, toute de blanc vêtue. Ce jour-là, Aloïse aida ses deux fils à faire un bonhomme de neige et joua avec eux un moment. François, qui les regardait par la fenêtre, finit par les rejoindre. Aloïse riait sans se rendre compte que sur son visage très pâle, transi par le froid, deux larmes avaient gelé, formant deux gouttelettes de cristal si pur qu'il en était effrayant.

Le printemps revint, cependant, à Puyloubiers comme à Paris où Lucie, elle aussi, menait un combat difficile. Il avait commencé six mois auparavant, quand elle avait accepté l'offre de Mme de Boissière, à condition de trouver elle-même, au plus près de la rue de Tournon, une gardienne qui prendrait Elise en pension, l'emmènerait à l'école le matin et irait la chercher le soir.

– Elle serait mieux chez nous, vous savez, avait dit Mme de Boissière, déçue. Nous prendrions une gouvernante qui ne s'occuperait que d'elle.

Lucie avait senti se refermer le piège qu'elle redoutait et avait refusé. Elle était tombée d'accord avec une gardienne que devait payer, donc, Mme de Boissière. Cette femme habitait place de l'Odéon, ce qui permettait à Lucie de voir chaque jour Elise, à cinq heures, au retour de l'école.

En décembre, un soir, comme elle gagnait sa chambre sous les toits, elle entendit tousser dans la chambre voisine. Elle y prêta d'abord peu d'attention, mais cette toux qui ne cessait pas l'empêcha de s'endormir. Plus tard, elle entendit parler d'une voix monocorde, et il lui sembla même entendre gémir. Elle se leva, s'habilla, frappa à la porte voisine, mais nul ne lui répondit. Elle se recoucha et finit par s'endormir.

Le lendemain matin, cependant, elle entendit de nouveau tousser, puis, lui sembla-t-il, un bruit semblable à celui d'un corps qui tombe lourdement. Passant devant la porte pour descendre, elle ne put s'empêcher de frapper de nouveau, et, comme nul ne répondait, elle la poussa doucement et aperçut un homme allongé, la face contre le plancher.

– Monsieur, dit Lucie, ça ne va pas ?

L'homme ne répondit pas, et se mit à gémir. Elle entra dans la chambre, essaya de le soulever, mais il était lourd et elle dut s'y reprendre à plusieurs reprises avant de réussir à l'allonger sur son lit. C'était un homme jeune, blond, qui était brûlant de fièvre. Elle lui épongea le front avec le drap, puis elle tenta de lui parler, mais il ne répondit pas.

– Ne bougez pas, lui dit-elle, je vous promets de remonter dans une heure.

Elle ne sut s'il l'avait entendue, mais elle n'avait pas le temps de s'attarder car on devait l'attendre en bas. Quand elle se fut occupée du petit déjeuner de ses maîtres, avant de sortir faire les courses, elle remonta, portant une tasse de thé chaud dans lequel elle avait fait fondre du miel. L'homme n'avait pas bougé. Il gémissait toujours, prononçait des mots inintelligibles. Lucie le fit boire et il ouvrit les yeux un instant, paraissant très étonné de découvrir une jeune femme assise sur son lit. Puis il referma les yeux, toujours aussi brûlant de fièvre.

Elle remonta deux fois pendant la journée, un peu effrayée par l'état du jeune homme qui semblait s'aggraver. Elle le veilla une partie de la nuit, et, le lendemain, elle fit venir un médecin qui diagnostiqua une très forte grippe, donna des médicaments que Lucie acheta avec ses propres deniers. Il fallut trois jours et deux nuits avant que l'état du jeune homme s'améliore un peu. Le troisième soir, il ouvrit les yeux et demanda, d'une voix qui présentait un fort accent étranger :

– Qui êtes-vous ?

– Votre voisine, dit Lucie, je vous soigne depuis quatre jours. Vous avez été très malade.

– Merci, dit-il.

Il avait les yeux très bleus, des lèvres fines, des cheveux blonds, et il paraissait désargenté, car il n'y avait aucun manteau dans la pièce, seulement une veste et un cache-nez très usagés.

– Vous êtes belle, dit-il encore.

Lucie sourit, retira sa main de dessus le drap par un réflexe dont, aussitôt, elle eut honte. Depuis Norbert, aucun homme ne lui avait parlé de la sorte, et elle n'avait vécu que dans le souvenir du disparu. Pourtant, ce soir-là, dans cette chambre froide, il sembla à Lucie que sa jeunesse battait contre ses tempes et que quelque chose de très doux se réveillait en elle.

– Il faut dormir, dit-elle, et vous reposer.

Il sourit, et dit :

– Il ne faut pas me quitter. Je ne suis pas guéri.

321

– Dormez, dit Lucie. Je reviendrai.

Elle revint, comme elle l'avait promis. Surtout le soir, avant de se coucher. Il allait mieux maintenant, toussait moins et pouvait s'asseoir sur son lit. Il lui révéla qu'il s'appelait Jan Hessler. Il avait vingt-deux ans, était allemand, originaire de la Hesse du Nord, un pays de collines boisées et de forêts profondes où ses parents avaient une petite propriété. A force de sacrifices, ils avaient réussi à envoyer leur fils à l'école du village, puis au gymnasium de Maïerbeck, enfin à l'université de Francfort. Jan, qui avait échappé de justesse à la guerre, venait d'arriver à Paris pour étudier la littérature française, avant, espérait-il, de devenir professeur dans son pays. Il avoua qu'il n'avait guère de relations à Paris, où il vivait chichement, car il n'avait pu obtenir le poste de répétiteur qu'il avait espéré et le mark allemand, miné par l'inflation, n'avait plus aucune valeur.

Comme Lucie l'écoutait, étonnée, le jeune homme raconta comment il avait grandi dans l'atmosphère mystérieuse des contes et des légendes des frères Grimm, dont elle n'avait jamais entendu parler. Il lui raconta les exploits d'Hansel et Gretel égarés dans les forêts teutoniques de la Hesse et Lucie put répondre qu'elle aussi avait connu de grandes forêts dans son haut pays. Ce fut entre eux comme un territoire commun, une origine semblable, un partage inattendu. Elle fut touchée par le dénuement du jeune Allemand, aussi par sa manière de raconter des histoires, d'évoquer les lieux, les gens de chez lui, un monde qu'il sembla très vite à Lucie parfaitement connaître.

Le lendemain, Jan lui avoua que les Français refusaient tout contact avec un Allemand, la haine de l'ennemi héréditaire n'étant pas retombée. Lucie, troublée par les souvenirs de la guerre encore proche, les souffrances de François et la mutilation de Mathieu, se demanda s'il était bien raisonnable de nouer des relations avec ce jeune homme. Pourtant, elle constata qu'elle avait plaisir à le retrouver chaque soir. Par ailleurs, elle avait tellement d'ennuis avec les de Boissière qui ne cessaient de faire pression sur elle pour obtenir la garde d'Elise, qu'elle avait besoin d'un soutien à qui parler de ce problème. Aussi se confia-t-elle à Jan, qui l'encouragea à se battre et à garder sa fille.

Le soir de Noël, elle remonta très tard, car les Douvrandelle avaient décidé de réveillonner chez eux. Alors qu'elle ouvrait sa porte, Jan sortit de sa chambre et lui montra une bouteille de vin de Moselle. Elle le rejoignit, but plus que de raison, et ne protesta pas quand il essaya de l'embrasser. Elle était jeune encore, très belle et seulement plus âgée que lui de quatre ans. Quand les mains de Jan coururent sur sa peau, il lui sembla qu'elle attendait ce moment depuis trop longtemps. Ainsi trouva-t-elle l'épaule sur laquelle elle pourrait enfin s'appuyer.

Quelques jours plus tard, en allant place de l'Odéon, un dimanche matin, elle se rendit compte que Mme de Boissière invitait Elise chez elle régulièrement. Elle se fâcha auprès de la gardienne, et lui interdit de confier Elise à qui que ce soit sans sa permission. Le dimanche suivant, Mme de Boissière vint protester rue de Tournon, et, comme la conversation s'envenimait, elle finit par déclarer que cette gardienne était sale, qu'elle nourrissait mal Elise, laquelle parlait un langage qui n'était pas celui d'une fillette de son âge. En fin de compte, elle somma Lucie d'en choisir une autre, faute de quoi elle ferait valoir ses droits.

– Quels droits ? demanda Lucie, abasourdie. C'est ma fille, tout de même.

– C'est aussi la fille de mon fils, répliqua Mme de Boissière qui semblait avoir retrouvé l'autorité qu'elle manifestait dans son château, avant la guerre.

Elle ajouta, d'une voix qui dissimulait à peine une menace :

– Réfléchissez bien, ma petite, tant qu'il est encore temps. Ce ne sera pas toujours le cas.

Après son départ, Mme Douvrandelle tenta elle aussi de fléchir Lucie en lui expliquant que la solution la meilleure et la plus simple était de confier l'enfant à ses grands-parents, sinon...

– Sinon quoi ?

– Il y a des lois, en France, ma pauvre petite.

– Pour arracher une fille à sa mère ?

– Non, nous n'en sommes pas encore là. Ne comprenez-vous pas, à la fin, que ce serait tout bénéfice pour vous de confier votre enfant à des personnes capables de l'aimer et de l'élever comme il le faut ?

– Quand ils me l'auront prise, ils ne me la rendront plus.

– Que vous êtes sotte !

– Personne ne me prendra ma fille.

Mme Douvrandelle se fit menaçante, mais Lucie

ne céda pas. Elle se sentait forte. Le soir, la nuit, il y avait Jan qui savait si bien lui parler, la caresser, lui faire redécouvrir ce qu'elle avait appris dans les bras de Norbert. Elle n'était plus seule. Elle se sentait de taille à déplacer des montagnes.

12

QUAND le maître d'école libéra les enfants, ce soir-là, Edmond prit la main de Charles et l'entraîna sans tarder vers la place de l'église d'où partait la route de Puyloubiers. On était au printemps. La neige avait fondu et le mois de mai allumait sur les friches et les bois des îlots de verdure qui s'élargissaient de jour en jour. Les deux frères Barthélémy faisaient le trajet vers l'école chaque matin et chaque soir, comme l'avaient fait leur père et leur oncle Mathieu il y avait vingt ans de cela, vers l'école d'un autre village, curieux de toutes les rencontres, de tous les mystères des bois, des hasards de la route où ils s'attardaient plus que de raison.

Depuis quelque temps, ils avaient pris l'habitude de suivre les autres enfants de la laïque qui affrontaient régulièrement les élèves de l'école des sœurs. Les deux garçons avaient adopté les invectives habituelles entre les rouges et les blancs, les « sans-Dieu » et les « curés », malgré les recommandations de sagesse que leur prodiguait leur père, chaque soir. Ils ignoraient, bien sûr, qu'ils ne faisaient que reprendre à leur compte les querelles des adultes dressés les uns contre les autres par le Cartel des gauches au pouvoir depuis deux ans, lequel avait fait de la laïcité et du refus de poursuivre ses relations avec le Vatican l'un de ses chevaux de bataille. Comme tous les enfants, Edmond et Mathieu défendaient l'école dans laquelle les avaient placés leurs parents sans se poser de questions. Ils se souciaient seulement de trouver chaque jour de nouvelles invectives et de déjouer les pièges tendus par leurs ennemis.

Ce soir-là, ils suivirent les meneurs qui avaient décidé de monter un guet-apens contre ceux de l'école des sœurs en route vers leurs hameaux, leurs fermes isolées, où ils étaient attendus pour garder les moutons. Edmond lâcha la main de Charles en dépassant la dernière maison de Saint-Vincent, et les deux frères prirent le pas de course derrière leurs camarades, entre les érables, les sapins et les chênes opulents de la forêt. Ils portaient leur cartable sur le dos, étaient vêtus de tabliers noirs et ne marchaient plus en sabots mais avec des galoches qui résonnaient lourdement sur les pierres de la petite route où l'ombre du soir, déjà, commençait à gagner.

Ils arrivèrent près d'une vieille cabane coiffée de lauzes et à moitié écroulée où, l'hiver, ils avaient l'habitude de se réfugier quelques secondes à l'abri du vent. Ils ralentirent d'instinct l'allure, se faufilèrent à l'intérieur et attendirent « les blancs » qui sortaient toujours un peu après eux. Ils n'attendirent pas longtemps, ce soir-là, quelques minutes seulement. Soudain ils surgirent en poussant des cris

de guerre devant une demi-douzaine d'écoliers surpris, mais non résignés. Une bataille s'ensuivit,
durant laquelle Edmond se battit bec et ongles.
Charles, lui, qui n'avait que six ans, succomba vite
sous les coups. Cela dura quelques secondes, à peine
une minute, mais quand Edmond put enfin secourir
son frère, ce dernier avait son habit déchiré et il
saignait du nez.

– Tu ne vas pas pleurer, non ! fit Edmond.

– J'ai mal, répondit Charles en s'essuyant le nez.

– Il faut vraiment que je t'apprenne à te battre,
maugréa Edmond, sans quoi tu te feras toujours
rosser.

Il essaya de raccommoder le tablier de son frère,
mais il n'obtint qu'un piètre résultat.

– Allez, viens ! dit-il. On s'est mis en retard.

Leurs camarades étaient repartis, déjà, après
s'être félicités du succès de leur embuscade.

– Pourquoi faut-il se battre ? demanda Charles
d'une voix plaintive.

Et, comme Edmond ne répondait pas :

– Pourquoi nous on est rouges et eux ils sont
blancs ?

Edmond haussa les épaules, répondit :

– Qu'est-ce que tu vas chercher ? C'est comme ça,
et c'est tout. Il faut se défendre au lieu de gémir.

– Je ne gémis pas, dit Charles, s'arrêtant au milieu
de la route.

Son frère revint vers lui, soupira :

– Tu poses toujours des questions. C'est pénible
à la fin.

Edmond ne supportait ni les questions ni l'application que montrait son frère à l'école, alors que lui-même ne s'y intéressait pas, ou juste ce qu'il fallait pour ne pas se faire punir.

– Pourquoi y a-t-il deux écoles et non pas une ? renchérit Charles en exaspérant son frère.

Edmond le saisit rudement par le bras et l'entraîna derrière lui, se remettant à courir.

Il leur fallait presque une heure pour revenir à Puyloubiers, à condition de ne pas traîner en chemin. Les tentations, cependant, ne manquaient pas, de part et d'autre de la route, où ils retrouvaient d'instinct les gestes, les quêtes de tous les enfants libres et heureux. Mais ils savaient qu'avec les beaux jours leur mère les attendait pour leur confier le troupeau. Il ne fallait pas perdre de temps. Heureusement, le pacage n'était pas très éloigné de la maison : ils prenaient leur goûter sur la table de la cuisine et repartaient aussitôt, emportant les cartables où se trouvaient les leçons et les devoirs du jour.

Quand ils arrivèrent, ce soir-là, Aloïse remarqua que le tablier de Charles était déchiré.

– Donne-le-moi, que j'aie le temps de le raccommoder avant demain, dit-elle.

Puis, avec un soupir de résignation :

– Qu'est-ce qu'il s'est passé, encore ?

– Rien, dit Edmond. Il a fait ça à la récréation.

– Il faudrait faire un peu attention à tes affaires, dit Aloïse doucement, avant de s'éloigner.

Elle ajouta, en se retournant quelques mètres plus loin :

– Soyez rentrés à sept heures.

Et elle disparut derrière la châtaigneraie, dont les

bourgeons avaient éclos, rendant au paysage des alentours ses couleurs familières. Charles, aussitôt, ouvrit son cartable et prit son livre de lecture, tandis qu'Edmond s'éloignait vers les bois, le chien sur ses talons. Ils se trouvaient sur un maigre pacage où l'herbe était rare encore, parsemée de touffes de jonc et de bruyère. Il n'y avait pas là de quoi nourrir beaucoup de bêtes, mais, à partir de juillet, on pouvait les mener sur les communaux, c'est-à-dire dans des friches perdues entre des langues de forêt, sur la route de Monestier. C'était aussi la tâche des deux garçons, qui n'étaient pas fâchés d'échapper de la sorte aux durs travaux de la saison chaude.

Charles avait tout le temps de se passionner pour ses livres et ses cahiers, car Edmond s'occupait des bêtes sans lui. Le cadet n'allait à l'école que depuis Pâques, mais il savait lire déjà, sa mère lui ayant appris pendant les veillées de l'hiver. Aussi fouillait-il souvent dans le cartable de son frère pour y trouver d'autres livres que les siens – livres d'histoire, de géographie, de leçons de choses –, grâce auxquels il ne voyait pas le temps passer. Il ne relevait la tête qu'au moment où Edmond donnait le signal du départ, après avoir mesuré la course du soleil dans le ciel. Alors ils rentraient, poussant le petit troupeau devant eux, pressés de se mettre à table pour le repas du soir.

Ils n'avaient pas à attendre pour manger. Leur père était déjà assis après une longue journée de travail, et leur mère portait aussitôt la soupière sur la table. Ce soir-là, elle la posa un peu vivement en disant à Charles :

– Ton tablier est fichu. Il faut que nous en achetions un autre. Je me demande bien ce que tu peux faire pour saccager ainsi tes vêtements.

Edmond jeta à son frère un regard qui voulait lui interdire de parler. Mais Charles, qui souffrait beaucoup du moindre reproche de sa mère, murmura :

– Les grands ont monté un guet-apens à ceux de l'école des sœurs.

François Barthélémy releva la tête, demanda :

– Qu'est-ce que c'est que cette histoire ?

– On est bien obligés de suivre les copains, dit Edmond, trouvant le premier prétexte qui lui venait à l'esprit.

Leur père se tourna vers sa femme et soupira :

– On ne regardait pas tant la couleur des hommes dans les tranchées. Avec ceux qui font de la politique, c'est toujours comme ça : ils dressent les uns contre les autres pour pouvoir décider ce qu'ils veulent. Et voilà ce que ça donne !

Il soupira, reprit :

– Comme si les enfants n'étaient pas tous les mêmes !

– Faut croire que non, dit Edmond qu'un regard de son père fit taire aussitôt.

– Je ne comprends pas pourquoi nous on est rouges et les autres blancs, dit timidement Charles.

– C'est parce qu'il n'y a rien à comprendre, répondit son père qui ne se souvenait pas d'avoir rencontré ce genre de problème à l'époque où il allait à l'école avec Mathieu. Tu n'es pas plus rouge que blanc.

– Et pourquoi y a-t-il deux écoles ? ajouta Charles à voix plus basse encore.

– Parce que c'est comme ça.

Il y eut un instant de silence durant lequel Edmond jaugea l'état d'esprit de son père, puis il demanda :

– Nous, c'est l'école de la République, pas vrai ?

– Oui, dit François.

– Et l'autre alors, c'est l'école de qui ?

François sembla appeler sa femme à son secours, répondit comme à regret :

– C'en est une autre, c'est tout. Et d'ailleurs il faut bien qu'il y en ait plusieurs pour accueillir tous les enfants qui sont en âge d'y aller.

– Alors nous, on pourrait aller à l'autre ? insista Edmond.

– Non.

– Pourquoi ?

– Mange, Edmond, intervint Aloïse, et tais-toi.

Les garçons se turent et se perdirent dans leurs pensées. Aussi furent-ils étonnés d'entendre leur père dire à mi-voix, plus d'une minute après la fin de la conversation.

– Dans l'école où vous êtes, on ne paye pas. Tout le monde peut y aller.

Le silence, de nouveau, s'installa. Aloïse porta sur la table un ragoût de pommes de terre et François servit ses garçons. Quand il se fut servi lui-même et qu'il eut avalé une bouchée, il reprit d'une voix ferme :

– En tout cas, je ne veux pas que vous vous battiez contre les autres. Vous entendez ?

— Il ne faut pas se défendre, alors ?

— Se défendre, oui, mais je ne veux pas que vous les attaquiez comme vous l'avez fait aujourd'hui.

— Quelquefois, ce sont eux qui attaquent, dit Edmond.

— Défendez-vous, c'est tout. Mais que je n'entende plus parler d'un tablier déchiré, ou gare à vous !

Aloïse vint s'asseoir près de Charles et se mit à manger. Il lui jeta un coup d'œil et comprit qu'elle regrettait de lui avoir reproché l'état de son tablier. C'était elle qui, ainsi, avait amené la conversation sur un sujet que François n'aimait pas. Il ne comprenait pas, en effet, cette violence à laquelle les adultes, de par leurs idées, incitaient les enfants. Il y décelait la preuve de cet aveuglement, de cette absurdité des hommes qui l'avaient jeté dans la guerre, lui, pendant plus de quatre ans. Chaque fois, ses blessures se rouvraient, et le passé lui revenait brutalement à la mémoire, le rendant de mauvaise humeur pour plusieurs jours. Ce qu'il redoutait par-dessus tout, en fait, c'était que ses fils eussent à vivre ce qu'il avait vécu. Cela, il ne l'accepterait jamais.

Ainsi, ce soir-là, ce fut plus fort que lui : soudainement il se mit à parler de la guerre, de ce qu'il avait enduré dans le froid et la boue, de Tiburce, des hommes qui criaient, des chevaux éventrés, du fracas des fusants, des rats sur la peau. Il parla longtemps, très longtemps, peut-être plus d'une heure. Les enfants, médusés, l'écoutaient, comprenant qu'il se passait quelque chose de grave, dont ils se souviendraient. Aloïse s'était levée et n'avait pas regagné la table. Elle faisait semblant de travailler devant l'âtre, effaçait d'une main vive les larmes qui coulaient sur ses joues. François s'arrêta enfin, parut s'éveiller d'un mauvais songe.

– Vous avez compris ? demanda-t-il. Vous savez pourquoi, maintenant, je n'aime pas vous voir vous battre ?

Edmond hocha la tête. Charles, lui, la gardait baissée et mordillait ses lèvres. Tous deux avaient surtout compris qu'ils n'oublieraient jamais ce soir où ils avaient vraiment découvert leur père et entendu la voix à la fois douce et grave de la bonté et de la tolérance.

Durant ces quatre années qui avaient passé, Mathieu n'avait pas perdu de temps : toutes ses terres d'Ab Daïa étaient plantées de vignes et d'orangers. Si les vergers donnaient déjà, les vignes ne tarderaient guère. En attendant, il avait vécu des revenus issus des quinze hectares de Batistini qui avaient donné de belles récoltes. Ainsi, il avait pu rembourser une partie de ses dettes et faire vivre ceux qui dépendaient de lui, tout en assurant l'avenir.

Il n'avait pas encore trouvé de femme, malgré l'aide que Gonzalès avait tenté de lui apporter. Celui-ci avait une sœur qui vivait à Chebli, un village voisin du domaine, et elle n'était pas mariée. Mathieu avait accepté de la rencontrer, et elle était venue chez lui pendant une semaine. Mais il n'avait pu se faire à l'idée que Consolation – c'était le prénom de la jeune femme – pût rester ne serait-ce qu'un jour de plus dans sa maison, tant elle était envahissante et autoritaire. En quelques heures, elle avait réussi à chasser Nedjma et sa fille, à l'égard desquelles elle n'affichait que mépris et hostilité. Gonzalès n'avait pas apprécié le renvoi de sa plus jeune sœur. C'était un homme qui avait beaucoup de fierté, sinon d'orgueil. Il était issu d'une famille espagnole très pauvre qui avait fui la misère des paysans sans terres des grands domaines de l'Andalousie. S'ils avaient gagné l'Algérie, sa famille et lui, dans les années 1890, c'était pour tenter de vivre mieux et manger à leur faim. De fait, très vite, ils avaient affirmé une supériorité sur les fellahs réputés fainéants et fourbes, des hommes sur lesquels les colons prétendaient ne pas pouvoir compter.

C'était vrai que les Espagnols étaient courageux et travailleurs. Mais, pour Mathieu, cela ne les autorisait pas à mépriser les fellahs dont le dévouement était incontestable. Mathieu, qui avait vécu sous l'autorité d'un propriétaire, se mettait facilement à la place de ceux qui travaillaient la terre des autres, alors que Gonzalès ne le pouvait pas. Il avait gagné une place de régisseur à la force du poignet, et il comptait bien la conforter. Par ailleurs, les convictions religieuses de l'Espagnol, profondément catholique, ne l'inclinaient pas à accepter facilement la religion musulmane, dont la mémoire des siens gardait l'empreinte, depuis le temps où l'Espagne n'avait pas encore achevé sa reconquête sur les Arabes. Bref ! Gonzalès et sa famille réglaient des comptes dont Mathieu, lui, ne se préoccupait pas.

Ainsi était née une inimitié que freinait seulement, chez Gonzalès, la conviction que Mathieu avait encore l'oreille de Batistini, son patron. Mais les chausse-trapes ne manquaient pas, aujourd'hui, surtout en ce qui concernait l'utilisation du matériel ou des chevaux. Mathieu en avait pris son parti, et il avait presque renoncé à se marier quand il s'était un soir rendu compte que Leïla, la fille d'Hocine, ne disparaissait plus systématiquement quand il pénétrait dans une pièce. Cela l'avait étonné au début, et puis cette présence lui était devenue douce à l'heure où il rentrait, fourbu, d'une longue journée de travail sous un soleil de feu.

Il s'était demandé si la jeune fille, dont il ignorait l'âge pour ne jamais l'avoir vue sans son haïk, agissait ainsi en cachette de sa mère ou avec son assentiment. Bientôt, elle lui avait porté elle-même son repas du soir. « Est-ce que Hocine est au courant ? » se demandait Mathieu. Chaque matin, il dévisageait son homme de confiance, mais rien, dans le visage du Kabyle, ne venait jamais trahir la moindre de ses pensées.

Mathieu s'était dit qu'il se faisait des idées, qu'il était impossible d'envisager un mariage avec une jeune Kabyle. Pourtant il s'était rendu compte qu'elle n'était pas musulmane pratiquante, du moins pas plus que ses parents, comme souvent les Berbères par réaction contre la religion de leurs conquérants arabes. Hocine et sa famille avaient surtout gardé les coutumes païennes de leur origine et ne fréquentaient guère la mosquée. D'ailleurs, ils n'en avaient pas le temps, tellement ils travaillaient, de l'aube jusqu'à la tombée de la nuit, quelle que soit la saison.

Un soir, en lui portant le repas, Leïla avait enlevé son voile et Mathieu avait constaté qu'elle était blonde, avec des yeux gris-bleu, comme certaines femmes berbères dont il avait entendu parler. Elle baissa les yeux quand Mathieu leva les siens vers elle, mais il ne put douter qu'il y avait dans son attitude une invitation à plus d'intimité. Nedjma, la mère de Leïla, ne venait plus. Mathieu avait longtemps hésité avant de parler à Hocine, toujours aussi impénétrable, mais il avait fallu s'y résoudre, ne fût-ce que pour savoir s'il était au courant ou si ces approches avaient seulement été complotées par les deux femmes.

– Si tu veux la fille, tu peux la prendre, avait dit Hocine, mais faut le mariage.

– Bien sûr, avait répondu Mathieu.

– Faudra payer aussi, avait ajouté Hocine.

Mathieu, interloqué, n'avait pas répondu.

– C'est comme ça chez nous, avait repris Hocine. C'est la tradition, tu comprends ?·

– Oui, Hocine, je comprends, mais moi je ne veux pas acheter une femme.

– Tant pis.

Le Berbère avait tourné le dos et il était parti au travail comme si de rien n'était. Les choses avaient marché ainsi pendant plusieurs semaines, et Leïla avait continué de venir s'occuper de la maison et des repas de Mathieu. Un soir, elle s'était approchée d'elle-même, et elle avait dit d'une voix ferme, qui contrastait avec sa fragilité apparente :

– Moi, je veux.

– Quel âge as-tu Leïla ?

– Vingt-trois.

Mathieu en avait trente-deux. Cette union lui paraissait sacrilège, et en même temps il se sentait attiré par cette fille aux gestes silencieux, aux mains souples, qui lui apportait chaque soir le réconfort dont il avait besoin. Il avait donc parlé de nouveau avec Hocine, proposant :

– Je ferai ce que je pourrai, mais pas avant le mariage. Après seulement. Il faut que tu me fasses confiance.

– Je te fais confiance, avait dit Hocine.

– On n'ira pas à la mosquée, avait ajouté Mathieu. Uniquement à la mairie.

– Pas l'église non plus, avait répondu Hocine.

– C'est entendu.

Ainsi avait été décidé un mariage dont Mathieu, parfois, se demandait s'il n'allait pas l'entraîner dans des difficultés dont il ne mesurait pas l'importance. Les mariages entre les colons français et les indigènes étaient, en effet, extrêmement rares, sauf dans les villes où les populations arabes, françaises, berbères, turques, juives, espagnoles ou italiennes se mêlaient davantage et où les mœurs évoluaient plus vite que dans les profondeurs du pays. Mathieu s'était donc occupé des formalités, notamment à la mairie de Chebli, où il avait fait publier les bans.

Le lendemain, Gonzalès était arrivé à Ab Daïa, sous prétexte de venir récupérer une sulfateuse. Il s'était planté devant Mathieu au milieu de la cour, entre les cyprès frémissants, et lui avait lancé avec morgue :

– Alors, toi, tu préfères les Larbis à nous autres !

– Ne te mêle pas de ça, Gonzalès, avait répondu Mathieu.

– Tu le sais pas encore, comment ils sont, les Larbis, avait repris Gonzalès, très sombre, ses épais sourcils noirs cachant des yeux pleins de colère. Ils sont pas comme nous, les Larbis, Mathieu. Si tu leur tournes le dos, ils sortent le couteau. C'est ce qu'ils feront avec toi.

– Va-t'en, Gonzalès, avait dit Mathieu.

– Attends, attends, que je t'explique, avait repris Gonzalès. Les Larbis, tu vois, Mathieu, il faut pas être gentil avec eux. Pour eux, nous serons toujours des chiens de Roumis. Il n'y a qu'une chose qu'ils comprennent, c'est le fusil. Ils veulent pas qu'on soit là. Ils le voudront jamais. Et pourtant, avant l'arrivée des Français, c'était quoi ici ? Des marécages, des maladies, de la misère. Aujourd'hui, c'est des vignes et des orangers, et les Larbis, on leur donne à manger et on les soigne. Seulement, ça, malgré tout, il faudra toujours le défendre, parce qu'ils n'accepteront jamais la main dans laquelle ils mangent. Tu comprends, Mathieu ?

Gonzalès s'était tu un bref instant avant de reprendre son souffle, puis :

– A cause de gens comme toi, tu vois, Mathieu, un jour ils nous couperont en morceaux.

– Ils sont comme nous, avait répliqué Mathieu. Il y en a de bons et il y en a de mauvais.

— Tu en connais des bons, toi ? Tu as vu comment ils égorgent les moutons ?

— Ça suffit, Gonzalès, maintenant va-t'en ou alors c'est moi qui vais décrocher mon fusil.

— Attends, Mathieu, attends, je m'en vais, mais écoute une dernière chose. Tu vois, Mathieu, je t'aime bien, moi, et je te dois beaucoup, c'est pour ça que je te parle comme à mon frère : eh bien tu vois, Mathieu, un jour, Hocine, il te tuera.

— Fous le camp ! avait crié Mathieu, attirant au-dehors Nedjma et sa fille intriguées.

Gonzalès était parti furieux, haussant les épaules, grommelant des insultes. Cela faisait un mois. Et ce soir, dans l'odeur du mouton grillé, de l'encens, du sel jeté sur les braseros, Mathieu, assis près de Leïla vêtue d'une tunique de soie, se retrouvait seul avec les fellahs malgré les invitations qu'il avait lancées auprès des colons des alentours. Il n'en était pas malheureux, mais il comprenait qu'il avait choisi le chemin le plus difficile, celui de l'alliance avec un peuple qui pouvait le rejeter un jour. Il n'avait pas eu à se forcer. Pour lui, les hommes et les femmes de ce pays ressemblaient à leur terre, à ses mystères, à ses parfums d'orangers, à sa couleur de brique, à la beauté de ce ciel que la nuit tombante teintait de vert, d'or, de pourpre, dans la chaleur de l'été commençant. Les yeux clairs de Leïla, ourlés de khôl, lui promettaient d'atteindre dès cette nuit les charmes secrets d'un pays qui l'avait ébloui dès le premier jour, dans la baie d'Alger, et que, aussitôt, il avait fait sien.

Pour Lucie, les événements s'étaient précipités, depuis le jour où elle avait interdit à Mme de Boissière d'emmener Elise chez elle. Dès le lendemain, Mme Douvrandelle l'avait convoquée dans le salon bleu, et lui avait déclaré vertement :

– Ecoutez, ma petite, nous nous sommes toujours entendues, vous et moi, mais puisque ce n'est plus le cas aujourd'hui, il vous faudra songer à chercher une autre place.

– C'est d'accord, avait répondu Lucie, bien décidée à ne plus accepter la moindre concession.

Et elle était sortie du salon sans laisser le temps à sa maîtresse de la retenir. Dès lors, les difficultés avaient commencé, car Lucie ne pouvait pas produire de certificat pour trouver un nouvel emploi. Par ailleurs, la gardienne d'Elise lui avait appris que Mme de Boissière avait décidé de ne plus la payer.

– Je vous paierai, moi, avait promis Lucie, qui sentait se refermer sur elle un étau inquiétant.

Elle avait quitté sa chambre de bonne et habité avec Jan, mais, un soir, sans doute sur l'ordre de Mme de Boissière, la gardienne lui avait fait savoir qu'elle ne voulait plus d'Elise. Lucie en avait trouvé une autre, rue du Faubourg-Poissonnière, de l'autre côté de la Seine. C'était loin, à pied, depuis la rue de Tournon, et Lucie, qui cherchait toujours du travail, ne pouvait pas s'y rendre chaque jour. Heureusement, Jan l'aidait à faire face, mais ce n'était pas facile.

Les choses s'étaient vraiment envenimées le jour où un huissier lui avait porté une lettre de convocation devant un juge. Lucie s'y était rendue, intriguée, pour apprendre qu'elle était poursuivie pour mauvais traitements à enfant, et que la garde de sa fille lui était momentanément retirée. Le juge lui avait également indiqué que la plainte venait de Mme de Boissière, laquelle avait fait témoigner la gardienne d'Elise sur le fait que l'enfant était maltraitée par sa mère. Le juge considérait, en outre, que vivre en concubinage avec un homme sans emploi qui, de plus, était un Allemand, constituait une circonstance aggravante. Incontestablement, l'enfant était en danger. Aussi, comme M. et Mme de Boissière avaient pu prouver qu'ils étaient les grands-parents d'Elise, c'était à eux qu'il confiait provisoirement l'enfant, du moins jusqu'au jugement définitif qui devait intervenir avant la fin de l'année.

Comment résister à tant d'acharnement ? Lucie avait tenté de prendre un avocat qui pût efficacement la défendre, mais elle avait dû y renoncer, car elle ne pouvait pas le payer. Le jour du jugement, elle avait rassemblé ses forces, essayé de convaincre le juge de sa bonne foi pour garder sa fille, mais c'est à peine s'il l'avait écoutée. D'ailleurs, quelle défense aurait-elle pu avancer ? Elle n'avait pas de travail, elle ne pouvait plus payer de gardienne, elle n'avait même pas de toit à elle. Il avait fallu se résigner à perdre Elise, après avoir lutté tant de jours, tant de mois, pour ne pas l'abandonner.

Désespérée, à bout de forces, elle partit vers le seul refuge qu'elle connaissait : Puyloubiers, où elle espérait trouver du soutien auprès de François. Là, dès son arrivée, elle lui confia qu'elle avait une fille

prénommée Elise, et ce fut pour elle un soulagement. François ne lui posa pas de questions. Ce fut
d'elle-même qu'elle parla de Norbert de Boissière,
et qu'elle raconta tout ce qu'elle avait vécu depuis
son départ à Paris. La surprise passée, François ne
se sentit pas le droit de la juger, au contraire.

– Si tu récupères ta fille, tu peux nous l'amener,
dit-il : ici, elle sera à l'abri.

Elle avait tellement redouté cet instant que la
réaction de François la bouleversa. Elle le remercia
en versant les larmes qu'elle avait trop longtemps
retenues à Paris.

– Tu sais, ajouta-t-il, après tout ce que j'ai vécu, je
sais aujourd'hui ce qui est grave et ce qui ne l'est
pas. Alors, le fait que tu aies un enfant sans être
mariée m'importe peu. Ce qui m'importe, c'est de
ne plus jamais te voir malheureuse. Je ferai tout ce
que je peux pour cela.

C'était trop tard. Il aurait fallu trouver plus tôt la
force d'avouer à son frère qu'elle était une fille-
mère. Elle aurait pu cacher Elise à Puyloubiers et
personne ne la lui aurait prise. Aujourd'hui, ni François ni Aloïse ne pouvaient rien pour elle, sinon lui
témoigner leur affection. Ce qu'ils firent, avec beaucoup de douceur et de patience. Au bout d'une
semaine, réconfortée par cet accueil chaleureux
auquel elle ne s'attendait pas, elle se sentit assez
forte pour revenir à Paris. Là-bas, il y avait Jan, et il
lui manquait beaucoup.

Dès son retour, pourtant, le cauchemar recommença, car le fait de ne plus voir Elise lui était insupportable. Sans Jan, sans sa présence attentive, elle

aurait sombré corps et âme. Ils s'aidèrent l'un et l'autre à traverser les épreuves, jusqu'au jour où Jan, ayant terminé ses études, obtint un poste de professeur dans un gymnasium de Cologne et lui proposa de partir avec lui. Désemparée, sans travail et sans logement, sinon cette chambre sordide dont ils avaient beaucoup de mal à payer le loyer, Lucie accepta à condition qu'ils se marient avant le départ. A Puyloubiers, elle s'était rendu compte qu'elle aimait vraiment Jan et qu'elle ne pouvait pas se passer de lui.

Ils devinrent mari et femme dans la mairie du sixième arrondissement de Paris, place Saint-Sulpice, devant un officier d'état civil hostile et méprisant, et entre deux témoins : un compatriote de Jan et sa femme. Bien que protestant, Jan avait accepté de se marier à l'église selon le rite catholique, et Lucie avait décelé dans cette acceptation une preuve de plus de son attachement à elle. Puis ils s'apprêtèrent à partir, non sans que Lucie eût fait une dernière tentative pour revoir Elise. En vain, cependant : elle ne put pénétrer, même par l'office, dans l'appartement du boulevard des Capucines, car le personnel avait reçu des ordres pour en interdire l'accès. Tout était dit. Elle allait partir, donc, avec en elle la terrible impression d'avoir perdu sa fille à tout jamais.

Il semblait à Aloïse qu'elle revivait avec l'arrivée de l'été. L'hiver et ses froidures, au contraire, la renvoyaient vers celui de 1918-1919, où elle avait sombré dans un gouffre dont elle gardait un souvenir de frayeur mortelle, et dont elle avait eu beaucoup de difficultés à se délivrer. L'hiver avait été aussi l'époque de la mort de sa mère, et à cette occasion-là, également, elle avait eu peur de sombrer de nouveau. Mais cela n'était rien par rapport à la mort de sa fille, à laquelle elle pensait souvent sans jamais l'exprimer. Heureusement, il y avait François et ses enfants pour lui faire oublier ces douleurs que le temps, lui, ne parvenait pas à effacer.

Elle avait un penchant particulier pour Charles dont la fragilité lui rappelait la sienne, alors que, physiquement, il ressemblait plutôt à son père. Edmond, c'était l'inverse : il lui ressemblait, à elle, avec ses cheveux bruns et sa peau mate, mais c'était un enfant fort, qui ne doutait de rien et qui avait plaisir à travailler avec François. Souvent, Aloïse essayait d'imaginer sa fille qu'elle n'avait jamais vue, mais elle n'y parvenait pas et, au contraire, elle poursuivait dans ses rêves une enfant qui lui tournait le dos et s'enfuyait à son approche. Elle gardait de cet événement une sorte de culpabilité dont elle avait du mal à se défaire. Elle tentait de se raisonner en se persuadant que ses deux fils avaient besoin d'elle, et qu'elle devait se montrer souriante pour qu'ils vivent heureux.

C'était plus facile avec l'arrivée des beaux jours, les foins qui s'annonçaient beaux, les moissons également, mais aussi parce que ses garçons allaient quitter l'école et qu'elle les aurait donc près d'elle chaque jour. Quant à François, s'il gardait la nostalgie de la forêt, il n'en parlait pas. Il achetait chaque année une parcelle de plus, car la terre ne coûtait presque rien, à cause du manque de bras pour la travailler, la guerre et les voyages ayant donné aux hommes des envies d'ailleurs.

Le hameau lui-même se vidait. Camille était mort, miné par le chagrin d'avoir perdu son fils à la guerre, et Maria ne se portait pas très bien. Quant à Rose, elle s'occupait de ses enfants dont l'aîné, Raymond, allait bientôt quitter l'école pour remplacer son père et son grand-père disparus. Chez les Sauviat aussi, on manquait de bras, car il n'y avait plus que des femmes. Elles travaillaient comme elles le pouvaient, et François les aidait de son mieux. Marius Sauveplane était mort, son père également, depuis longtemps. Leurs terres étaient louées par François et Aloïse, mais la maison était fermée. C'était la première, à Puyloubiers, dont les volets demeuraient clos. Un monde nouveau était en marche, ailleurs, dans les villes, et celui des campagnes était entré dans le déclin.

Ni François ni Aloïse ne mesuraient ce déclin, car ils trouvaient toujours plus de terres à cultiver qu'ils ne le pouvaient. Ils travaillaient dur, de l'aube jusqu'à la nuit, et Aloïse, parfois, se sentait très lasse, comme ce matin de juin où, pourtant, le soleil embrasait les champs et les bois dans un pétillement de lumière qui lui réchauffait le cœur. Les enfants étaient partis pour l'école, qui allait se terminer, et François avait commencé à faucher. Il était dans la force de l'âge, ne sentait pas la fatigue, mais ses traits, depuis son retour de la guerre, avaient perdu cette innocence un peu rêveuse qui avait tant séduit Aloïse quand ils s'étaient rencontrés. Elle y pensait souvent, à cette rencontre, ce premier jour où il était entré dans la maison, et elle se demandait si elle n'avait pas changé elle aussi : chaque matin elle s'attardait un peu plus devant le miroir de la chambre, se rassurait. La seule chose qui avait vraiment changé en elle, c'était le regard : ses yeux paraissaient moins sombres, et avaient du mal à se fixer. On eût dit qu'ils avaient vu autre chose, quelque part, très loin, et qu'ils en gardaient une empreinte indélébile. Qu'était-ce donc ? Une part d'elle-même était-elle restée sur ces rivages où elle avait failli perdre la raison ? Aloïse avait peur, parfois, à ce souvenir. Elle faisait en sorte d'oublier ces pensées, trouvait dans le travail la délivrance, s'efforçait de ne montrer que du bonheur, surtout pour ses enfants qui avaient besoin de la voir souriante, enjouée, comme une mère se doit de l'être.

Depuis un certain temps, cependant, il y avait quelque chose de nouveau dans l'air, qu'elle mettait sur le compte du soleil revenu, des jours interminables que les nuits rafraîchissaient à peine, des foins blonds que coupait François, là-bas, d'un mouvement régulier et plein de noblesse. Non, ce n'était pas cela : c'était quelque chose de connu, de grave et de magnifique, qu'elle espérait et redoutait à la fois. Elle comprit de quoi il s'agissait à l'instant où elle se leva de la table sur laquelle elle déjeunait, après le départ de ses enfants et de François. Le monde se mit alors brusquement à tourner autour d'elle, et elle s'affaissa lentement, tendant inutilement les bras en avant pour se retenir.

Quand elle revint à elle, il lui sembla que tous les parfums, toutes les odeurs de la terre affluaient avec une netteté, une puissance qu'elle connaissait bien pour les avoir ressentis plusieurs fois. Elle comprit qu'elle attendait un enfant, que les soupçons nés en elle depuis quelques jours étaient fondés, et ce fut comme si, tout à coup, il lui était donné de guérir définitivement une blessure qui, jusqu'à ce jour, ne s'était pas refermée. Elle en fut submergée de bonheur, puis, l'instant d'après, de frayeur, en se demandant si elle serait capable de donner cette fois-ci le jour à son enfant, alors qu'elle n'avait pas pu y parvenir quatre ans auparavant. Mais aujourd'hui, une fois qu'elle se fut relevée, il y avait au-dehors une telle lumière, un tel brasillement de couleurs, une telle chaleur aussi, qu'Aloïse se sentit apaisée et aussitôt comblée. Elle apprivoisa tout le jour cette idée d'une vie nouvelle éclose en elle, n'en parla pas à François, car elle voulait en être vraiment sûre.

Elle choisit le moment, partit à sa rencontre deux jours plus tard en fin de matinée. Il achevait de faucher un pré en lisière de la forêt. Elle s'arrêta à l'ombre avant qu'il ne l'aperçoive pour l'observer : son chapeau relevé vers l'arrière ne cachait rien de ses cheveux châtains un peu trop longs, de son visage aigu, et son corps élancé, sans une once de graisse, se mouvait dans le soleil avec une agilité stupéfiante, si vivante qu'Aloïse, un instant, ferma les yeux pour s'imprégner de cette image menacée par les jours et le temps qui couleraient sur elle.

Elle l'appela et il se retourna, surpris. Son visage, crispé au début, s'éclaira quand il la vit sourire. Elle marcha vers lui lentement, à travers le foin coupé sur lequel giclaient des sauterelles vertes au ventre jaune.

– Qu'y a-t-il ? demanda-t-il, en esquissant un pas vers elle.

– Je crois que j'attends un enfant, fit-elle.

– Tu crois ou tu en es sûre ? dit-il après un instant de stupeur.

– J'en suis sûre.

Il eut alors les gestes qu'elle attendait, exactement. Il laissa tomber sa faux, la prit dans ses bras, la serra doucement, puis il l'invita à se laisser glisser dans le foin coupé que le soleil avait séché et qui avait toujours eu, pour elle comme pour lui, le parfum de l'éternité. Il s'était allongé sur le dos et l'avait prise contre son épaule, face au ciel bleu sans le moindre nuage.

– Ce sera une fille, dit-il.

– Je ne sais pas.

– Bien sûr que ce sera une fille.

– Tu crois que, cette fois, je pourrai...

Aloïse s'arrêta, n'osant exprimer sa peur.

– Oui, dit François, tout ira bien.

Et il ajouta :

– Regarde !

Allongés comme ils l'étaient, ils apercevaient le soleil qui jouait entre les branches hautes des sapins, par instants caché, par instants d'un blanc aveuglant, des rayons partant à droite et à gauche comme des flèches dont l'une, justement, courait jusqu'au pré, faisant fumer le foin près d'eux. Il n'y avait pas un seul bruit sur le plateau. Une lumière impériale cascadait depuis les hautes voûtes du ciel sur la forêt et sur la terre assoupie dans le milieu du jour.

– Ce sera une fille, reprit François d'une voix ferme, et nous l'appellerons Louise.

Aloïse ne répondit pas, mais elle songea qu'ils avaient choisi ce prénom quatre ans auparavant. Elle fut persuadée, à ce moment-là, que sa fille saurait aimer plus tard, comme aujourd'hui ses parents, la beauté de ce haut pays dans la gloire de l'été.

Lucie et Jan avaient donc pris le train un matin d'été avec leur maigre bagage, et, dès le milieu de l'après-midi, après beaucoup de tracasseries à la frontière, ils étaient entrés en Allemagne. Ce qui avait tout de suite agréablement surpris Lucie, c'était qu'ils croisaient de nombreux Français, des soldats en bleu horizon, et aussi des civils, la Rhénanie étant zone occupée depuis la mise en vigueur du traité de Versailles. Cologne, également, l'était – avec Coblence et Mayence, lui avait expliqué Jan, et pour une durée de quinze ans.

Ils avaient trouvé une chambre meublée dans la Hohe Strasse au cœur du vieux quartier, tout près de la cathédrale, en espérant déménager dans un véritable appartement, dès que Jan toucherait un salaire. En attendant la rentrée, ils avaient tous les deux fait la découverte de la grande métropole située sur la rive gauche du Rhin, où, depuis le vieux quartier, par le Hohenzollernbrücke, ils traversaient le Rhin, pour gagner l'autre rive d'où l'on avait une vue superbe sur la ville. Ils se promenaient le long du fleuve encombré de chalands et de péniches, et revenaient par le Deutzerbrücke en visitant les innombrables églises, dont la plus belle, la Gross Saint-Martin, évoquait une forteresse. Dans les ruelles pavées, entre les maisons à colombages, ils flânaient jusqu'à la nuit en faisant quelques achats pour manger : des pommes de terre et quelquefois des saucisses puisqu'il semblait à Lucie que c'était la nourriture favorite des Allemands.

Décidément non, Lucie ne se sentait pas vraiment en pays étranger. A chaque carrefour, en effet, on trouvait des panneaux écrits en français, qui indiquaient la direction des casernes ou des bâtiments d'administration militaire : caserne Hoche, caserne Murat, grand quartier général, etc. Dans les rues, on parlait une sorte de dialecte d'allemand francisé issu d'occupations antérieures, notamment celle des troupes de Napoléon, et parfois on jouait de la musique militaire française dans le kiosque à musique, tandis que les Allemands écoutaient poliment. Jan souffrait de cette occupation étrangère, et il ne s'en cachait pas auprès de Lucie. Elle le comprenait, certes, mais cette présence française en ces lieux d'exil l'aidait à supporter l'éloignement de son pays, de Paris, de sa fille, aussi des terres montagneuses où elle était née. Elle se demandait parfois si, sans cela, elle se serait habituée, mais elle préférait ne pas s'appesantir sur cette idée.

En septembre, ils étaient partis pour la Hesse, où vivaient les parents de Jan qu'il n'avait pas revus

depuis deux ans. Ils étaient arrivés un soir à Kön-
berg : un village blotti dans un creux entre deux
forêts très sombres, quelques champs, des maisons
massives aux toits rouges, une église au clocher en
forme de bulbe, comme on en voyait beaucoup dans
cette région de collines boisées. Les parents de Jan
étaient pauvres, froids, sévères, de confession luthérienne, et ils n'avaient qu'un fils, qu'ils adoraient.
Ils ne montrèrent rien de leur déception en découvrant qu'il était marié à une Française, et, quand les
deux époux repartirent, ils leur donnèrent un sac
entier de provisions : pommes de terre, farine, saucisses fumées. La mère de Jan, qui se prénommait
Martha, glissa même quelques billets dans la poche
de son fils sans qu'il s'en aperçoive.

De retour à Cologne, les provisions leur permi-
rent d'attendre la première paye de Jan et, grâce à
l'argent, ils purent faire un voyage de noces sur le
Rhin. En effet, avec la paix retrouvée, on avait remis
en circulation les bateaux à aubes entre Cologne et
Mayence. C'était un automne de cuivre et d'or sur
les rives boisées entre lesquelles le grand fleuve se
frayait difficilement un passage. Jan et Lucie étaient
assis à l'arrière, et il lui expliquait le charme et la
beauté de la trouée héroïque du Vater Rhin – le
père nourricier, comme le nommaient les Rhénans.
Devant le rocher de la Loreleï, Jan récita les vers de
Heinrich Heine que tous les écoliers apprenaient à
l'école :

> *Ich weiss nicht, was soll es bedeuten*
> *Dass ich so traurig bin*

Les Noëls blancs

Ein Märchen aus alten Zeiten
Das kommt mir nicht aus dem Sinn.

– Ecoute, je traduis, dit Jan à l'oreille de Lucie :

Je ne sais pas ce que cela signifie
Que je sois si mélancolique
Un conte des temps anciens
Ne quitte pas mon esprit.

Et Jan raconta la légende de la Loreleï, la vierge aux cheveux blonds qui charmait si bien les bateliers qu'ils s'échouaient contre les rochers et coulaient corps et biens. Il parla beaucoup, Jan, durant ce voyage qui les mena jusqu'à Mayence, car il souhaitait vraiment faire aimer son pays à Lucie. Elle découvrait un monde dont elle ne soupçonnait pas la beauté, ayant longtemps entendu parler de l'Allemagne comme d'un pays peuplé d'êtres frustes et féroces, à l'aspect désolant. Ils remontèrent vers Cologne par la route, le long des coteaux couverts de vignobles, s'arrêtèrent à plusieurs reprises dans des villages aux tuiles d'un rouge orangé où ils savourèrent le vin blanc des vignes en terrasses.

A Cologne, dès que Jan toucha son premier salaire, leur vie changea favorablement. Depuis 1924, la république de Weimar s'était déclarée en banqueroute et avait créé un nouveau mark respecté de tous. Ainsi, l'inflation avait été stoppée et la vie était devenue plus aisée. Lucie apprenait à vivre comme les gens de Cologne et s'efforçait de ne pas trop penser à sa fille. Elle se disait que c'était une question de temps : un jour, Elise chercherait à la retrouver et personne ne pourrait l'en empêcher. En attendant, elle devait vivre du mieux possible, profiter des jours qui coulaient lentement comme les eaux du Rhin dont elle apercevait l'éclat métallique et froid à travers sa fenêtre.

L'automne était là, flamboyant et superbe, traversé d'éclairs fauves et d'odeurs moites, épaisses comme des soupes. François Barthélémy ne s'en apercevait pas, tant il était préoccupé. Pourtant les foins avaient été beaux, les moissons également, et il était certain qu'il y aurait des châtaignes plus que d'habitude. Aloïse, elle, avait enfin retrouvé le sourire des jours qui avaient précédé la guerre. Leurs deux garçons grandissaient sans problèmes, et bientôt un autre enfant, une fille, François en était sûr, viendrait agrandir la famille. Quant à l'ouvrage, il ne manquait pas. Au lieu de fatiguer François, le fait de ne pas manquer de terres à travailler semblait lui donner des forces.

Ce matin-là, cependant, en allant nettoyer la châtaigneraie, il avait croisé sur la route l'héritier des Sauveplane, qui lui avait appris qu'il était obligé de mettre en vente les terres que jusqu'à présent il lui louait. L'homme avait dit à François qu'il le prévenait le premier comme il était d'usage, mais qu'il devrait se décider très vite. Dix hectares de bonnes terres où François faisait pousser du seigle, des pommes de terre et du blé noir, de surcroît très proches de la maison, pouvaient lui échapper dès la fin de l'année. Certes, il en trouverait d'autres, mais beaucoup plus éloignées, et elles ne seraient pas aussi fertiles, car celles-ci étaient exposées au sud-ouest, c'est-à-dire au soleil et à la pluie, à l'abri du vent du nord.

Il fallait donc acheter. Mais avec quoi ? Ils n'avaient jamais eu d'argent de côté, sinon pour faire face à une mauvaise année. Et c'était déjà un progrès que François appréciait à sa juste mesure. Son père, lui, au Pradel, était toujours demeuré sous la menace de la famine après une année de mauvaise récolte. De quoi se serait-on plaint, ici, à Puyloubiers ? Et que risquait-on, quand on avait ses deux bras pour travailler, et de la force, encore ?

A midi, François expliqua à Aloïse ce qu'il s'était passé et lui dit :

– J'ai bien réfléchi : nous allons emprunter.

– Emprunter ? fit-elle. Tu n'y penses pas !

– Si, répondit-il, c'est la seule solution. Ces terres sont très bonnes et proches de la maison. Et puis il faut penser aux enfants. Je crois qu'Edmond voudra rester ici, après le certificat. Il faut s'agrandir, ne pas hésiter à emprunter de l'argent tant qu'on est jeunes, qu'on peut travailler.

– Et si on ne peut pas rembourser ?

– Eh bien, nous revendrons les terres.

Aloïse demeurait préoccupée, effrayée même, par ce projet qui lui semblait mettre en péril la vie qu'ils menaient. François le comprit, et il ajouta à voix basse :

– C'était le rêve de mon père : être chez lui un jour. Aujourd'hui je le suis, mais c'est grâce à toi, tu comprends. Moi, je voudrais le devoir à mon travail, apporter ma pierre à l'édifice.

Comme elle ne répondait pas, il reprit :

– Je me souviens du jour où mon père m'a emmené à Ferrière, quand j'ai été placé à l'âge de douze ans. Juste avant d'arriver, il ma dit : « Il ne faut pas m'en vouloir. La vie est comme ça pour nous, mais elle ne le sera peut-être pas pour toi et tes enfants. Moi, je n'ai pas pu faire autrement, toi, tu réussiras. »

Aloïse, assise sur le banc, en face de François, l'observait intensément.

– Je ne veux pas que mes enfants aillent un jour travailler chez les autres, reprit-il.

– Oui, dit-elle, je comprends.

– Je veux que toutes ces épreuves que j'ai vécues, toute cette peine qu'on a prise, tous les deux, à travailler depuis des années, leur servent, à eux.

– Oui, dit Aloïse, tu as raison.

Il garda le silence un instant, décida :

– Demain j'irai à Ussel. On m'a dit que s'y était ouvert un crédit agricole. Je sais que c'est le moment d'acheter : depuis 1910, la valeur de la terre a diminué de moitié. Les jeunes s'en vont vers les villes, les propriétaires ne trouvent plus de fermiers ou de métayers, il y a des parcelles incultes partout. Si Sauveplane demande trop cher, tant pis, on en achètera d'autres, mais je suis sûr que c'est le moment.

– Fais comme tu veux, François, dit Aloïse.

– Il faudra peut-être donner ce que nous possédons en garantie : la maison et nos parcelles propres.

– C'est entendu.

Ils n'en reparlèrent plus, mais François réfléchit encore quelques jours. Enfin, comme il ne pouvait plus reculer, que le délai accordé par l'héritier des Sauveplane expirait, il se rendit à Saint-Vincent où vivait le propriétaire et il discuta tout un après-midi avec lui avant de se mettre d'accord, non seulement pour les dix hectares, mais aussi pour deux friches que François comptait transformer en pacages. Restait à trouver cet argent qu'il n'avait jamais possédé, et ce ne fut pas sans appréhension qu'il se rendit à Ussel, pour y rencontrer le responsable local de l'Office national du crédit agricole qui avait été créé par l'Etat en 1920. L'homme le reçut aimablement mais voulut voir les biens dont il était question et ils prirent date pour se retrouver sur les lieux. Il s'appelait M. Sédières, montrait une cinquantaine avantageuse et vaguement protectrice, qui déplaisait à François. Pourtant, comment faire autrement que d'accepter de le recevoir à Puyloubiers ? Il lui fit donc visiter les parcelles qu'ils possédaient, et la maison, puisqu'il fallait fournir des garanties importantes. Quand ce fut fait, il demanda à François de revenir le voir dans quinze jours et il s'en alla, sans que transparaisse le moindre indice sur ce que serait sa décision.

Aloïse, comme François, n'avait pas conçu de cette visite une bonne impression. De fait, l'annuité que représentait l'emprunt était plus importante que ce qu'ils avaient imaginé. Certes, ils n'auraient plus de loyer à payer, mais il faudrait quand même donner mille cinq cents francs par an, pendant vingt ans. Or, ils n'avaient jamais eu d'argent en espèces, puisqu'ils vivaient, comme tous ceux des campagnes, en économie fermée : du seigle pour le pain, du blé noir pour les crêpes, des châtaignes, des pommes de terre, des volailles, un cochon, un agneau. Ils échangeaient le beurre baratté par Aloïse contre des produits d'épicerie à Saint-Vincent. Le seul argent disponible provenait des moutons. Comment rembourser un emprunt, dans ces conditions ?

François hésita encore quelques jours, puis il décida qu'il ferait de l'élevage bovin sur une partie des terres cultivables, car les veaux se vendaient mieux et plus cher que les agneaux. Ainsi, il pourrait sans doute rembourser l'annuité avec les revenus qu'il en tirerait. Il comptait bien, également, employer sur les autres parcelles ces engrais azotés qui commençaient à apparaître et dont on disait le plus grand bien. Enfin, un soir, quand il parla de l'avenir avec ses enfants, Edmond fut catégorique : il ne songeait qu'à une chose : quitter l'école et travailler sur la propriété. Après une dernière discussion avec Aloïse qui, cette fois, se montra tout à fait favorable à ce projet, il donna son accord à M. Sédières, et rendit visite au notaire afin qu'il prépare les actes.

Cela prit du temps encore, si bien qu'ils ne devinrent vraiment propriétaires que lorsque la neige fut là. Ils possédaient désormais quinze hectares de terres, bois, pacages et friches, une grange-étable et une maison. François ne put s'empêcher d'écrire à Mathieu pour lui annoncer cette nouvelle, un Mathieu dont il recevait périodiquement du courrier, à l'inverse de Lucie, qui n'en donnait plus.

Le froid s'installa, et François se demandait s'ils pourraient se déplacer à l'étude pour signer l'acte. Cependant, comme l'héritier des Sauveplane était souffrant, ce fut le notaire qui vint jusqu'à Saint-Vincent quelques jours avant Noël. François s'y rendit avec Aloïse en charrette, et ils traversèrent l'univers blanc des bois et des collines en se rappelant leur premier Noël à Saint-Vincent, dans le grand silence de ce monde pétrifié sur lequel, aujourd'hui, le soleil revenu aiguisait des rayons aveuglants.

Ils signèrent enfin l'acte notarié, non sans une certaine appréhension. Quand ce fut fait, pourtant, ils se sentirent soulagés. Ils rentrèrent pour préparer ce Noël dont ils devaient se souvenir toute leur vie. Sur le buffet, une copie de l'acte notarié semblait illuminer la pièce autant que la lumière de l'âtre. François se dit, en entendant rire ses enfants, qu'il avait réussi à recréer ailleurs le Pradel, et, en fermant les yeux, il lui sembla entendre le chant de sa mère assise à table. C'était Aloïse qui chantait, pour la première fois depuis plus de dix ans.

13

Trop pris qu'il était par ses occupations, Mathieu n'était pas revenu à Alger depuis longtemps. Il avait fallu cette invitation de Batistini à assister aux fêtes anniversaires de l'expédition française de 1830, pour que Mathieu accepte de quitter Ab Daïa, non sans hésiter à emmener Leïla, qui n'avait jamais connu autre chose que la Mitidja. Il y avait finalement renoncé, ne sachant pas s'il pourrait la faire entrer avec lui dans la tribune réservée aux personnalités, lors du défilé, tribune à laquelle il aurait accès grâce à une invitation nominative.

On était le 4 mai 1930. Cela faisait exactement cent ans que Charles X avait lancé l'expédition d'Alger pour venger le coup d'éventail donné au consul français par le dey Hussein irrité par le gouvernement de la France qui tardait à rembourser une dette datant de la Révolution. Un coup d'éventail – un geste d'impatience, plutôt – avait suffi à lancer contre les Turcs une flotte commandée par le général de Bourmont et l'amiral Duperré, qui avaient débarqué à Sidi-Ferruch et s'étaient emparés d'Alger au début de l'été. A partir de là, Bugeaud et son armée d'Afrique avaient progressivement conquis le territoire aux dépens d'Abd el-Kader, lequel s'était rendu aux Français, se jugeant abandonné de Dieu, en 1847. Restaient encore insoumis les massifs kabyles, dont la conquête fut achevée en 1857, après la pacification de l'Oranais et du Constantinois.

Une colonisation militaire doublée d'une colonisation civile s'en était suivie. On avait voulu faire de l'Algérie un simple prolongement de la France, et les autorités militaires avaient pour objectifs d'assimiler les musulmans et de favoriser l'achat de millions d'hectares par les colons. A partir de 1896, le nombre des Européens nés en Algérie était devenu supérieur à celui des immigrés : ce peuple nouveau s'appelait lui-même algérien. C'était ce peuple-là, qui, plus que les indigènes, occupés à leurs menus travaux et vaguement dédaigneux, fêtait en grande pompe l'anniversaire de l'expédition de 1830 : coups de canons, fanfares, défilé de spahis, escadrilles navales et discours officiels.

Mathieu était descendu de bonne heure sur le port aux odeurs de goudron, d'épices, de futaille et de crottin de cheval, pour voir accoster la vedette qui transportait le président Gaston Doumergue depuis le croiseur au mouillage. Mais il avait pu à peine l'apercevoir tant il y avait de monde rassemblé sur les quais. Alors il s'était rendu directement à l'hippodrome, à proximité des plages, où devait avoir lieu le défilé de vingt mille hommes de l'armée d'Afrique. Il était là depuis la veille au soir, et il avait eu le temps de s'imprégner des parfums, des bruits, des mystères de cette ville unique, très secrète, très mystérieuse, dont les cubes blancs de la Casbah avaient été rebadigeonnés pour les fêtes, et il avait passé la nuit dans un modeste hôtel de la place du Gouvernement où trônait la statue équestre du duc d'Orléans.

Comme le défilé officiel ne commençait pas avant l'après-midi, Mathieu avait déjeuné dans un petit restaurant du quartier de la Pêcherie, puis il avait accepté les services d'un yaouled cireur de chaussures, avant de gagner les pistes à l'extrémité desquelles se préparait le défilé officiel. Là, son sésame lui avait donné accès au pesage, à l'ombre des eucalyptus, pas très loin de la tribune où l'on attendait le président Doumergue mais où, déjà, des caïds en turban avaient pris place, très fiers de ce privilège.

Des voitures étaient arrivées, déposant les ministres, les militaires parmi lesquels Mathieu avait reconnu Batistini ; le gouverneur, et le président Doumergue, donc, tête nue, son visage rond et souriant luisant de sueur. Le défilé avait enfin débuté les régiments passant lentement au son des cuivres, des fifres, des tambours arabes, parmi lesquels les chasseurs en capote bleue et pantalon rouge dont Mathieu avait porté l'uniforme. C'était un véritable vacarme de cliques mêlées, dont les musiques s'annulaient ou s'ajoutaient selon les bouffées de vent chaud venues de la mer. Les officiers mettaient sabre au clair, tournaient orgueilleusement la tête vers la tribune, tandis que les soldats frappaient la terre de leurs pieds en cadence, rouges, ahanant sous la chaleur, pressés d'arriver au bout de la piste pour se désaltérer.

Cela dura longtemps, trop longtemps pour Mathieu qui se souvenait des parades organisées devant les habitants des villages, le dimanche, pendant la guerre, alors que les soldats étaient épuisés. Il se revit là-bas, en France, pendant ces années terribles, et il quitta sa place pour remonter vers la ville qui dormait sous le ciel d'un bleu très clair, poursuivi par les musiques des cuivres et des tambours.

Parvenu sur la place du Gouvernement où patrouillait un escadron de spahis, il prit la rue du Divan qui menait vers la Casbah où le silence, après le vacarme d'en bas, était surprenant. Cela lui fit du bien. Il s'assit à une terrasse où il but du thé à la menthe, puis il redescendit vers la rue Michelet où Batistini lui avait donné rendez-vous. La porte à tambour de l'hôtel le mit mal à l'aise, de même que l'escalier de pierre qui partait d'un hall où trônaient d'énormes fauteuils de cuir couleur de cigare. Il s'assit, commanda une anisette et attendit, examinant autour de lui les notables algérois, les officiers, toute une population que Mathieu n'était pas habitué à côtoyer.

Batistini apparut vers sept heures. Il aperçut tout de suite Mathieu, s'en approcha, le remercia d'être venu depuis la Mitidja.

– Demain tu m'emmèneras : je veux voir de mes yeux ce que tu as fait, là-bas, dit-il avec empressement.

Mathieu accepta avec plaisir. Il ne put pas ne pas remarquer combien le colonel avait vieilli, et com-

bien son visage, naturellement buriné, s'était fripé.
En outre, Batistini avait beaucoup maigri, et il avait
semblé à Mathieu, en le regardant venir vers lui,
qu'il boitait légèrement.

— J'étais invité à l'opéra, à la soirée officielle. Barthélémy, tu me vois, moi, à l'opéra ? Il ne me tarde
que d'une chose, c'est de revenir à El Salah. Je ne
te l'ai pas dit, encore, mais c'est pour bientôt. La
retraite dans trois mois, Barthélémy. Je m'installe
là-bas.

Et, sans laisser le temps à Mathieu de répondre :

— Tu sais bien que comme toi, ce pays, je l'ai dans
la peau.

— Oui, dit Mathieu.

— Alors voilà ce que je voudrais : que tu viennes
me chercher demain à la première heure et que tu
m'emmènes à El Salah. Nous aurons le temps de
parler.

— C'est entendu, mon colonel.

Des militaires vinrent sans façons s'asseoir à leur
table et Mathieu préféra s'en aller.

— Tu t'en vas ? fit Batistini. Comme tu veux.
A demain, donc ! Et n'oublie pas.

— Je n'oublierai pas, fit Mathieu en saluant.

Dans la nuit tombante qui laissait enfin couler un
peu de fraîcheur dans les rues, il revint vers la place
du Gouvernement. Des chants patriotiques s'échappaient par les fenêtres ouvertes. Des ombres han-
taient les rues : des soldats ivres, des travailleurs qui
reprenaient la direction des quartiers populaires
d'où montait une rumeur sourde, portée par le vent
de la mer. Mathieu ne put se résoudre à aller se

coucher. Il se dirigea vers le palais d'été et s'assit en contrebas, dans les senteurs épaisses des jardins tropicaux pour, de là, contempler la mer, tout en bas, dont les reflets sous la lune trouaient la nuit comme des éclairs. Il sentait ce pays, il comprenait cette ville comme s'ils eussent été siens depuis toujours. Il pensa vaguement au Pradel, à ses Noëls de neige, et il lui sembla qu'ils étaient loin, très loin. Ici, c'était tellement différent : chaleur, lumière, parfums, soleil, terres plates à perte de vue. Avait-il donc tellement souffert, là-bas, pour partir si loin et adopter cette terre d'Afrique comme s'il y était né ? Oui, bien sûr, surtout pendant le dernier hiver avec sa mère, seul dans la maison, sans argent, seulement des châtaignes à manger et du bois pour se chauffer. Aujourd'hui il possédait trente hectares, et il était heureux, cette nuit, à écouter la ville blanche, familière et accueillante, maintenant, qui ne parvenait pas à s'endormir.

Il rentra lentement vers une heure, flânant dans la rue d'Isly, s'arrêtant un moment devant la statue de Bugeaud, puis il alla se coucher. Il s'endormit aussitôt, se réveilla comme il en avait l'habitude, chaque matin, à cinq heures. A six heures, il se trouvait dans la rue Michelet, devant l'hôtel, dans le cabriolet qu'il avait acheté à l'occasion de ce voyage. Comme Batistini ne se montrait pas, il entra dans le hall, et demanda à un soldat en uniforme s'il avait vu le colonel Batistini.

Celui-ci fit un signe à deux officiers qui s'approchèrent. L'un d'eux, un lieutenant aux yeux très clairs, à la fine moustache, lui demanda ce qu'il voulait au colonel.

– Nous avons rendez-vous. Je dois le conduire dans son domaine d'El Salah, dans la Mitidja.

– Comment vous appelez-vous ?

– Mathieu Barthélémy.

Et comme les questions se succédaient, de plus en plus précises et insistantes :

– Mais enfin, vous allez me dire ce qui se passe ?

Le lieutenant le jaugea une dernière fois du regard, puis il répondit à voix basse, comme s'il devait n'être entendu de personne d'autre :

– Le colonel a été tué, cette nuit, dans la rue Bab Azoun, de dix coups de poignard. Vous voudrez bien rester ici et vous tenir à la disposition des autorités militaires.

Louise avait déjà deux ans en ce printemps 1930, et Aloïse n'en finissait pas de s'émerveiller de la présence de cette enfant qu'elle avait tellement désirée. Malgré ses appréhensions, tout s'était bien déroulé lors de son accouchement, en mars 1928, et elle avait donc oublié le malheur du précédent, pour ne plus penser qu'à sa fille, à ses deux fils dont l'existence illuminait la sienne, chaque jour qui passait. Edmond avait quatorze ans et il allait quitter l'école, pour travailler, comme il le souhaitait, avec son père. Aloïse s'en félicitait, car elle craignait que François ne vieillisse prématurément, à cause de tout le travail auquel il devait faire face.

Charles, lui, était maintenant âgé de dix ans. Il

travaillait tellement bien à l'école que le maître, M. Dumond, lui avait fait sauter une classe au début de l'année scolaire. Il était même venu s'entretenir du cas de Charles à Puyloubiers, auprès d'Aloïse et de François, pour leur faire apparaître à quel point il serait dommage que leur fils ne puisse entreprendre des études supérieures. François, ce jour-là, s'était revu au Pradel, quand le maître d'école était venu rendre visite à ses propres parents. Il n'avait rien oublié de la cruelle déception qui avait suivi, le jour où il avait appris, de la bouche de sa mère, qu'il devait être placé, qu'il n'irait jamais plus à l'école. Il ne voulait surtout pas qu'il en soit de même pour son fils. Charles devait accomplir ce qu'il n'avait pu accomplir, lui, François. Ce serait là, il le savait, l'une des plus belles satisfactions de sa vie.

Pourtant, une fois la décision prise, les problèmes étaient rapidement apparus. Les annuités d'emprunt qu'ils avaient à payer en fin d'année monopolisaient tout l'argent disponible. Pour pouvoir mettre Charles en pension au lycée, il fallait donc à tout prix qu'il réussisse l'examen des bourses. François s'était senti coupable d'avoir emprunté tant d'argent. Il aurait dû penser à son fils avant de penser à son obsession de devenir propriétaire. Depuis, il se le reprochait chaque jour, d'autant que les difficultés s'étaient accumulées : pour se présenter à cet examen, il avait fallu obtenir une dérogation à cause de l'âge de Charles, et ce n'avait pas été facile. M. Dumond avait dû user de son expérience et de son autorité. Heureusement, à cinquante-cinq ans,

après trente-cinq années de service et de considération de la part des inspecteurs qui s'étaient succédé
à l'école de Saint-Vincent, on le tenait en haute
estime dans les services de l'académie. Son déplacement à Tulle pour plaider la cause de l'élève Charles
Barthélémy n'avait pas été inutile. Il avait réussi à
obtenir la fameuse dérogation. Cependant, compte
tenu de son âge, Charles devrait faire une année de
cours supérieur, et non pas à Ussel où les effectifs
étaient trop importants, mais à Egletons. François
et Aloïse en avaient accepté le principe, même si
Egletons se trouvait plus éloigné de Puyloubiers
qu'Ussel, car la ligne de chemin de fer était la
même. Restait pour Charles à réussir le difficile examen des bourses pour lequel il s'apprêtait à partir,
en ce matin du 4 mai, sous le regard de sa mère qui
lui préparait son petit déjeuner.

François, lui, n'avait pu demeurer avec eux. Il ne
supportait pas l'idée que son fils eût à jouer son
destin en une seule journée, et il était allé marcher
sur la route, dans la nuit au parfum de feuilles nouvelles. Il ne faisait pas jour, encore, Charles et
M. Dumond devant partir tôt pour être à sept heures
à la gare de Merlines où ils prendraient le train pour
Tulle. Il avait été convenu, en effet, que le maître
d'école conduirait lui-même Charles, afin qu'il ne
soit pas troublé par la présence de ses parents. François marcha un long moment, tête baissée, obsédé
par l'idée de n'avoir pas pensé à son fils avant de
penser à lui. Il arrivait à peine à payer l'annuité,
malgré les changements qu'il avait décidés dans son
exploitation. Il aurait dû savoir, pourtant, que si l'on

avait vécu depuis toujours en économie fermée, ici, sur ces hautes terres, c'est qu'il y avait des raisons. Il ne connaissait personne qui eût emprunté. Il était seul à l'avoir fait. Et son enfant allait peut-être en payer le prix fort. Par la faute de son père. Une faute d'orgueil mal placé. Et cela, François savait qu'en cas d'échec il ne se le pardonnerait pas.

Il revint lentement vers la maison dont on apercevait la lumière de loin, maintenant qu'on avait l'électricité. François, au contraire de beaucoup d'autres, au village, l'avait acceptée sans hésitation à la fin de l'année 1929. Il avait estimé qu'il ne fallait pas refuser le progrès. D'ailleurs c'était très utile, les soirs d'hiver, pour ses enfants, quand ils faisaient leurs devoirs. Cette pensée d'avoir à cette occasion agi dans l'intérêt de ses fils tempéra un peu sa colère contre lui-même. Il entra de nouveau dans la cuisine où Charles finissait de déjeuner. Edmond, lui, se trouvait déjà dans l'étable où il s'occupait de la traite. Louise dormait encore. Ils étaient donc tous les trois, Charles, Aloïse et lui, François, dans la grande pièce chauffée par l'immense cheminée.

François s'assit en face de son fils qui était très pâle et trouvait à peine la force de manger.

— Ecoute, petit, dit-il, il ne faut pas avoir peur.

Et, comme Charles ne répondait pas :

— Quoi qu'il arrive, ta mère et moi, on se débrouillera pour que tu puisses faire des études.

— Non, dit Charles, je sais que ce n'est pas possible. Si je ne réussis pas cet examen, je travaillerai avec vous. Au lieu de vous coûter de l'argent, je vous aiderai.

– Mais non, reprit François, on s'arrangera, tu verras.

Et il ajouta, d'une voix qui parut bouleversée à Charles :

– Tu comprends, petit, c'est aussi important pour nous que pour toi.

Ils se turent. Aloïse, qui desservait, aplatit un épi sur la tête de son fils. Celui-ci avait revêtu ses habits du dimanche, un pantalon noir et une veste de velours qui avait déjà servi à Edmond, et il se sentait un peu gauche dans cette tenue si peu habituelle.

– Tout ira bien, dit Aloïse en souriant. Ne nous désolons pas à l'avance de ce qui n'arrivera sans doute jamais.

– Tu as raison, dit François.

On entendit le bruit d'une charrette dans la cour.

– Allons, dit François. Ne crains rien. Fais simplement ce que tu sais faire.

Il se leva, hésita à embrasser son fils, le retint seulement un instant contre lui, un bras posé sur ses épaules, puis il sortit pour saluer M. Dumond.

– En route ! dit celui-ci joyeusement en apercevant Charles. Viens, mon garçon ! Aujourd'hui est un jour dont tu te souviendras toute ta vie.

– Espérons que ce sera un bon souvenir, dit François.

– Bien sûr ! fit le maître d'école.

Aloïse embrassa une dernière fois son fils et l'aida à monter sur la charrette.

– Merci beaucoup, dit François, à l'instant où le maître agitait les rênes sur le dos du cheval.

– C'est tout à fait normal, dit celui-ci. A ce soir !
Ne vous inquiétez pas.

La charrette tourna lentement dans la cour puis
gagna la route et disparut. Aloïse et François demeurèrent un long moment immobile, l'un près de
l'autre, sans voir Edmond, qui, depuis l'étable, les
observait. Enfin ils rentrèrent, sans trouver les mots
qui auraient exprimé tout ce qu'ils ressentaient, ce
matin de mai, à l'aube de ce qui pouvait être le
départ vers une vie meilleure pour l'un de leurs
enfants.

La journée fut bien longue. En installant une
nouvelle clôture pour un pacage en compagnie
d'Edmond, François ne prononça pas un seul mot.
A midi, la présence de la petite Louise, heureusement, les divertit. Puis ils repartirent dans l'après-
midi lumineux, sous le bleu profond d'un ciel neuf,
lessivé par les pluies des semaines passées. François
ressassa encore de noires pensées, se reprochant
amèrement son emprunt insensé, jusqu'au moment
où, vers trois heures, il leva la tête vers le ciel. Le
bleu profond s'était éclairci et semblait se mêler à
l'émeraude de la forêt. Il eut alors l'impression d'un
monde fragile mais neuf : un monde en train de
naître, et il en garda jusqu'au soir une impression
agréable, qui l'apaisa.

Il laissa Edmond terminer le travail et rentra tôt.
Il savait pourtant que son fils et le maître d'école ne
pouvaient pas être là avant neuf heures du soir, mais
il avait besoin de partager ces moments avec Aloïse,
qui savait mieux que personne à quel point ils
étaient importants.

Cela faisait seize ans qu'ils étaient mariés. Ils avaient beaucoup souffert l'un et l'autre, beaucoup travaillé, mais aujourd'hui il leur semblait que pouvait leur être accordée la récompense de tous leurs efforts. Aloïse préparait un repas conséquent, car ils garderaient le maître à dîner. François était assis à table et repensait à sa vie, au Pradel, à son père revenant de Bort en rapportant une robe, au jour où il l'avait conduit à Ferrière, pour y être placé. Lui, au moins, il aurait épargné un tel sort à ses enfants. Comme il s'impatientait, il préféra aller aider Edmond dans l'étable. Quand ils eurent terminé, la nuit commençait à tomber. Ils rentrèrent de nouveau et se résignèrent à attendre.

Il était neuf heures passées quand on entendit grincer un essieu sur la route. Aloïse et Edmond sortirent précipitamment. François resta immobile, écrasé par le poids de ce qui était, il le savait très bien, un destin en marche. Quand Aloïse réapparut, elle pleurait. François crut d'abord que c'était de chagrin, mais c'était de bonheur. Il le comprit quand le maître apparut derrière elle, la main sur l'épaule de Charles :

— Je vous ramène le premier du canton, dit-il d'une voix grave.

François se leva lentement, marcha vers Charles, posa ses mains sur ses épaules, chercha ses mots car il était trop bouleversé, murmura enfin :

— C'est bien, petit. Tu nous fais beaucoup d'honneur, à ta mère et à moi.

Et il ajouta, plus bas :

— Beaucoup d'honneur, vraiment.

Puis il serra la main de M. Dumond et l'invita à s'asseoir en face de lui. Ce fut un beau repas, arrosé de verres de cidre, de vin bouché, et embelli par le récit de la journée effectué par le maître qui avait reçu les félicitations de l'inspecteur d'académie. Charles, lui, ne parlait pas. Il était encore sous le coup de la peur et des émotions. Aucune faute à la dictée. Une très belle rédaction. Deux problèmes justes. Un oral parfait. « Un vrai succès pour l'école de la République », se réjouit M. Dumond qui semblait avoir beaucoup perdu de sa réserve naturelle à cause de l'alcool auquel il n'était pas habitué. Si bien qu'au moment de se séparer François, un peu inquiet, lui proposa de l'accompagner.

– Je vous remercie, mais ce n'est pas la peine, dit le vieux maître. La nuit est fraîche en cette saison.

Il alluma sa lanterne et s'en alla, après un ultime remerciement de François. Quand le fanal eut disparu derrière les arbres, François rentra et dit à Charles :

– Viens un peu avec moi, petit.

Il l'emmena sur la route de Saint-Vincent, en direction de la sapinière qui, depuis l'incendie, treize ans plus tôt, avait été replantée. Charles se demandait ce que lui voulait son père, à marcher ainsi dans cette nuit aux parfums humides, une nuit claire, sans le moindre nuage, dont le semis d'étoiles semblait très proche. Parvenu à proximité des grands arbres aux dentelures sombres, François s'assit sur un tronc écroulé et invita son fils à faire de même, à côté de lui. Puis il lui expliqua pourquoi il avait acheté cette petite sapinière, ce qu'elle avait représenté pour Aloïse et pour lui, pendant la guerre.

– Tu changeras, dit-il enfin à Charles, car ta vie ne sera pas comme la nôtre et c'est très bien ainsi. Mais où que tu sois, quoi que tu fasses, je voudrais que tu n'oublies jamais ces arbres, qu'ils te soient un repère, pour que tu te souviennes d'où tu viens, et qui nous sommes.

François soupira, puis reprit :

– Tu sais, je n'étais rien. Je n'avais rien. Mon père travaillait chez les autres. Nous avons eu beaucoup de mal à arriver jusqu'ici. N'oublie jamais ceux qui t'ont précédé. C'est aussi grâce à eux, à leur travail, que tu vas pouvoir aller à l'école.

– Oui, dit Charles, je sais.

– Encore une chose, petit, dit François. Il faut que tu me fasses une promesse.

Et, comme Charles hochait la tête :

– Au Pradel, nous n'avions rien, mais nous avions des Noëls blancs. Et nous étions heureux, si heureux, ce jour-là, tous réunis. Alors tu comprends, où que tu sois, même si c'est loin d'ici, il faut que tu nous reviennes ce jour-là. Ainsi, tu n'oublieras rien et tu ne changeras pas.

– C'est promis, dit Charles.

Ils demeurèrent un instant sans parler, puis François frissonna et dit :

– Allez, viens, maintenant ; on prendrait froid.

Sur la route, entre les arbres immenses dont la cime jouait sous les rayons de lune, ils devinèrent une silhouette. C'était Aloïse, qui se doutait d'où ils étaient allés et qui venait vers eux.

Enfin ils avaient passé la frontière, et Lucie, soudain, respirait mieux. Cela faisait deux ans qu'elle n'était pas revenue en France, car ils avaient dû faire face, l'année précédente, à des dépenses imprévues à l'occasion d'un déménagement dans la Breite Strasse, moins bruyante que la Hohe Strasse où ils habitaient depuis leur installation. Leur nouvel appartement était plus grand, plus aéré et plus proche du gymnasium où travaillait Jan. Lucie avait eu beaucoup de mal à s'habituer à la vie allemande, malgré ses efforts, malgré la tendresse attentive de Jan, et malgré la présence des troupes françaises dont on annonçait pourtant le retrait avant les quinze ans prévus par le traité de Versailles.

Lucie avait travaillé comme dame de compagnie auprès d'une vieille luthérienne impotente bardée de breloques, qui habitait sur la place du Nouveau-Marché et qui venait de mourir. Elle avait pu ainsi occuper ses journées en l'absence de Jan, et gagner quelques marks qui leur étaient bien utiles. Lors de ses allers et retours entre son domicile et celui de Mme Sparwasser, elle s'attardait auprès des Français de rencontre qui, au début, se montraient étonnés de la savoir mariée avec un Allemand, mais qui, très vite, l'avaient adoptée. Avec l'accord de Jan, Lucie en avait invité quelques-uns, civils ou militaires, afin de se sentir moins loin de son pays, d'entendre des mots familiers, d'apprendre des nouvelles de la France qui lui manquait cruellement.

Elle avait fait deux voyages avec Jan, qui s'efforçait

de lui faire découvrir et aimer son propre pays : un à Heidelberg, dont Lucie avait beaucoup aimé la vieille ville, très sombre, très rouge ; l'autre à Francfort où Jan avait été étudiant. Pourtant, rien n'avait pu lui faire oublier Paris, la France, non seulement parce que c'était son pays, mais surtout parce que là-bas vivait sa fille à laquelle elle ne cessait de penser. Elle avait quinze ans, Elise, et elle grandissait loin de sa mère – dans quelles conditions et avec quels sentiments vis-à-vis d'elle ? se demandait souvent Lucie.

Depuis la mort de Mme Sparwasser, en mars de cette année 1930, Lucie préparait le voyage en France que Jan lui avait promis pour l'été. Que les jours lui avaient paru longs ! Jan avait beau lui expliquer les origines de Cologne, lui raconter l'histoire de la ville depuis l'époque romaine, lui faire visiter les bâtiments les plus anciens, ou faire avec elle de longues promenades dans les jardins aménagés le long du Rhin par le maire Konrad Adenauer, Lucie demeurait obsédée par son voyage en France prévu pour juillet.

Enfin, un matin, ils avaient pris le train pour Liège, et, par la Belgique, gagné la France, dont ils venaient de passer la frontière. Lucie, alors, avait senti les larmes lui monter aux yeux, mais elle s'était efforcée de les cacher à Jan. Car elle ne voulait pas lui faire de la peine. Il ne le méritait pas. Il était toujours prévenant, attentif, n'hésitait pas à lui faire partager ses passions, son amour de la littérature française et allemande : Baudelaire, Balzac, Victor Hugo, Goethe, Heine, et Lucie, qui aimait beaucoup lire, pénétrait peu à peu dans ce monde auquel il lui avait été impossible d'accéder à cause de la mort prématurée de son père. De ce point de vue, Jan ressemblait à Norbert de Boissière. Et c'était sans doute ce qui continuait le plus à séduire Lucie : ces envolées de paroles, cet esprit, cette intelligence qui l'avaient toujours fascinée chez Norbert. Il fallait entendre Jan raconter comment l'Allemagne, à la fin de la dernière guerre, avait failli être entraînée par les spartakistes vers le drapeau rouge – *die Rote Fahne* – et la Russie de Lénine. Un ultime sursaut avait mis fin aux rêves de Rosa Luxemburg et de Karl Liebknecht. La république de Weimar avait été proclamée et Jan semblait le regretter. Lui-même et ses amis parlaient beaucoup de Lénine, d'un monde nouveau à inventer, de justice et d'égalité entre les hommes. Ils militaient pour que cesse rapidement l'occupation française qui ne faisait qu'exacerber les désirs de revanche. Jan était pour la paix entre les peuples et pour l'aide aux défavorisés, car lui-même avait connu la misère. Comment Lucie n'aurait-elle pas continué à aimer cet homme-là, même si, pour lui, elle devait vivre loin de son pays ?

Quand ils arrivèrent à Paris, ce soir-là, et qu'elle aperçut les lumières de la ville dans la nuit qui tombait, elle se demanda si elle aurait la force de retourner en Allemagne à l'issue de leur séjour. Elle ne s'en ouvrit pas à Jan, bien sûr, lors de leur trajet en métropolitain vers le quartier de l'Odéon où ils avaient réservé une chambre dans un petit hôtel de la rue Saint-Sulpice, mais cette pensée ne la quitta guère, même pendant la nuit, incapable qu'elle fut de trouver le sommeil malgré sa fatigue.

Le lendemain, dès huit heures, elle partit avec Jan en visite dans les rues de ce quartier où elle avait été heureuse, en somme, pendant plus de dix ans de sa vie. Elle s'arrêta un moment devant l'immeuble des Douvrandelle, rue de Tournon, en espérant voir apparaître Madeleine, mais la porte de l'immeuble demeura obstinément close. Elle voulut tout revoir : le marché, les rues avoisinantes où elle avait flâné si souvent, les rives de la Seine, enfin, qu'elle avait tant aimées.

L'après-midi, comme Jan avait rendez-vous avec un professeur de la Sorbonne, elle se rendit boulevard des Capucines et guetta un long moment devant l'immeuble des de Boissière, dans l'espoir de voir surgir Elise. Elle attendit longtemps, très longtemps, puis elle songea que c'étaient les vacances et qu'Elise se trouvait sans doute au château, en Corrèze. Cela donna à Lucie l'idée d'aller rendre visite à François et à sa famille, à Puyloubiers. De là, elle ferait un détour par le château, et elle pourrait peut-être revoir sa fille, ne serait-ce que quelques instants.

Cependant, comme ils avaient réservé pour une semaine, Lucie continua d'errer dans le quartier de la rue de Tournon où, un matin, elle put rencontrer Madeleine, au marché. Celle-ci la reconnut tout de suite et voulut bien la suivre dans un café de la rue de Condé où elles s'attablèrent. Malgré sa crainte de voir surgir Mme Douvrandelle, Madeleine confia à Lucie que les de Boissière avaient déménagé : ils habitaient maintenant avenue de Suffren, tout près du Champ-de-Mars. Madeleine ne savait pas s'ils s'y trouvaient actuellement ou s'ils avaient pris la route de leur château en Corrèze. Elle avoua enfin qu'elle avait vu Elise une fois, il y avait un an, un soir où Mme de Boissière l'avait emmenée avec elle chez les Douvrandelle, à l'occasion d'un dîner.

– Comment est-elle ? demanda Lucie.

– C'est une belle petite. Elle a l'air d'aller bien, de ne pas être malheureuse.

Et, se reprenant devant l'air accablé de Lucie :

– Je suis sûre que tu lui manques beaucoup.

– Tu crois ? Ça se voit ?

– Oui, bien sûr que ça se voit.

Elles parlèrent ensuite de la famille de Madeleine, à Chanteau où Lucie s'était rendue plusieurs fois, de Mme Douvrandelle qui, selon Madeleine, devenait de plus en plus exigeante en vieillissant, puis elle s'en alla, craignant de se mettre en retard, non sans avoir précisé qu'elle pensait que les de Boissière n'étaient pas encore partis en vacances.

Aussi, durant les jours qui suivirent, Lucie se rendit à plusieurs reprises avenue de Suffren, cherchant à apercevoir sa fille, en vain. Le dernier jour, pourtant, alors qu'elle allait repartir pour retrouver Jan, en fin d'après-midi, elle vit sortir de l'immeuble une femme jeune, élégamment vêtue, et, juste derrière, une jeune fille brune aux nattes tressées, qui ne pouvait être qu'Elise. Le cœur de Lucie s'emballa, se mit à cogner douloureusement dans sa poitrine. Elle suivit les deux femmes qui avaient traversé l'avenue et se dirigeaient vers le Champ-de-Mars, l'une à côté de l'autre.

Lucie ne pouvait détacher son regard des tresses et des vêtements bleu marine de sa fille, cette étrangère qui marchait là-bas, à cinquante mètres devant elle, et dont, cependant, elle se sentait si proche, si intime. Elle faillit se faire écraser au carrefour, tant elle était attirée par les deux silhouettes qui s'engageaient dans l'allée de gauche, sous les grands arbres. Elle s'y engagea également, mais demeura à bonne distance. La gouvernante s'assit sur un banc, tandis qu'Elise s'éloignait de quelques pas. Lucie la vit s'asseoir sur la pelouse, ouvrir un livre et se mettre à lire sagement. Comment faire pour l'approcher ? Lucie fit un détour pour se placer dans l'axe du regard de sa fille dès qu'elle lèverait la tête, mais celle-ci ne l'aperçut pas, car elle suivit des yeux un garçon et une fille de son âge qui passaient à cet instant-là.

Bientôt, la révolte embrasa Lucie. Au nom de quelle loi pouvait-on empêcher une mère d'approcher sa fille ? C'était insupportable, de voir Elise à vingt mètres d'elle et de ne pouvoir l'embrasser, lui parler, l'emmener avec elle, comme elle en rêvait, parfois, là-bas, si loin, en Allemagne ! Elle attendit que la gouvernante se remette à son ouvrage de broderie, puis elle sortit vivement de derrière l'arbre où elle se cachait et marcha résolument vers sa fille.

Celle-ci, comme avertie d'instinct, leva la tête au moment où Lucie arrivait à cinq mètres d'elle. Et ce qu'elle lut alors dans les yeux de sa fille dévasta Lucie, la cloua sur place : ce n'était ni de l'amour, ni de la surprise, ni de la haine, c'était de la peur. Une immense peur. Lucie voulut parler, elle n'en eut pas le temps : Elise s'était levée d'un bond et criait :

– Qu'est-ce que tu veux ? N'approche pas ! Va-t'en !

Et, avant que Lucie ait eu le temps de prononcer le moindre mot, Elise courut vers sa gouvernante qui la prit contre elle, comme pour la protéger d'un danger. Puis, quand Lucie fit un pas dans leur direction, elles s'enfuirent vers l'avenue, jetant toutes deux vers l'arrière des regards apeurés, tandis que Lucie, maintenant immobile, sentait ses jambes trembler sous elle. Elle n'eut que le temps de s'asseoir sur un banc pour ne pas se trouver mal. Elle avait encore devant les yeux le regard éperdu de sa fille, et les mots qu'elle avait prononcés résonnaient dans ses oreilles, pénétraient en elle violemment, lui faisaient mal, lui tiraient les larmes des yeux. Que s'était-il passé ? Qu'avaient pu dire les de Boissière à sa fille pour que celle-ci réagisse de la sorte ? Ils avaient dû charger Lucie de tous les défauts de la terre, donner d'elle un portrait accablant qui ruinait irrémédiablement la moindre possibilité de retrouvailles.

Complètement désemparée, brisée par ce qu'elle venait de vivre, Lucie repartit lentement vers la station de métro, persuadée qu'elle avait perdu sa fille à jamais. Et Jan, ce soir-là, eut bien du mal à la consoler, à la réconforter avec ces mots dont il savait user, pourtant, et qui, d'ordinaire, avaient le pouvoir de l'apaiser.

Le lendemain, de très bonne heure, ils prirent le train pour Brive, et, de là, pour la haute Corrèze où ils descendirent en gare de Merlines. Un taxi les emmena jusqu'à Puyloubiers où ils arrivèrent un peu avant la nuit. François et Aloïse étaient prévenus, Lucie leur ayant écrit de Paris. Elle ne s'attendait pas, cependant, à la froideur polie avec laquelle François accueillit Jan, son mari allemand. Elle avait oublié quelle avait été la souffrance de son frère durant la guerre, sur le front et dans le camp de prisonniers où il avait passé un an. Et pourtant François, elle le sentait, s'efforçait de se montrer aimable, d'oublier ce qu'il avait vécu, mais c'était plus fort que lui : ses traits se contractaient quand il s'adressait à Jan, et il s'en rendait compte. Il souffrait lui aussi, sans doute, de cet état de choses, mais il n'y pouvait rien. Aloïse, c'était différent ; elle ne voyait pas dans Jan un Allemand, seulement un homme qui cherchait à se rendre utile : à tirer l'eau du puits, à aider François, à jouer avec Louise, à alimenter la conversation quand elle s'arrêtait soudain, au milieu du repas, et qu'une sorte de malaise s'installait, dont ils souffraient tous.

Ils ne restèrent que quarante-huit heures à Puyloubiers, puis ils retournèrent à Paris, sans même passer par le château de Boissière. A quoi bon ? se disait Lucie, qui avait l'impression d'être seule, très seule, coupée maintenant de son frère, de sa fille, de tout ce qui avait constitué sa vie avant Jan. Aussi repartit-elle en Allemagne plus facilement qu'elle ne l'avait cru en arrivant. Sa vie, désormais, était là-bas, avec son mari. Plus rien, ou presque, ne la rattachait encore à son pays et à sa famille. Elle n'avait plus le choix : elle devait s'habituer, devenir une vraie Allemande, et, sans doute, songer à fonder avec Jan une véritable famille.

Mathieu ne pouvait oublier les deux jours durant lesquels il avait été emmené pour être interrogé dans les bureaux du commissariat d'Alger. Il avait mis du temps à comprendre qu'il était soupçonné de l'assassinat du colonel Batistini dans la rue Bab Azoun. Ayant enfin réussi à s'expliquer, à rendre compte de son emploi du temps minute après minute depuis son arrivée à Alger, il avait également compris une chose qui l'avait stupéfié : le seul souci de la police militaire avait été de montrer qu'il s'agissait d'un crime crapuleux, et surtout pas d'un crime politique. Or Mathieu, au fil de son interrogatoire, avait acquis la conviction qu'il s'agissait sans doute d'une réaction des indigènes contre ces fêtes d'anniversaire du centenaire de la conquête. Et cette découverte l'avait abasourdi. Il avait pris conscience, en sortant du commissariat, qu'il existait une opposition à la présence française dans ce pays. Une opposition souterraine, sourde, mais qui pouvait devenir violente.

Ce fut donc un Mathieu nouveau, totalement changé, qui avait regagné Ab Daïa et s'était retrouvé aussitôt face à Gonzalès, qui paraissait en savoir déjà autant que lui.

– Tu vois, Mathieu, avait-il dit, en lui rendant visite

dès son arrivée ; tu vois les Arabes, si tu leur tournes le dos, ils sortent le couteau.

– Tu sais, avait répondu Mathieu, des petits malfrats, il y en a partout.

– Non, Mathieu, pas des malfrats ni des voleurs. Batistini, il avait tout son argent sur lui. On ne lui a rien pris.

– Comment tu sais ça, toi ?

– Moi, je sais tout. Ils sont venus, tu sais, les gendarmes de Boufarik. Ils m'ont tout expliqué.

Gonzalès parut hésiter, puis il ajouta :

– Tu sais ce qu'ils disent, les Larbis ?

Mathieu fit un signe négatif de la tête.

– Ils disent que les Français ont fêté le centième anniversaire de la conquête et qu'ils ne fêteront jamais le deux-centième.

Mathieu haussa les épaules et tourna le dos.

Le Journal d'Alger et *La Dépêche algérienne* rendirent compte de l'événement en le banalisant : on avait tué l'officier français pour le voler. Mathieu en parla à Hocine, qui répondit simplement :

– Partout la vermine, monsieur Mathieu. Chez les Arabes et chez les roumis.

Mathieu, toutefois, ne put oublier Batistini. Non seulement parce qu'il lui devait beaucoup, mais également parce que sa succession provoqua de l'agitation dans la Mitidja, du fait que ses héritiers décidèrent de vendre, au grand dam de Gonzalès qui risquait de perdre sa place.

Le notaire de Blida, que Mathieu connaissait très bien depuis ses premières acquisitions, le fit appeler et lui confia que le domaine de Batistini était trop grand pour être vendu d'un seul tenant. Les héritiers en avaient fait quatre lots, espérant, de ce fait, en tirer un prix plus élevé.

– Vous devriez acheter celui qui borde vos terres, dit le notaire. Ne laissez pas passer cette occasion.

– Je ne peux pas, répondit Mathieu.

– Empruntez, mon ami, empruntez ! Croyez-moi, une occasion pareille ne se représentera pas. Les dettes, c'est du crédit.

– Les banques voudront prendre une hypothèque sur ma maison et sur mes terres et je n'y tiens pas.

– Qui vous parle de banques ? **Allez** donc voir M. Benhamar de ma part. C'est un commerçant israélite que vous avez intérêt à connaître. Si vous pouvez gagner son amitié, il vous rendra de grands services.

Mathieu réfléchit quelques jours, puis se décida à aller voir ce Benhamar dont lui avait parlé le notaire. Il était joaillier, habitait le vieux quartier de Blida, et il se montra tout de suite très chaleureux, comme s'il connaissait Mathieu depuis toujours. Il lui raconta même une partie de sa vie, lui expliqua que ses ancêtres habitaient la région depuis qu'ils avaient été chassés d'Espagne par les persécutions d'Isabelle la Catholique, lui proposa enfin de l'argent à un taux de dix pour cent et lui assura qu'il pouvait compter sur lui pour l'aider à faire prospérer ses affaires. De cette façon, Mathieu put acquérir dix hectares supplémentaires, ce qui lui faisait désormais une propriété de quarante hectares, de vignes, vergers et céréales : beaucoup plus qu'il n'en avait jamais espéré.

C'est ainsi qu'il oublia très vite la sensation de menace avec laquelle il était rentré d'Alger. Il apprit que les trois lots restants avaient été achetés par l'un des plus importants colons de la Mitidja, lequel avait confirmé Gonzalès dans sa place de régisseur. Il s'en félicita, car il aimait bien, malgré tout, l'Espagnol, sur lequel il savait pouvoir compter en cas de difficulté. Ce qu'il ne pouvait pas savoir, c'était que le nouveau propriétaire, déçu de n'avoir pu tout acheter par la faute de Mathieu, avait donné à Gonzalès des instructions précises : ne plus aider Barthélémy et, au contraire, l'encercler, l'asphyxier en espérant un jour racheter son domaine.

Cependant, fort de ses dix hectares supplémentaires, Mathieu se jeta dans le travail, aidé par Hocine et ses fellahs, réconforté par la présence de Leïla, le soir, toujours douce et attentive, quand il rentrait épuisé. Un soir de juillet, précisément, alors que Mathieu, redoutant l'orage, ne dormait pas, elle vint près de lui, et murmura :

– Je te donnerai un fils bientôt.

Mathieu ne s'attendait pas du tout à une telle nouvelle. Il n'avait jamais réellement songé à sa descendance. Il pensait confusément que sa femme n'était pas prête à concevoir un enfant avec lui. En fait, ils n'en parlaient pas. Car autant Leïla était proche de lui la nuit, se montrant même amoureuse et caressante, autant la journée elle reprenait des distances, comme son père, comme elle avait toujours vécu, probablement persuadée, malgré son mariage, qu'elle devait demeurer la servante de son maître, à l'image de toutes les femmes de ce pays.

– Un fils ? Tu es sûre ? demanda Mathieu.

– Dieu l'a voulu, dit Leïla.

La surprise passée, Mathieu en fut heureux. Désormais, il ne travaillerait pas pour rien. Il aurait un héritier à qui transmettre ses vignes et ses vergers que le soleil, le soir, en se couchant, teintait d'une lumière dorée, comme si les cieux veillaient sur eux pour l'éternité.

A Puyloubiers aussi, les arbres changeaient de couleur. L'été avait basculé dans un automne précoce, flamboyant et superbe. Le jaune mat des érables répondait au cuivre des chênes et au jaune plus tendre des bouleaux, tandis que les sapins demeuraient les mêmes, lardant les bois de coups d'épée d'un vert sombre qui perpétuait la gloire des forêts. Après avoir été sec, l'air était devenu plus profond, avec d'étranges sonorités, comme s'il provenait de grottes secrètes, dissimulées sous le couvert des arbres.

Charles avait aidé ses parents de son mieux durant tout l'été, et il se désolait de ne pouvoir ramasser les châtaignes avant son départ au lycée. Elles ne tombaient pas encore, et le départ approchait. Il en concevait une sorte de crainte qui ne tenait pas à un doute quelconque sur ses capacités, mais seulement à la découverte d'un monde nouveau, peut-être hostile, et surtout à une privation de liberté, puisqu'il avait été convenu, afin d'économiser l'argent de trop fréquents voyages, qu'il rentrerait seulement à Puyloubiers tous les mois.

Par ailleurs, il avait beaucoup souffert de constater à quel point ses parents avaient du mal à acheter tout ce qu'il fallait pour rentrer en pension. Les bourses ne permettraient de faire face qu'aux sommes dues au pensionnat. Restait à acheter les vêtements, les fournitures et les livres. Il faudrait aussi payer l'annuité de l'emprunt à la fin de l'année, et, cette fois plus que d'habitude, ce ne serait pas facile. A deux ou trois reprises, en voyant ses parents compter leurs sous, le soir, Charles avait failli renoncer. Puis il avait songé à la joie et à la fierté de son père, le jour de l'examen des bourses, et il s'était efforcé de se montrer heureux du départ qui approchait, alors que, parfois, il le regrettait.

Il y eut quelque magnifiques journées, pleines de cette lumière magique, à la fois chaude et déjà fraîche dans les lisières et les coins d'ombre, que font éclore les derniers feux de l'été, puis octobre s'annonça. Il fallait partir. Aloïse avait tout préparé minutieusement, cousu le nom de Charles sur ses habits ainsi que le numéro que lui avait octroyé l'administration du collège Albert-Thomas d'Egletons : 24. Quand il fut question d'accompagner Charles, la veille au soir, Aloïse déclara qu'elle ne voulait pas venir. François n'insista pas. Il savait qu'elle souffrait à l'idée de cette séparation, Charles lui paraissant bien jeune pour se retrouver seul, si loin de Puyloubiers. Mais c'était sa vie future qui était en jeu. Et, tout en souffrant, elle l'acceptait comme une chance pour son fils.

Le dimanche du départ, en début d'après-midi, le brouillard tardait à se lever. François chargea la valise sur la charrette, puis il s'installa sans attendre, prenant les rênes, tandis que Charles embrassait sa mère, son frère et sa sœur.

– Allons ! dit-il. Monte vite.

Il fit manœuvrer le cheval et s'engagea sur la route de Saint-Vincent, entre les arbres qui changeaient de couleur. Ils avancèrent en silence jusqu'au sommet d'une côte où le soleil apparut, embrasant la route et les arbres, réchauffant Charles qui s'efforçait de sourire. François ne parlait pas. Il pensait à la route qu'il avait faite avec son père, à pied, le jour où il avait été placé, et au silence qu'avait gardé Auguste Barthélémy pendant presque la totalité du trajet. Aujourd'hui, ils allaient en charrette et non plus à pied, et ils avançaient surtout vers le rêve caressé par François vainement : le lycée, le savoir, une autre vie. La vie qu'il ne mènerait jamais, mais à laquelle son fils aurait droit. Assis sur la banquette de la charrette, François sentait monter en lui une immense fierté : c'était comme s'il était un peu moins pauvre, soudain, comme si sa propre vie, tous ses efforts pendant la guerre et après la guerre, sa peine de chaque jour trouvaient ce jour-là leur justification. Il lui semblait que, désormais, quoi qu'il arrivât, il était devenu riche : du chemin parcouru, de ce qu'il partagerait avec son fils, de tout le travail qui l'attendait encore pour pouvoir permettre cela : l'un de ses fils, peut-être même sa fille, seraient instruits. Il se sentait fort, cet après-midi-là, et il songeait au jour où il était parti les mains nues, après la mort de Tiburce, en 1917. S'il était resté en vie, ce matin-là, si une sorte d'instinct l'avait protégé, c'était parce qu'il devait y avoir un jour ce voyage vers le lycée d'Egletons. Il en était sûr. Mais comment expliquer tout cela à son fils ?

– Ça va ? se contenta-t-il de demander. Tu n'as pas froid ?

– Non, répondit Charles, il fait bon, maintenant.

François laissait le cheval avancer au pas, car ils avaient le temps. La route fumait légèrement sous les rayons dorés du soleil. Ils allèrent ainsi un long moment, avant que François ne décide d'une halte. Il attacha le cheval à un baliveau de frêne, fit quelques pas dans une sente, invita de la main Charles à le rejoindre.

– Mon père aussi s'est arrêté, un peu avant d'arriver, le jour où il m'a emmené à Ferrière, dit-il.

– Oui, dit Charles, tu me l'as raconté souvent.

– Ah oui ?

– Très souvent.

– C'est vrai. Mais ce que je voudrais que tu saches aujourd'hui, c'est que je pense au jour où tu emmèneras ton fils toi aussi quelque part, pour une vie meilleure.

Se troublant, il ajouta :

– Enfin, je veux dire : une vie plus pleine, plus heureuse, du moins je l'espère.

Charles hocha la tête, sourit.

– Ne crains rien, on ne va pas s'attarder longtemps, et je ne t'en parlerai plus jamais. Mais tu comprends, petit, je n'étais rien. La nuit, à Ferrière, à douze ans, je me sentais si seul que j'étais obligé de tenir la queue des vaches pour ressentir une présence. Ça, je ne l'ai jamais dit à personne... Je suis sûr que tu as compris... on va repartir maintenant.

Et, quand ils furent sur le point de remonter sur la charrette :

– Laisse-moi t'embrasser une dernière fois. Après, je ne pourrai plus. Tu seras trop grand, trop savant pour moi.

– Non, dit Charles, je ne serai jamais plus grand que toi.

Il se laissa aller contre son père qui le serra un bref instant. Après quoi, François s'écarta de son fils, presque brutalement, comme s'il s'en voulait de s'être laissé attendrir. Une fois assis sur la banquette, il mit le cheval au trot, et ils ne parlèrent plus jusqu'à leur arrivée dans la cour de la gare de Merlines.

Là, François laissa son cheval et sa charrette dans l'écurie de l'auberge, puis ils portèrent les deux petites valises de Charles dans le hall où ils prirent deux billets pour Egletons. Dix minutes plus tard, ils étaient dans le train qui roulait vers le bas pays, à travers des pâtures rousses, des bosquets de rouvre et des sapinières. Charles connaissait déjà le trajet pour être allé à Tulle avec son instituteur. Il lui parut beaucoup plus court que ce jour-là, puisqu'il fallait moins d'une heure pour atteindre Egletons.

La gare se trouvait assez loin de la ville, mais le père et le fils décidèrent d'aller à pied. Ils avaient plaisir à marcher côte à côte, dans cette ville inconnue, avec, chacun, une valise à la main. Le lycée se tenait à l'autre extrémité du gros bourg aux toits d'ardoises dominé par son église fortifiée, tout près d'un grand carrefour d'où partaient les routes du Limousin, de l'Auvergne et du bas pays. Dans l'avenue principale qui montait vers la place centrale, il y avait beaucoup de voitures et d'animation.

Il fallut une demi-heure à François et à son fils pour atteindre le lycée qui semblait drainer ce jour-là toute l'activité de la petite ville. Ils entrèrent côte à côte dans le hall où patientaient des dizaines de parents et d'élèves. Tandis que François attendait son tour, Charles remarqua que tous les garçons étaient plus grands que lui. Il regardait de tous côtés, cherchant à deviner ce que serait sa nouvelle vie, un peu effrayé par l'impression de solitude que, déjà, il éprouvait. Il s'approcha d'une vitre, aperçut des dizaines d'élèves qui jouaient en criant dans une cour, et il n'en connaissait pas un seul, car aucun garçon de Saint-Vincent n'entrait au lycée d'Egletons, cette année-là.

Quand François eut rempli les formalités, ils montèrent la valise dans le dortoir numéro cinq qu'un surveillant leur avait indiqué, choisirent un lit, une armoire, où ils déposèrent les habits de Charles, la refermant avec un cadenas, comme on le leur avait recommandé. Charles fut surpris de la forte odeur d'encaustique qui régnait, ne sachant pas encore que cette odeur allait accompagner ses nuits pendant des années. Puis ils descendirent dans une salle de classe, où ils placèrent dans un casier les fournitures scolaires qu'ils avaient apportées. Après quoi, ils se dirigèrent vers la cour ou se trouvaient une centaine d'élèves, et François ressentit l'appréhension de son fils à entrer dans cet univers où il ne

connaissait personne. Il fallait partir, pourtant. Le
train du retour était dans moins d'une heure.

– Voilà, petit, dit-il. Il faut que je m'en aille.

Charles ne bougeait pas. Il se voyait seul, le plus
jeune, le plus vulnérable, et quelque chose en lui se
refusait à descendre les marches qui allaient le jeter
dans un monde qu'il devinait hostile. François, lui-
même, à présent, hésitait.

– Va, petit, dit-il.

Et il aurait voulu l'aider, son fils, à cet instant,
mais il comprenait qu'il ne pouvait plus rien pour
lui. Ne sachant que faire, il posa sa main sur l'épaule
de Charles et le poussa légèrement. L'enfant descendit les marches et se retourna. Ce que François
lut dans son regard, alors, le bouleversa. Il comprit
que se jouait là quelque chose d'une extrême gravité, et il prit un air sévère, très froid, en disant :

– Va !

Il se retourna vivement et il s'en alla. Dans le hall,
pourtant, il attendit quelques minutes, comme s'il
avait oublié quelque chose, puis il s'approcha de la
fenêtre et regarda dans la cour. Charles était seul,
appuyé contre un arbre, et observait les grands qui
jouaient entre eux, en se bousculant et en poussant
des cris. François songea à Ferrière, à son père qui
était reparti aussitôt. Alors il se dépêcha de sortir et
marcha rapidement vers le grand carrefour.

Une fois dans l'avenue qui montait vers l'église,
il se refusa à regarder vers la cour que l'on pouvait
encore apercevoir, là-bas, derrière les grilles, entre
deux maisons. Il hâta le pas pour ne pas être tenté
de faire demi-tour. En même temps, il se félicita du

fait qu'Aloïse ne les eût pas suivis. Sans doute avait-elle deviné ce qui les attendait. Il revoyait le regard de Charles au moment de descendre les marches, et il s'efforçait de chasser cette image de son esprit Comme pour lui venir en aide une dernière fois, il murmura :

— Ce n'est pas une épreuve, petit, c'est une chance.

Et il répéta, serrant les poings, regardant la route qui redescendait maintenant vers la gare au-dessus de laquelle le ciel, lui sembla-t-il, avait pris la couleur des yeux d'Aloïse :

— C'est une chance, petit, c'est une chance.

14

CETTE première année de cours supérieur avait été si difficile pour Charles qu'il avait dû la redoubler. Non pas que ses capacités fussent en cause, mais, selon le directeur qui avait convoqué ses parents, il était trop jeune, trop fragile, pour supporter le pensionnat. Dès lors s'était posé le problème de la bourse, que l'on perdait, en principe, en cas de redoublement. Le principal était heureusement intervenu pour qu'elle continue à être accordée à un élève qui, une fois habitué, il en était sûr, saurait se montrer brillant.

Charles ne s'était jamais vraiment habitué. Pourtant, trois ans après son entrée au pensionnat, il parvenait à oublier tout ce qui en constituait la dureté : l'eau froide des matins d'hiver dans les lavabos collectifs, les dortoirs sans chauffage, les longues heures d'étude, la violence pendant les récréations, l'estomac vide à la fin des repas quand les grands avaient décidé de tout garder pour eux, de nombreuses vexations vis-à-vis desquelles il s'était forgé une carapace aujourd'hui, mais qui l'avaient ébranlé dangereusement la première année.

François et Aloïse en avaient été très malheureux. Ils avaient tellement confiance en leur fils, à la chance que représentait pour lui la possibilité de faire des études, qu'ils avaient soudain cru tous leurs efforts anéantis. Toutefois, si Aloïse avait été tentée de céder, de reprendre Charles avec eux, François, lui, avait tenu bon.

– Si la bourse nous est supprimée, avait-il dit cette année-là, Charles continuera, même si je dois travailler la nuit.

Il était intimement persuadé que tout se gagne, que rien n'est donné, et les épreuves autant que les souffrances lui avaient enseigné qu'il ne faut jamais renoncer. Au lieu de s'apitoyer sur le sort de son fils, il s'était montré dur, inflexible, parfois même injuste, surtout lors du premier Noël, quand il avait fallu repartir et que Charles s'y refusait.

– Si tu ne repars pas, avait dit François, tu iras travailler ailleurs, mais pas ici.

Passé la première année, heureusement, les choses s'étaient améliorées. Charles n'était plus le plus jeune, celui qui devait faire face à toutes les brimades, à toutes les vexations, et il avait pu, fortifié par son père, endurci par les épreuves, étudier avec plaisir et obtenir enfin les résultats qu'on espérait de lui. Ainsi, en cette fin d'année 1933, s'il attendait les vacances de Noël, ce n'était pas avec l'impatience de la première rentrée, mais avec la satisfaction de rapporter à Puyloubiers un carnet de notes et des appréciations qui feraient plaisir à ses parents.

Charles avait réellement l'impression d'avoir trouvé en lui des forces qu'il ne soupçonnait pas. Il se sentait désormais de taille à relever tous les défis, y compris celui de passer un jour le concours d'entrée à l'Ecole normale pour devenir instituteur. Il n'en avait pas encore parlé à Puyloubiers, mais ce rêve était né en lui en entendant ses camarades, qui voyaient dans cette perspective une possibilité de gagner rapidement leur vie en exerçant un métier prestigieux, et sans trop s'éloigner de leur famille, puisque ce concours était organisé au niveau du département.

Depuis lors, Charles s'était attaché à cette idée qui avait achevé de le mûrir. Au reste, il avait grandi, et il avait maintenant l'allure d'un adolescent, non plus celle d'un petit garçon. Il n'hésitait pas à se battre, durant ces récréations où la cruauté des grands envers les plus faibles était de rigueur. Il lui arrivait même de participer à ces jeux dans lesquels on devine les hommes en devenir : violents, lâches ou courageux. S'il n'avait pas de véritable ami, il s'entendait bien avec tout le monde, et il était souvent sollicité, du fait de ses excellentes notes, pour donner des avis, des conseils, ou des solutions aux problèmes de plus en plus compliqués dont les accablait leur professeur de mathématiques.

Ce n'était pourtant pas sa matière favorite. Charles préférait le français et l'histoire. Ils avaient un professeur de français merveilleux, un homme doux, au front dégarni, aux lunettes rondes, qui aurait pu souffrir de la cruauté naturelle aux adolescents, mais dont l'intelligence les fascinait. Il employait avec eux des mots, des images qu'ils

n'avaient pas l'habitude d'entendre et qui transpor-
taient même les plus réfractaires dans un univers
dont ils pressentaient la beauté, le mystère, et qui, de
ce fait, les tenaient en respect. Ce professeur, qui
s'appelait M. Boussinot, avait beaucoup de considération pour Charles, en qui il devinait une sensibilité,
un esprit différent de la majorité des autres élèves.

En octobre, un soir, après les cours, il demanda
à Charles de l'attendre quelques minutes et, une
fois qu'ils furent seuls, il le questionna sur sa famille,
avant d'en venir à cette question qui surprit beaucoup le jeune homme :

– Avez-vous un correspondant, ici ?

Non, Charles n'en avait pas. C'est pour cette raison qu'il ne pouvait pas sortir, le jeudi et le dimanche après-midi, et qu'il suivait les promenades col-
lectives, seulement sauvé de l'ennui par le spectacle
de la campagne environnante, où il retrouvait des
couleurs, des arbres et des parfums familiers.

– Je peux être votre correspondant, si vous le voulez.

– Pourquoi, monsieur ? murmura Charles.

– Ma femme et moi n'avons jamais eu d'enfant.
Vous seriez un peu celui-là. Vous voyez, il n'y a pas
que de la générosité dans ma proposition.

– Mes parents n'accepteront jamais, monsieur.

– Même si c'est moi qui le leur demande ?

– Même si c'est vous.

– Vous m'autorisez quand même à essayer ?

– Oui, bien sûr, mais je ne crois pas mériter...

– Ne vous inquiétez pas. Je vais leur écrire.

Et le vieux professeur était parti, laissant Charles

à la fois étonné et impatient de savoir s'il pourrait échapper bientôt aux interminables promenades du jeudi et du dimanche. Il fut également très impatient de savoir comment allaient réagir ses parents à une telle proposition, et ce ne fut pas sans appréhension qu'il partit pour Puyloubiers à l'occasion des courtes vacances de la Toussaint. Ni son père ni sa mère ne firent allusion à la moindre lettre durant la fin de l'après-midi, pendant que Charles les aidait à nettoyer la châtaigneraie. Ce fut lors du repas du soir que François, ayant mangé sa soupe, dit brusquement :

– Nous avons reçu une lettre de ton professeur de français, M. Boussinat.

– Boussinot, rectifia Charles.

– Est-ce que tu es au courant ?

– Oui, un peu, il m'en a parlé.

Charles s'inquiéta en constatant que le visage de son père avait pris une expression grave, comme lorsqu'il se trouvait devant un problème important.

– C'est vraiment très aimable, de la part de cet homme, reprit-il, mais nous ne pouvons pas accepter.

– Pourquoi ? demanda Charles doucement, en cherchant du regard l'aide de sa mère.

– Parce que nous ne pouvons rien lui donner en échange.

– Il ne demande rien, dit Charles.

– Justement.

Que fallait-il comprendre par ce dernier mot ? Que ce n'était pas digne de devenir l'obligé de quelqu'un que l'on ne connaissait pas ? Qu'il n'était pas question d'accepter une faveur d'un professeur ? Que la différence de milieu ou d'instruction interdisait ce genre de rapprochement ? Charles s'interrogeait, quand Aloïse constata d'une voix douce :

— Dans sa lettre, ce monsieur prétend que c'est nous qui lui ferions une faveur.

— Allons, allons, dit François, tout ça ne tient pas debout. Je ne veux pas qu'on puisse dire que notre fils est arrivé parce qu'il a été favorisé par ses professeurs.

Voilà. C'était dit. Charles avait enfin compris. Il ne tenta même pas de parlementer, car il savait que c'était inutile. Du moins, pas de cette manière. Il valait mieux convaincre sa mère d'intercéder de nouveau auprès de son père, comme elle savait si bien le faire. Charles n'en reparla donc pas durant les trois jours qu'il passa à Puyloubiers, et il s'efforça d'aider ses parents de son mieux, tout en faisant travailler Louise, qui, à plus de cinq ans, allait maintenant à l'école à Saint-Vincent. Il parla également beaucoup avec Edmond qui, sans la moindre jalousie, se réjouissait des succès de son frère, mais s'inquiétait déjà de devoir partir au service militaire dans deux ans, et de laisser ses parents seuls.

— Je vois bien qu'il se fatigue plus vite qu'avant, dit-il en parlant de son père. Il a tellement travaillé, tu comprends ?

— Il n'a que quarante-deux ans, dit Charles.

— Et quatre ans de guerre, fit Edmond. Ça compte, tu sais.

Charles fut très ébranlé par cette conversation

avec son frère. Il n'avait jamais songé à ces deux années durant lesquelles son père resterait seul avec beaucoup plus de travail qu'avant, et, de ce fait, son projet de concours de l'Ecole normale lui parut très compromis : il n'était pas question de poursuivre des études si ses parents avaient besoin d'aide. Il s'apprêtait donc à repartir, un peu découragé, quand François l'appela et lui dit :

– Je vais écrire à ton professeur et lui dire que ce n'est pas possible.

– Oui, dit Charles qui voyait tous ses rêves s'écrouler.

– Tu comprends, petit, je ne voudrais pas que tous ces efforts soient gâchés, un jour, par des accusations de favoritisme.

Il se tut un instant puis reprit :

– Ce serait tellement dommage.

– Oui, dit Charles, je comprends.

Et, de retour au lycée, il retrouva avec accablement ses promenades du jeudi et du dimanche, réconforté seulement par les excellentes notes qu'il obtenait dans toutes les matières. Il n'en voulut pas à son père, ni à sa mère qui n'avait pu le fléchir. Il savait que toutes leurs forces provenaient de leur droiture, de l'absence de faiblesse vis-à-vis des autres et vis-à-vis d'eux-mêmes. C'était difficile à vivre, mais c'était la loi. La vie, la guerre, le travail avaient forgé à son père une dureté qui, seule, lui avait permis de survivre et de réussir dans ses projets. Il fallait l'accepter.

Cet automne ne fut pas le plus heureux qu'il passa. M. Boussinot ne lui parla de rien. Son attitude

ne changea pas du tout à son égard, au contraire :
il demeura bienveillant et très attentionné. Et cela
jusqu'à ces vacances de Noël, le jour où François
vint chercher son fils, le principal ayant demandé à
lui parler. Ce jour-là, à midi, dans le hall, ils se trouvèrent face au professeur et Charles ne put faire
autrement que de présenter son père. M. Boussinot
demanda à lui parler seul à seul et entraîna François
dans une salle de classe. Leur conversation dura plus
d'une demi-heure. Quand il réapparut, son père ne
dit pas un mot à Charles. Ce fut seulement dans le
train, en sortant de la ville, que François murmura
d'une voix qui ne portait aucune colère :

– C'est entendu, tu iras chez M. Boussinot en janvier.

Charles ne sut jamais ce qui s'était dit entre ces
deux hommes si différents, ni sur quel point ils
avaient fait alliance, s'étaient reconnus comme des
hommes plus proches qu'ils ne l'avaient imaginé, et
pareillement dignes de respect.

Sur le trottoir de la Theresienstrasse de Nuremberg, au retour du marché, Lucie portait son fils
Heinz dans ses bras, quand éclata l'une de ces musiques militaires qui, chaque dimanche, animaient la
ville. Depuis le début de cette année, en effet, un
certain Hitler avait pris le pouvoir, et ses partisans
défilaient régulièrement, le bras droit levé, en célé-
brant les forces et les vertus du parti national-socialiste qui était à la tête du pays. Ces manifestations
mettaient Jan hors de lui, mais il ne pouvait les

empêcher, et il se contentait de les combattre sur le terrain des idées, au gymnasium ou ailleurs, chaque fois qu'il en avait l'occasion. Lucie, à qui ces grands mouvements de foule faisaient peur, lui recommandait d'être prudent, de ne pas s'exposer inutilement, de penser à leur fils âgé de deux ans, un fils qu'elle avait conçu dès son retour en Allemagne, après son malheureux voyage en France, à l'automne de l'année 1930.

Ç'avait été pour elle la seule solution pour ne pas sombrer : s'attacher à la perspective d'une vie nouvelle, tourner résolument le dos à ce passé qui la faisait tant souffrir. En fait de changement, ils avaient quitté Cologne pour Nuremberg à la fin de l'année scolaire, un poste dans les plus grandes classes ayant été proposé à Jan, avec un meilleur salaire, évidemment. Ce n'était pas à négliger en une période où la crise économique sévissait dans le pays, jetant dans les rues des milliers de miséreux, provoquant une insécurité et une colère qui avaient amené au pouvoir le Führer, le 30 janvier 1933 exactement, celui-là même qui haranguait la foule à la T.S.F. avec une voix, une violence qui inquiétaient beaucoup Jan et Lucie. Non seulement parce qu'elle était française et que, comme l'avait prédit Jan, l'occupation avait exacerbé les désirs de revanche, mais parce qu'ils décelaient dans cette voix un fanatisme qui, déjà, menaçait tous ceux qui ne partageaient pas les mêmes idées.

C'est à regret que Lucie avait quitté Cologne, car Nuremberg se trouvait très loin de la frontière française. Jan lui avait fait observer que leur nouvelle destination, située en basse Franconie, se trouvait plus au sud et que le climat devait y être plus doux. Quant aux Français de la Rhénanie, ils avaient regagné leur pays avant l'expiration des quinze années prévues par le traité de Versailles et il n'y en avait plus à Cologne. Alors pourquoi auraient-ils refusé cette mutation qui devait leur apporter un peu plus de bien-être ? Ils avaient juste eu le temps de déménager avant que Lucie n'accouche de Heinz, lequel était donc né à Nuremberg, en août 1931.

Cela faisait plus de deux ans que Lucie vivait dans cette ville étrange, moyenâgeuse, très belle avec ses colombages et ses pignons historiés, une ville dans laquelle, chaque année, à partir de novembre et jusqu'à la Saint-Sylvestre, le Kristkindlesmarkt se tenait sur la place du Marché, autour de la belle fontaine, face à la Frauenkirche : l'église Notre-Dame dans laquelle Lucie allait souvent contempler la *Madone au manteau.*

Comme la place du Marché se trouvait très près de la Theresienstrasse, Lucie avait décidé de sortir, ce matin-là, malgré le froid, pour acheter des saucisses grillées, et surtout ce fameux *Lebkuchen* – pain d'épice, disait-elle en français – que l'on vendait ici traditionnellement dans de belles petites boîtes de couleurs verte et rouge.

C'est en repartant qu'elle s'était trouvée prise dans le défilé à l'entrée de la Theresienstrasse, portant d'une main son sac et de l'autre Heinz, un enfant blond, aux yeux clairs, qui était tout le portrait de son père.

Comme il lui était difficile de se frayer un chemin

dans la foule, elle se résigna à attendre que la musique militaire, précédée par les adolescents en uniformes des Jeunesses hitlériennes, fût passée. Elle
essaya alors de se glisser entre les spectateurs quand
elle entendit une voix qui la figea sur place :

– *Franzosen, raus !*

Les Français, dehors ! Elle crut qu'elle avait mal
entendu, mais, comme elle tentait de s'éloigner, la
même voix de femme, haute, criarde, répéta :

– *Franzosen, raus !*

Lucie ne se retourna pas, ne chercha pas à savoir
d'où provenait la voix, car elle ne songeait plus qu'à
une chose : se réfugier dans son appartement,
échapper à cette menace qui avait fondu sur elle,
faisant courir dans son dos un frisson de terreur.
Pourtant, à cause de cette foule qui ne se dispersait
pas, il lui fallut plus de vingt minutes avant de pouvoir refermer derrière elle la porte de son appartement, se précipiter vers Jan qui demanda, devant
son air affolé :

– Qu'est-ce qu'il y a ? Qu'est-ce qui se passe ?

– Une femme, bredouilla Lucie.

– Quoi ? Quelle femme ?

– Elle a crié : *Franzosen, raus !*

– Non, dit Jan, tu as mal compris.

– Si, je te jure.

– Mais non, mais non. Assieds-toi, et calme-toi. Je
suis sûr que tu as mal compris.

– Oh ! Jan, j'ai tellement peur !

– Tiens ! Réchauffe-toi ! dit-il en lui versant du
café.

Il enleva le manteau du petit Heinz, le posa par

terre où il se mit à jouer avec des cubes de couleur, puis Jan s'assit face à Lucie qui tremblait toujours.

– Allons, dit-il, c'est fini. Tu n'as pas à avoir peur, il ne peut rien t'arriver avec moi.

Il lui avait caché qu'en octobre son directeur l'avait convoqué dans son bureau pour lui indiquer qu'il n'était pas bon, pour sa carrière, d'être marié à une Française. Jan avait répondu que cela ne concernait que lui. Un mois plus tard, le même directeur lui avait fait savoir qu'il était soupçonné d'être un sympathisant du parti communiste, peut-être même des spartakistes d'extrême gauche.

– Je n'ai adhéré à aucun parti, avait répondu Jan. J'ai des idées, c'est tout.

Il n'ignorait pas que tous les partis et tous les syndicats avaient été dissous, que les maisons d'édition étaient contrôlées, la littérature non conforme brûlée dans des autodafés, et qu'aux élections du 17 octobre dernier le parti nazi – le seul parti autorisé – avait obtenu 92 % des suffrages. Jan pensait que ce n'était là que feu de paille, que le peuple allemand allait se reprendre, et qu'il fallait se battre pour cela. Il ne s'agissait donc pas pour lui de véritables menaces, mais de vexations de la part d'une partie de la population, qui serait désavouée dès les prochaines élections. Rien de grave, en somme, pour une jeune république qui devait se construire à partir du respect commun entre les peuples d'Europe, à commencer par ceux de France et d'Allemagne.

– Il y aura toujours des imbéciles, surtout dans une foule fanatique, dit-il à Lucie. Je t'avais recommandé de ne pas sortir. Cet après-midi, tout sera fini, et nous pourrons nous promener tranquillement.

– Non, dit Lucie, pas cet après-midi.

– Allons, dit Jan, il ne faut pas s'effrayer pour si peu. Nous irons promener le petit et tout se passera bien, tu verras.

Elle ne répondit pas, se mit à faire la cuisine, mais elle ne fut vraiment rassurée que lorsque le tintamarre s'éteignit dans la rue, la foule s'étant enfin dispersée un peu après midi. Ils déjeunèrent alors tous les trois dans le calme revenu, puis, comme le soleil émergeait du brouillard, Jan ayant beaucoup insisté, Lucie accepta d'aller marcher, comme ils en avaient l'habitude, les jours où son mari était en congé.

C'était lui qui tenait la poussette dans laquelle Heinz, bien emmitouflé, tournait sans cesse la tête à droite et à gauche, comme s'il découvrait son environnement pour la première fois.

– Prends-moi le bras, dit Jan.

Lucie fit ce qu'il lui demandait, se serra contre lui tout en avançant dans la Burgstrasse en direction du Kaiserburg, le château médiéval où, à partir des jardins, on pouvait marcher le long des fortifications et apercevoir la vieille ville, tout en bas, et notamment la maison qui avait été celle de Dürer, le célèbre graveur. Elle se trouvait au pied de ces fortifications, et Jan la montrait chaque fois à Lucie avec fierté. De ces hauteurs, on pouvait se rendre jusqu'à la Pegnitz – la rivière qui traverse Nuremberg –, passer sur l'autre rive sur une passerelle et regagner le centre-ville par le Maxbrücke.

Ils marchaient lentement dans le soleil et le froid de cette fin décembre, attentifs au silence de la ville qui avait retrouvé son calme, et Lucie sentait la peur du matin la quitter. Jan parlait, comme à son habitude, mais c'est à peine si Lucie l'entendait. Ce froid lui faisait penser à celui du Pradel, dont elle se demandait souvent, à cause du temps et de la distance qui les séparaient, si elle avait vraiment vécu là-bas ou si elle l'avait rêvé. Elle se souvenait aussi de l'hiver 1917, quand elle avait eu si froid, à Paris, et elle s'étonnait d'habiter cette ville allemande, si loin, étrangère, consciente d'avoir pris un chemin de non-retour depuis qu'elle avait eu un fils de Jan.

Sur le chemin, un groupe de jeunes filles venait à leur rencontre. Comme ils se rangeaient pour les laisser passer, Lucie crut reconnaître parmi elles les tresses brunes d'Elise, également sa manière de marcher, tête légèrement penchée vers l'avant. Elle étouffa un cri, comprit que, malgré tous ses efforts, elle n'avait rien oublié de son pays, de sa fille, et ce fut comme si une longue pointe noire lui entrait dans le cœur. Elle s'efforça de cacher à Jan son émotion, et marcha devant, sans se retourner sur le sentier étroit, le temps d'entrer dans la ville où l'on construisait des cubes blancs : les Siedelungen, ces nouvelles cités ouvrières où étaient désormais rassemblés les ouvriers du Front allemand du travail, à la solde du pouvoir en place.

Là, le long d'une rue large et droite, des enfants jouaient à imiter le défilé auquel ils avaient assisté le matin même. Des enfants et des adolescents. Très droits, très dignes, ils passaient et repassaient entre deux haies formées par les plus jeunes qui, chaque fois, levaient le bras droit et criaient dans un ensemble parfait : « Heil, Hitler ! »

– Rentrons ! dit Jan. Il fait trop froid maintenant.

Lucie ne répondit pas mais elle pressa le pas. Elle avait froid jusque dans le cœur, car elle venait de comprendre qu'elle avait fait fausse route. Tout lui était hostile, ici, et elle ne s'habituerait jamais. Une fois dans l'appartement, elle remit du bois dans le poêle, fit chauffer de l'eau pour préparer du thé et, s'étant assise face à Jan, elle murmura :

– Il faut partir. On ne peut plus rester ici.

Il leva sur elle un regard douloureux où se lisait aussi de l'incompréhension, puis il répondit :

– Je ne quitterai pas mon pays tant qu'il sera si malade. Tu comprends, je ne peux pas faire ça. Il faut que je me batte ici, pour le sauver de cette folie qui l'a gagné, de ce terrible mal qui le ronge.

– Et moi ? fit Lucie.

Comme il ne répondait pas, elle répéta, désignant leur fils :

– Et nous ?

– Il faut me faire confiance, dit Jan, je suis là pour vous défendre.

– Je ne sais pas si je pourrai, dit Lucie.

Et elle reprit avec un soupir, les yeux noyés :

– Non, je crois que je ne pourrai pas.

La neige était là, recouvrant les bois et les champs autour de Puyloubiers. Comme chaque fois, le retour de la messe de minuit avait été une heure merveilleuse de silence et de beauté. Avancer lentement sur cette étoupe blanche, voir comme en plein jour la neige étinceler sous la lune, sentir sur sa peau le frisson des arbres qui se balançaient doucement était ce que François, depuis le premier Noël passé au village, attendait chaque année. Il ne s'en lassait pas. Chaque fois c'était le même miracle : des instants volés au temps, une douceur palpable qui éveillait en lui quelque chose d'indéfinissable, mais qui le bouleversait : l'impression que le jour qui se lèverait serait tout neuf, restauré par la neige tombée au cours de la nuit, un jour qui répandrait sur la terre un éclat plus vif, plus pur, comme le premier jour du siècle, au Pradel, il y avait si longtemps.

Cette nuit-là, c'était la forêt qui guidait le cheval, et non François. Elle s'ouvrait lentement devant la charrette, délimitant la route, les arbres des lisières montrant la direction comme autant de Rois mages, faisant apparaître un grand champ d'étoiles qui semblait s'affaisser jusqu'à la terre bossuée d'une blancheur nacrée. Personne ne parlait. Louise se tenait serrée entre François et Aloïse, Charles assis à l'arrière en compagnie d'Edmond. Tous avaient encore dans les oreilles les chants de l'église, et devant leurs yeux les lumières d'or des lustres et du retable. C'était la seule fois où les hommes de la maison se rendaient à l'église, à l'exception de Pâques. Mais à Pâques, le plus souvent, il n'y avait pas cette neige, en tout cas il ne restait rien de ce mystère très doux de la nuit de Noël, sous un ciel ensemencé d'étoiles crépitantes.

S'il conduisait doucement, François avait pourtant hâte d'arriver, car il avait décidé, ce Noël-là, de faire un cadeau à sa famille. Ce n'avait pas été facile de trouver l'argent nécessaire, et il avait dû puiser dans les réserves qu'il avait rassemblées à grand-peine, en prévision des années difficiles. Il avait d'ailleurs longtemps hésité, mais il avait pensé qu'Aloïse méritait bien cela. Pour en faire la surprise, il avait prétexté un voyage à Bort, et, au retour, il avait caché son cadeau dans la grange, trois jours avant Noël, sous les bottes de paille.

Il put le sortir de sa cachette ce soir-là, après avoir bouchonné le cheval, au retour de la messe. Mais il ne l'apporta pas dans la maison avant la fin du réveillon. Ils mangèrent une soupe à l'oignon, du boudin aux châtaignes, de la dinde, des tartes aux poires qu'avait confectionnées Aloïse. Il était presque trois heures du matin, quand François se leva et dit :

– J'ai quelque chose pour vous. Ne bougez pas.

Il sortit, puis il revint en portant un gros paquet qui semblait peser très lourd. Il posa sur la table l'objet enrobé de papier rouge et enrubanné de vert.

– Qu'est-ce que c'est ? fit Louise.

– Une surprise.

– Pour moi ?

– Pour tout le monde.

Personne n'osait bouger. Aloïse regarda plusieurs fois François qui se contentait de sourire.

– Alors, fit-il, qui va ouvrir ?

411

Et, comme personne ne se décidait :

— Aloïse, ouvre, toi, s'il te plaît.

— Non, dit-elle, comme si elle avait peur.

— S'il te plaît, ouvre, répéta François.

Elle hésita encore quelques secondes, s'y décida, presque à regret. Elle dénoua lentement le ruban qui tomba sur la table, puis elle déchira le papier rouge qui laissa apparaître d'abord du bois verni, puis une surface jaune paille et enfin des boutons ronds.

— Un poste de T.S.F. ! s'exclama Aloïse.

— Pas possible ! dit Charles. Un vrai poste.

— François ! fit Aloïse.

Il y avait dans sa voix autant de joie que de crainte, car elle se demandait comment il avait fait pour le payer. Il ne lui laissa pas le temps d'y réfléchir, et dit, s'adressant à Edmond :

— Tiens ! Aide-moi à le porter sur le buffet, et à le brancher.

Quand ce fut fait, François tourna un bouton, et l'on entendit des grésillements décevants. Alors il tourna un autre bouton, et une voix étrangère se fit entendre, qui semblait provenir du bout du monde. Ils se regardèrent, stupéfaits, et François montra sur le cadran des noms de villes lointaines : Budapest, Prague, Londres, Madrid, Stuttgart, Bruxelles, Moscou, Andorre.

— Vous voyez, dit-il, on peut entendre le monde entier.

Tournant encore le bouton, il capta une voix, sur Radio Toulouse, qui annonçait un *Minuit chrétien*. Ils l'écoutèrent bouche bée, bouleversés par cette musique venue jusque dans leur foyer, qui paraissait ne s'adresser qu'à eux, et qui, soudain, venait embellir cette nuit et aussi, ils le savaient déjà, transformer leur vie des jours à venir.

Ils eurent beaucoup de mal à se coucher, cette nuit-là, émerveillés qu'ils étaient par ces voix complices qui semblaient occuper tout l'espace, habiter cette maison comme ils l'habitaient eux-mêmes. Il fallut aller dormir, cependant, s'enfouir sous les édredons de plume en s'efforçant d'oublier les voix qu'ils regrettaient déjà, comme si elles étaient parties sans espoir de retour.

Le lendemain matin, en déjeunant avec Aloïse, François tourna impatiemment le bouton du poste. C'étaient les informations de huit heures. Un homme parlait d'une catastrophe ferroviaire qui s'était produite à Lagny le 23 décembre, et qui avait fait plus de deux cents morts et trois cents blessés. Il parla aussitôt après d'un nommé Stavisky, qui s'était enfui après la faillite du Crédit municipal de Bayonne dont il était responsable, des difficultés du cabinet Chautemps qui devait faire face à la crise, au chômage, à la baisse des prix des produits agricoles : enfin d'un lieutenant-colonel de La Rocque qui recrutait des volontaires pour ses Croix de Feu.

– Tu vois, dit François à Aloïse, nous saurons tout ce qui se passe dans le pays.

Elle sourit, mais il comprit qu'elle avait la tête ailleurs.

– Je préfère la musique, dit-elle.

– Nous avons le choix.

Il y eut alors entre eux un silence, puis elle demanda doucement :

– François, comment as-tu payé ce poste ? Tu peux me le dire ?

– Ne t'inquiète pas, fit-il. Il est payé.

– Et l'annuité ?

– Elle est payée aussi, tu le sais bien.

Il avait décidé d'attendre quelques jours pour lui avouer qu'il avait emprunté un peu d'argent pour acheter le poste. Malgré les craintes d'Aloïse, il ne le regrettait pas. Ils avaient droit à un peu de bonheur après avoir tant travaillé. Jamais de sorties ni de réjouissances qui faisaient perdre un temps précieux. Maintenant, au moins, ils auraient le monde entier dans leur propre maison, et ce serait leur récompense, à tous les deux, la première de leur vie.

Il eut d'autant moins de scrupules et de regrets qu'il constata combien Aloïse était heureuse, pendant la matinée, en écoutant le speaker s'adresser à ses « chers auditeurs », et aussi les réclames qui vantaient les lessives ou le savon de Marseille, les jeux, les émissions documentaires sur des pays lointains, des chansons, enfin, dont l'une, *Fleur de blé noir*, entendue vers dix heures, fut fredonnée par elle toute la journée.

Ainsi, l'hiver, la neige, parurent-ils s'effacer, disparaître, durant ces vacances de Noël à nulles autres pareilles. Une fois les travaux au-dehors accomplis, les hommes rentraient le plus vite possible et s'installaient pour écouter. Le feu crépitait dans l'âtre, et ils avaient l'impression que tout ce qu'ils avaient espéré dans leur vie, leurs souhaits les plus secrets, les plus précieux, étaient concrétisés là, aujourd'hui, dans la grande cuisine où il faisait si bon. Ils avaient la conviction, tous, qu'ils avaient franchi le seuil d'une vie plus heureuse : ils pouvaient désormais penser au plaisir et non plus seulement au travail.

Pour la première fois aussi, il avait neigé sur Ab Daïa. Certes, cette neige n'avait pas tenu, mais elle avait donné à Mathieu le souvenir de son haut pays, du Pradel, et avivé en lui l'envie de retourner en France voir sa famille. Car il se demandait, Mathieu, s'il aurait un jour, ici, dans cette Mitidja que déjà le printemps faisait doucement frissonner, une véritable famille. Non seulement Leïla ne lui avait pas donné un fils, mais la fille dont elle avait accouché était morte d'un mal mystérieux trois semaines après sa naissance, et, depuis, elle n'avait pas attendu d'autre enfant. Elle n'allait pas bien, Leïla, semblait honteuse d'être incapable de donner à son mari les enfants qu'il était en droit d'espérer, comme toute épouse respectueuse et dévouée, telle qu'on la concevait chez les Kabyles. Hocine, d'ailleurs, était lui-même devenu hostile envers sa fille. C'est tout juste s'il ne suggérait pas à Mathieu de la répudier. Il se sentait coupable, lui aussi, travaillait jour et nuit, multipliait les prévenances, comme s'il devait compenser par son ardeur la faute inexcusable de sa fille.

Mathieu, bien sûr, n'en avait jamais voulu à Leïla. Il s'inquiétait surtout de la voir dépérir, ne se douta⸱nt pas que sa mère, Nedjma, l'obligeait à prendre des remèdes qu'elle se procurait auprès des *hadjou-zas*, les vieilles gardiennes de la tradition, et qui lui faisaient beaucoup plus de mal que de bien. Nedjma sacrifiait ainsi aux rites berbères, entre encens, lait de chèvre et sang de mouton, pour ⸱rendre à sa fille sa fécondité perdue.

L'ensevelissement de l'enfant défunte avait fait parler dans la région. Sur la place du village, Mathieu s'était un jour trouvé face à Gonzalès qui, prenant un air apitoyé, avait déclaré :

– Sincèrement, Mathieu, je te plains.

– Je ne t'en demande pas tant.

– Tu vois, Mathieu, avait repris Gonzalès, les Arabes et nous, ça marche pas. Ça ne peut pas marcher, tu comprends ?

– Va-t'en, Gonzalès ! avait répondu Mathieu.

– Ne te trompe pas, avait répliqué celui-ci. Moi je suis ton ami, mais tu n'as pas que des amis, ici.

Oui, Mathieu le savait. On ne l'invitait guère aux événements familiaux de la Mitidja, craignant qu'il n'emmène avec lui sa « moukère ». Les colons se méfiaient de lui, l'accusant d'accorder aux Arabes des faveurs qui les mettaient, eux, en porte-à-faux vis-à-vis des fellahs. Ainsi, Mathieu avait changé les horaires de travail sur son domaine. A partir du mois de mai, on se rendait dans les vignes dès cinq heures, et l'on travaillait jusqu'à midi. Puis on restait à l'ombre de midi à quatre heures, et on reprenait ensuite le travail jusqu'à la nuit. Mathieu ne souffrait pas de cet ostracisme. Il avait toujours été seul. C'était sa nature. Il n'avait nul besoin de se conforter dans ses idées ou dans ses décisions. Il suivait sa route, tout simplement, fidèle à ce qu'il pensait, à ce qu'il était.

Et aujourd'hui, précisément, il était un homme qui en faisait vivre une vingtaine d'autres à Ab Daïa. Cependant, la crise économique qui sévissait en Europe lui créait des soucis, car le vin et les oranges se vendaient moins bien. Il savait que les autres colons aussi étaient en difficulté. Même son plus proche voisin, celui qui employait Gonzalès et qui possédait soixante hectares. Il s'appelait Colonna, était d'origine corse, d'une famille installée dans la Mitidja depuis 1880. Il ne faisait aucun cadeau à Mathieu, vérifiait soigneusement les limites, ne lui prêtait plus aucun matériel. Mathieu avait dû emprunter un peu plus d'argent à M. Benhamar qui n'avait fait aucune difficulté pour le lui accorder, au contraire ; à l'entendre, tout ce qu'il possédait était à Mathieu :

– Tout ce que tu veux, mon ami. Tu es comme mon frère.

Mathieu ne se laissait pas prendre à cette amitié factice, derrière laquelle il devinait des pièges. Il veillait à ne pas s'endetter au-delà de ses possibilités, préférant embaucher quelques fellahs de plus, lorsque c'était vraiment nécessaire. Il travaillait beaucoup, ne ménageait ni sa peine ni ses efforts pour tirer le maximum de son domaine.

Un soir d'avril, en rentrant, il ne se sentit pas bien. En dînant, il se mit à trembler de tous ses membres, et dut se coucher. Le lendemain, après une journée pénible, il recommença à trembler, fut pris de vomissements dès qu'il eut avalé son repas. Leïla, inquiète, s'en fut prévenir sa mère et Hocine. Nedjma donna à Mathieu un remède de sa composition à boire, mais, le lendemain, il ne put se lever. Il délirait. Hocine envoya alors son fils Ali prévenir le médecin de Boufarik, qui ne vint que dans la soirée.

– Paludisme, dit-il en faisant une piqûre à Mathieu. Il va falloir vous reposer, si vous voulez sortir de ce mauvais pas.

Malgré les comprimés de quinine, malgré les soins de Leïla, il délira pendant deux jours et deux nuits. Un matin, le croyant perdu, Hocine retourna lui-même chercher le médecin, mais celui-ci ne pouvait pas revenir avant le lendemain.

– Je lui ai donné ce qu'il fallait, dit-il. Je ne peux pas faire plus.

Mathieu mit huit jours à s'en sortir. Il émergea de la crise épuisé, amaigri, pour apprendre que Leïla, à son tour, en était atteinte. Le médecin lui donna les mêmes comprimés qu'à Mathieu, mais sa mère les jeta et préféra la soigner elle-même. Or Leïla n'était pas en bonne santé depuis sa grossesse. Elle résista trois jours et mourut la nuit suivante, alors que Hocine, Nedjma et Mathieu étaient près d'elle. Sa mère, aussitôt, se mit à crier, à se lamenter comme il était de tradition chez les Kabyles, et bientôt ses sœurs firent de même, ce qui fit fuir Mathieu et Hocine. Ils se réfugièrent dans la cave et s'assirent sur des tabourets, Mathieu terriblement touché, Hocine apparemment beaucoup moins.

– Dieu l'a voulu, dit-il.

Ce fatalisme ne fut pas du goût de Mathieu qui, lui, était révolté. Il s'était attaché à la jeune femme qui lui avait témoigné du dévouement, sans doute même de l'amour, bien qu'il fût manchot et beaucoup plus âgé qu'elle. Lui, il l'avait aimée à sa manière, sans effusions mais avec tendresse et loyauté. Si cela avait été nécessaire, il savait qu'il l'aurait défendue, protégée contre vents et marées. D'ailleurs, un jour où il l'avait emmenée avec lui à Blida, après une visite chez le notaire, ils étaient entrés dans un restaurant où le patron les avait très mal accueillis, et Mathieu avait failli tout casser dans l'établissement. Il avait fait face aux difficultés engendrées par cette union avec une Kabyle – une union contre nature, disait Gonzalès – et il ne l'avait jamais regretté. Aujourd'hui, il se sentait très las, très malheureux, en tout cas beaucoup plus que Hocine qui, une heure après le décès de sa fille, était reparti au travail.

Après l'enterrement de Leïla, il fut difficile à Mathieu de rentrer chez lui le soir. Pendant huit jours il coucha sur une natte, dans l'appartement de son fellah, but du thé, mangea des dattes et ces délicieuses galettes de *kesra* que faisait cuire Nedjma. Le mois de mai allumait dans la Mitidja des foyers de toutes les couleurs. Un matin, Mathieu trouva la force de se lever tôt et se rendit dans les vignes au moment où le soleil émergeait au-dessus de l'Atlas : ce fut devant lui, dans les rangées de vignes, un éclaboussement de lumière qui fit resplendir les feuilles humides et les toiles d'araignées : une sorte d'univers argenté qui tourna très vite au rose puis au vert. Le ciel, au-dessus de lui, devint d'un bleu de faïence très pur, et toute la plaine se mit à fumer. Mathieu sentit ses forces revenir dans son corps en même temps que la Mitidja changeait de couleur. Il se dit qu'il était jeune encore – pas tout à fait quarante ans – et qu'il n'aurait sans doute pas assez de temps pour rendre à cette terre magnifique tout ce qu'elle lui avait apporté.

L'année scolaire s'achevait pour Charles, qui avait été malade en février et avait redouté de ne pouvoir rattraper le retard accumulé pendant les quatre semaines qu'il avait passées à Puyloubiers. François et Aloïse avaient craint qu'il ne perde une année, et, par la même occasion, cette bourse dont ils avaient tant besoin. Le médecin avait prononcé le mot de « scarlatine », une maladie contagieuse et dangereuse, si bien qu'ils avaient confié Louise à Rose Rebière, afin de l'éloigner de son frère le temps nécessaire à sa guérison. Eux-mêmes avaient pris des dispositions, mais Aloïse ne les respectait pas et n'hésitait pas à embrasser son fils, chaque soir et chaque matin, en disant doucement :

– Donne-moi ton mal, mon petit, et lève-toi vite.
– Non, disait Charles, ne t'approche pas.

Pourtant, rien ne pouvait empêcher Aloïse de se pencher sur lui, d'essuyer son front, de le soigner et de rester à son chevet plus longtemps qu'elle ne l'aurait dû, sans en concevoir la moindre crainte.

Au bout de quatre semaines la fièvre était tombée, mais le médecin n'avait pu préciser de quoi Charles avait souffert exactement. Il avait regagné le lycée, et aussi, le jeudi et le dimanche, la maison de M. Boussinot qu'il avait découverte en janvier Le vieux professeur et sa femme habitaient derrière l'église une maison couverte d'ardoises, aux volets gris. Cependant, autant elle paraissait austère de l'extérieur, autant elle était chaude et agréable à l'intérieur. La femme du professeur était petite, aux cheveux blancs peignés en chignon, et portait de fines lunettes, sur des yeux très clairs. Elle accueillit Charles comme s'il s'agissait de son propre fils et il comprit combien le fait de n'avoir pas eu d'enfant pesait lourd chez cet homme et cette femme admirables de simplicité et d'intelligence, qui, pour un fils ou une fille, eussent été les meilleurs des parents.

M. Boussinot lui expliqua qu'il était d'origine paysanne, de la région de Beaulieu, en Corrèze, sur les rives de la Dordogne, et qu'il avait encore de la famille là-bas. Grâce à un héritage, il avait pu, à seize ans, partir à Paris pour y faire des études. Là, dans la rue Delambre, à Montparnasse, il avait pris pension chez une veuve qui vivait avec sa fille, celle-là même qui se trouvait près de lui aujourd'hui, puisqu'elle était devenue sa femme. Ils avaient vécu à Paris une dizaine d'années, jusqu'au décès de la mère de son épouse. Celle-ci avait été ruinée par de mauvais placements et n'avait pu le supporter. Elle avait disparu après beaucoup de souffrances. Alors les jeunes époux avaient décidé de quitter Paris et de demander un poste en Corrèze. C'est ainsi qu'ils vivaient à Egletons depuis 1908, tout en gardant beaucoup de nostalgie de leur jeunesse à Montparnasse, au début du siècle, où ils avaient côtoyé des peintres et des écrivains. Il sembla même à Charles qu'il y avait des regrets dans la voix de Mme Boussinot le jour où elle lui dit, en l'absence de son mari parti chercher un livre dans sa bibliothèque :

– C'était une vie merveilleuse.

– Pourquoi en avoir changé, alors ? demanda Charles.

– Il avait tellement envie de revenir chez lui, répondit-elle rêveusement, que je n'ai pas cru devoir m'y opposer. Quant à moi, j'avais besoin de couper avec les derniers mois si difficiles vécus auprès de ma mère. Alors nous sommes partis. Mais je me demande si mon mari ne l'a pas regretté lui aussi : nous étions si heureux, là-bas : nous allions au théâtre, au concert, nous visitions des expositions, nous rencontrions nos amis dans les cafés les restaurants, les endroits à la mode.

Elle parut s'éveiller d'un songe reprit plus doucement :

– La vie est là-bas, mon petit Charles. Dans les grandes villes : c'est là que l'on peut grandir, exercer son esprit, découvrir les artistes, tout ce qui rend la vie plus belle, plus grande. Ne l'oubliez jamais.

Leur maison était à l'image de ce qu'ils avaient connu : des livres partout, des revues littéraires, un phonographe grâce auquel Charles découvrait les charmes de la grande musique ; des bibelots, des tableaux et des statuettes achetés à bas prix à des sculpteurs, des peintres devenus célèbres depuis. Chaque fois que Charles entrait dans leur demeure, c'était comme s'il pénétrait dans un univers fabuleux. Un monde qu'il n'avait jamais connu mais qui le fascinait, lui faisait apercevoir les rives d'une île magnifique où, jusqu'ici, il n'avait jamais abordé.

– Nous repartirons, sans doute, dès que mon époux sera à la retraite, dit Mme Boussinot. Ainsi, notre vieillesse rejoindra notre jeunesse et la boucle sera bouclée.

Charles avait oublié depuis longtemps les interminables promenades du jeudi et du dimanche avec ses camarades. Auprès de son professeur, il avait pu combler son retard, et nulle menace ne pesait plus sur lui. M. Boussinot lui enseignait les subtilités de la langue française, lui faisait découvrir des écrivains contemporains – Romain Rolland, André Gide, Pierre Benoît, André Chamson et tant d'autres –, l'ouvrait à la poésie, à la peinture, l'invitait à se dépasser, à réfléchir sur les sujets de l'époque, l'initiait à la philosophie. Charles sortait de ces après-midi-là complètement subjugué, se demandant s'il avait rêvé pendant ces trois heures, s'interrogeant sur les raisons pour lesquelles sa vie à Puyloubiers et à Saint-Vincent l'avait laissé à l'écart de ces richesses. Il en conçut quelque temps un peu d'amertume, mais cela ne dura pas. Il en garda pourtant comme un sentiment d'injustice, car il avait compris que d'autres, ailleurs, à Paris ou dans les grandes villes, menaient dès leur plus jeune âge une vie différente et souvent exaltante.

Cependant, le jour où M. Boussinot lui proposa de l'accueillir à Paris, plus tard, afin qu'il puisse y suivre des études universitaires, il répondit qu'il comptait passer le concours de l'Ecole normale et que c'était déjà beaucoup pour lui.

– Vous pourriez faire mieux, dit le vieux professeur. Vous en avez les capacités.

– Je veux recevoir un salaire très vite, pour pouvoir aider mes parents.

– Je comprends.

– Et puis j'aurais beaucoup de mal à quitter cette région où je suis né.

– On croit ça, mais ce n'est pas vrai. Comme disait un philosophe dont je ne me rappelle plus le nom : « La vie est ailleurs. Toujours. »

– Vous-même, vous êtes revenu ici, observa Charles.

– Ce n'est pas ce que j'ai fait de mieux.

Craignant d'être mal compris, le vieux professeur ajouta :

– Je ne parle pas d'ambition personnelle, n'est-ce pas. Je parle de découvertes, d'accomplissement, de rêves à réaliser. Mais je ne vous en parlerai plus, Charles. Je ne voudrais pas éveiller en vous du dépit pour un destin d'instituteur. C'est déjà une tâche admirable, et que vous remplirez au mieux, je le sais. J'ai simplement voulu que vous sachiez que tout cela existe, et que vous devez tendre vers ce qui est le mieux.

– J'avais compris, monsieur, et je vous en remercie.

Un autre jour, en juin, un peu avant de se quitter pour les grandes vacances, M. Boussinot lui fit cet aveu auquel Charles ne s'attendait pas :

— Savez-vous ce que j'ai dit à votre père le jour où je l'ai rencontré ?

— Je ne sais pas, dit Charles, mais je me le suis souvent demandé.

— Je lui ai dit qu'on ne donnait jamais assez à ses enfants, mais que c'est une pensée qui ne peut venir qu'à ceux qui n'en ont pas.

Il sourit, reprit :

— Je lui ai dit aussi que les seules dettes que l'on contracte dans la vie sont celles qui ne se payent pas en billets de banque. Des dettes vis-à-vis de l'esprit. Surtout s'il s'agit de celui des enfants.

M. Boussinot se tut de nouveau, puis ajouta :

— Votre père, Charles, est quelqu'un de très intelligent. Il vous faudra parachever ce qu'il a commencé en pensant qu'il n'aura pas eu cette chance, lui.

— Je sais, dit Charles. J'irai jusqu'au bout.

— Je n'en doute pas.

Les vacances arrivèrent, cette année-là, alors que Charles ne les attendait pas. Il savait qu'il allait devoir reprendre la fourche, la faucille, faire face à d'autres travaux que ceux de l'école, et qu'il allait changer de préoccupations. Il savait aussi qu'il avait eu beaucoup de chance, au cours de cette année, de pouvoir côtoyer M. Boussinot et sa femme.

— Alors, à la rentrée ! dit le vieux professeur, le dernier jeudi, alors que Charles s'apprêtait à partir.

— A la rentrée, c'est entendu.

Charles repartit à Puyloubiers près de son père qui était venu le chercher à la gare de Merlines.

François le félicita pour ses notes et lui dit qu'il l'attendait pour faucher les foins.

— On peut commencer dès demain matin, si tu veux, répondit Charles.

Sur la route, au-dessus de la forêt, le ciel était celui des grandes journées d'été, de la chaleur épaisse, des travaux les plus pénibles. Charles, du coin de l'œil, observait les mains de son père qui tenait négligemment les rênes. Ces mains qui avaient serré tant d'outils, tant peiné, ces mains crevassées, douloureuses, peut-être, mais grâce auxquelles il avait pu étudier, il les trouva belles.

— Merci, dit-il.

François tourna brusquement la tête vers lui.

— Pourquoi tu me dis merci, petit ? demanda-t-il.

— Parce que j'en ai envie, dit Charles. Cela te surprend ?

— Venant de toi, petit, rien ne me surprendra jamais, dit François.

Il mit le cheval au trot dès qu'ils atteignirent l'ombre fraîche des grands arbres.

15

L E temps passait et Lucie sentait se refermer sur
elle et sur Jan un étau terrifiant. Elle avait beau
supplier Jan, invoquer les risques qu'ils faisaient
courir à leur fils, il refusait toujours de partir, répétant que son pays avait besoin de lui. Pourtant la vie
était devenue de plus en plus difficile dans ce pays
fanatisé par le Führer qui avait créé la Gestapo et
promulgué une loi de protection de la race allemande, interdisant tout croisement entre Allemands et juifs. Ce n'était pas tout, hélas ! Nuremberg était devenue la cité du grand rassemblement
annuel du parti national-socialiste, en septembre,
une sorte de capitale du IIIe Reich, où, précisément,
avaient été édictées les lois antijuives.

– Après les juifs ce sera le tour des Français et de
tous les étrangers, se lamentait Lucie qui n'osait
même plus sortir de chez elle, épouvantée par ce
qu'elle entendait à la T.S.F. Je t'en prie, Jan, partons
tant qu'il est encore temps.

Elle le sentait faiblir, douter de l'utilité de mener
un combat sans issue, et cependant il ne lui disait

rien des pressions auxquelles il devait faire face au gymnasium en tant qu'opposant au régime et mari d'une Française. On lui avait demandé de se séparer de sa femme, sinon il perdrait son poste d'enseignant. Comme il avait refusé, on lui avait fait comprendre que, s'il n'appartenait pas au parti nazi, c'est qu'il en était un adversaire : il devait donc s'attendre un jour ou l'autre à des représailles. Il fallait qu'il se ressaisisse avant qu'il ne soit trop tard. Mais Jan ne capitulait pas. Il pensait qu'il était un citoyen allemand et qu'il ne pouvait rien lui arriver de grave. Il songeait seulement, parfois, à envoyer Lucie en France, à l'abri, en attendant que les choses se calment, mais elle avait refusé : elle ne voulait pas partir sans lui.

Le dimanche, ils ne sortaient plus. Les rues étaient peuplées d'hommes en chemise brune et chaussés de bottes, portant le baudrier sur la poitrine. Beaucoup arboraient le brassard à croix gammée, et ils se déplaçaient lentement, menaçants, vers la place du Marché où ils écoutaient un responsable du parti leur répéter que leur Führer avait pris en charge les maux des six millions de chômeurs du peuple allemand et qu'il allait lui assurer son *Lebens Raum* – son espace vital. Même les enfants et les adolescents étaient en tenue : culotte en cuir, bretelle de même et souliers cloutés. Les filles portaient un foulard, les garçons un brassard et un poignard à la ceinture. Le plus impressionnant, c'était le défilé annuel auquel Lucie et Jan assistaient depuis la fenêtre de la Theresienstrasse. En tenue de campagne et brandissant leurs étendards, précédés de musiques martiales au sein desquelles dominaient les cors, les trombones et les cymbales, il arrivait des délégations de tous les Länder. Elles étaient issues des ligues ou des associations patriotiques, regroupées dans des bataillons dont on ne savait plus s'ils étaient civils ou militaires. Tous ces mouvements de foule étaient encadrés par les uniformes noirs de la Gestapo, dont les bras à croix gammée se levaient régulièrement pour saluer le peuple en marche.

Et Lucie, donc, ne sortait plus. Non seulement parce qu'elle avait très peur, mais aussi parce qu'on ne trouvait plus grand-chose à manger, tant la crise frappait durement l'Allemagne. C'était Jan qui se chargeait du ravitaillement, au retour du gymnasium. Quant à Heinz, qui avait quatre ans, il n'allait pas à l'école, car il était trop jeune encore. De toute façon, ses parents ne l'auraient pas inscrit, de crainte qu'il n'ait à subir des vexations à cause de la nationalité de sa mère. C'était d'ailleurs là un des arguments de Lucie pour tenter de convaincre Jan de partir. Leur fils ne pourrait pas mener ici une vie normale.

– Si ça va trop mal, on partira, avait concédé Jan au début du mois de mai.

Un soir, alors que la nuit tombait, ils entendirent des motocyclettes s'arrêter brusquement devant leur maison, bientôt suivies par des camions qui stoppèrent avec des coups de frein rageurs. Il y eut des bruits de bottes, des hurlements, des cliquetis d'armes, et Lucie faillit s'évanouir de frayeur.

– Ne bouge pas, dit Jan. Eteins la lumière.

Elle se précipita dans la chambre de son fils qui commençait à s'endormir, le leva, le garda dans ses bras. On entendait crier dans l'escalier, les bottes résonner sur les marches de bois, et il sembla à Lucie que les pas s'arrêtaient devant leur porte. Son cœur, un instant, cogna si fort qu'il lui parut audible depuis l'escalier. Puis elle entendit frapper à une porte, l'étage du dessus, une porte qui, aussitôt, vola en éclats, avant que d'autres cris, qui n'étaient plus ceux des soldats, cette fois, retentissent sur le palier. Lucie reconnut des voix de femmes et d'enfants. Ensuite, il y eut un vacarme épouvantable dans l'escalier, de nouveaux cris, des chutes dominés par les hurlements des soldats, et puis, là-haut, un coup de feu qui claqua, provoquant d'autres cris, ceux-là insoutenables.

Lucie tremblait, son enfant dans les bras, attendant qu'à tout moment soit brisée la porte de son appartement.

– C'est fini, dit Jan resté dans la cuisine.

Pourtant il y avait encore des bruits de bottes dans l'escalier, mais c'étaient ceux des derniers soldats qui avaient fouillé de fond en comble l'appartement du haut. Enfin des portières claquèrent sur le trottoir, des moteurs tournèrent et les camions partirent, toujours précédés par les motocyclettes. Jan rejoignit alors Lucie qui trouva à peine la force de demander :

– Qu'est-ce qu'ils voulaient ?

– Ils ont arrêté des juifs.

– Quels juifs ?

– Il y avait deux familles, là-haut, avec des enfants.

– Tu le savais ?

– Oui, bien sûr, tout le monde le savait.

Ce que Jan savait aussi, et qu'il avait soigneusement caché à Lucie, c'était que la chasse aux juifs avait commencé depuis longtemps, surtout dans les jours qui précédaient un grand rassemblement, de manière à exacerber l'enthousiasme de la population. Jusqu'à présent, il n'y avait pas eu de descentes dans la Theresienstrasse ou dans ses environs, et Lucie avait ignoré ce genre d'opérations.

– Où les emmènent-ils ? demanda-t-elle.

– Je ne sais pas. Sans doute en prison.

En réalité, Jan savait que, dès le mois de mars 1933, Hitler avait mis en construction le camp de Dachau, un camp, assuraient les amis de Jan, qu'il destinait à la neutralisation de ses opposants politiques. Les juifs, eux, n'étaient pas des opposants : ils s'évertuaient au contraire à passer inaperçus, se cachaient, faisaient en sorte de ne pas attiser la haine qu'ils sentaient grandir à leur encontre. Jan pensait qu'on les emmenait en prison, avant, sans doute, de les expulser vers un pays étranger. C'est ce qu'il expliqua à sa femme dont l'angoisse ne s'atténua pas, ce soir-là.

Ils se couchèrent, mais ne purent s'endormir, et Lucie, une nouvelle fois, implora Jan de partir.

– En France, c'est moi qui serai l'ennemi, lui dit-il.

– Il n'y a pas d'Hitler en France. Là-bas, rien ne nous menacera.

– Et nous vivrons de quoi ?

– Si tu ne trouves pas de poste, je travaillerai. Je ferai des ménages, n'importe quoi.

Elle ajouta, espérant enfin le convaincre :

– Tu trouveras sans doute des leçons particulières à donner. A Paris, tout est possible.

– Et s'il y a une guerre un jour, entre la France et l'Allemagne, comme on l'a déjà vu ?

– Nous irons nous réfugier à Puyloubiers, chez mon frère. Là-haut, il ne nous arrivera rien.

Jan comprit qu'elle avait pensé à tout.

– C'est entendu, répondit-il d'une voix lasse. Nous partirons à la fin de l'année scolaire, quand j'aurai touché mon salaire.

Les jours suivants, un peu rassurée par la promesse de Jan, Lucie se mit à préparer leur départ, et, à cet effet, elle sortit de nouveau dans la ville pour faire des achats. Un samedi après-midi, alors que les premiers beaux jours illuminaient les rues, elle rentrait vers la Theresienstrasse quand elle entendit des motos et des camions qui se dirigeaient dans cette direction. D'abord un réflexe la fit se cacher sous un porche de la vieille ville, puis, quelques instants plus tard, au contraire, craignant pour Jan, elle se mit à courir vers leur domicile. Quand elle arriva à l'angle de la rue, elle crut défaillir en apercevant les camions garés devant leur immeuble. Un moment, elle espéra que les soldats ressortiraient avec quelqu'un d'autre que Jan, mais cet espoir fut de courte durée. Elle l'aperçut, là-bas, qui se débattait, avant d'être entraîné vers un camion. Lucie eut un élan vers lui, mais, au moment où elle s'élançait, son fils se mit à pleurer, et elle prit brusquement conscience de le mettre, avec elle, en péril. Elle s'arrêta net, revint vers l'angle de la Theresienstrasse, d'où elle vit partir les camions. Il lui sembla

alors qu'on l'observait, et elle fit demi-tour lentement, sans courir, et se réfugia dans la Sebalduskir-
che – l'église Saint-Sébald – qui se trouvait à une
centaine de mètres de là, dans la rue perpendicu-
laire.

Son fils s'était calmé, ne pleurait plus. Il faisait
bon dans la grande église romane où il semblait n'y
avoir personne. Cela sentait l'encens et la bougie.
Le cœur de Lucie se calma et elle put réfléchir.
Comment supposer que, si elle avait été présente
auprès de Jan, elle n'aurait pas été arrêtée elle
aussi ? Que serait devenu Heinz ? Si elle avait été
seule, la décision de partir, de s'enfuir, ne se serait
pas imposée à elle avec cette évidence, mais elle ne
pouvait accepter que son enfant soit emprisonné ou
lui soit arraché. Il n'y avait qu'une solution : il fallait
partir, quitter cette ville, ce pays, puisque aussi bien
elle ne pouvait être d'aucun secours à Jan.

Tout en attendant que le quartier se calme, elle
songea qu'elle avait assez d'argent sur elle, heureusement. Le seul problème immédiat était que la gare
était située à l'autre bout de la ville, au-delà des
fortifications, à l'extrémité de la Marienstrasse. Il
valait mieux attendre la nuit pour sortir de l'église.
Un moment, l'idée de partir sans rien emporter avec
elle l'arrêta, mais elle avait trop peur de regagner
l'appartement pour y prendre une valise. Des poli-
ciers ou des soldats l'y attendaient peut-être. Songeant qu'elle se trouvait seulement à une centaine
de mètres de chez elle, elle jugea qu'il valait mieux
ne pas attendre la nuit mais s'éloigner tout de suite
en direction de la gare, ce qu'elle fit aussitôt.

Il lui fallut près d'une heure pour y arriver, et, dès lors, elle se sentit davantage en sécurité, tant il y avait de monde autour d'elle. Il lui sembla qu'on ne pouvait plus l'identifier, la désigner du doigt, l'isoler de la foule. Se renseignant à un guichet, elle apprit qu'un train partait dans une demi-heure pour Stuttgart, et que, de là, elle aurait une correspondance pour Strasbourg. Elle n'hésita pas une seconde. Elle acheta un billet, de la nourriture, et monta dans le train qui, bientôt, s'éloigna de la ville alors que la nuit tombait. Son fils dormait dans ses bras. Elle se sentait plus calme, et comme libérée de l'angoisse qui la rongeait depuis de longs mois. Jan était de force à s'en sortir. Ils avaient un jour envisagé le pire et convenu que, s'ils étaient séparés, ils devraient s'écrire ou se retrouver dans le petit hôtel de la rue Saint-Sulpice, à Paris. A défaut, si ce n'était pas possible, à Puyloubiers, en Corrèze, chez François, qui serait pour elle, en cas de malheur, son ultime refuge. Lucie finit par s'endormir, bercée par les cahots du train qui la rapprochait de la France, de Paris, convaincue que Jan l'y rejoindrait bientôt.

A Puyloubiers, l'été était là, alangui dans les interminables journées de juin que le souffle de la forêt ne parvenait même pas à rafraîchir. Le soir, le vent demeurait accroché à la cime des arbres et ne parvenait pas à se défaire des branches feuillues. Dans le ciel, de fins nuages appareillaient vers l'horizon où le soleil les embrasait en quelques minutes. Il ne restait plus à l'ouest qu'une plage de plus en plus large, par où la nuit descendait sur le monde. La chaleur ne tombait guère. Il était difficile de dormir, et c'était pourtant l'époque des travaux les plus pénibles.

François et Aloïse étaient seuls pour y faire face, car Edmond était parti au service militaire à Bordeaux. Pendant les dernières années, il leur avait été d'une aide précieuse, ne mesurant jamais son temps ni sa peine, même quand il avait commencé à fréquenter une jeune fille de Saint-Vincent, prénommée Odile, à laquelle, avant de partir, il avait promis le mariage. Il avait été convenu avec François et Aloïse qu'une fois mariés ils s'installeraient avec eux, et que la propriété reviendrait un jour à Edmond, après dédommagement de son frère et de sa sœur.

François en était satisfait, car il savait que tous ses efforts ne seraient pas vains : les terres de Puyloubiers continueraient de vivre après lui. Ils essaieraient d'envoyer Louise à l'école, comme Charles, afin que le partage qui se réaliserait un jour ne pénalise pas trop Edmond, puisque l'on tiendrait compte des sommes versées pour les études. Tout cela avait été discuté lors du Noël dernier, et tous étaient d'accord. François se félicitait d'avoir su faire en sorte que les querelles inhérentes à tous les partages fussent chez lui évitées. Mais comment eût-il pu en être autrement, puisque Charles et Louise, qui travaillaient aussi bien l'un que l'autre à l'école, étaient persuadés d'être privilégiés ? Rares étaient ceux, en effet, dans les campagnes, qui pouvaient mener à bien des études et trouver ailleurs un emploi qui les ferait quitter la terre et ses servitudes. Louise rêvait de devenir infirmière. Aloïse et François lui avaient promis de l'aider à réaliser son rêve.

Ce ne serait pas facile, ils le savaient. Avec la crise économique, rien ne se vendait. Ils n'en souffraient pas trop, car ils avaient toujours vécu en économie fermée, mais ils avaient de plus en plus de mal à payer l'annuité de l'emprunt. On était à la mi-juin, et François n'avait pas pu mettre le moindre sou de côté pour la fin de l'année.

– Comment allons-nous faire ? lui demandait parfois Aloïse, très inquiète.

– Je trouverai une solution, comme d'habitude, répondait-il. Surtout, pas un mot aux enfants.

Ce n'était pas le moment d'en parler à Charles qui devait passer le brevet élémentaire et le concours d'entrée à l'Ecole normale à la fin de la prochaine année scolaire. Il était tout à sa joie des brillants résultats de l'année qui venait de s'achever. Dès son arrivée à Puyloubiers, comme à son habitude, il avait pris les outils pour faucher et rentrer le foin avec son père. Ensuite, ils avaient semé les blés noirs, moissonné le seigle, et maintenant, en cette fin du mois d'août, ils profitaient de quelques jours de répit. Pas autant qu'ils l'auraient souhaité, mais ce n'était plus le labeur éreintant des fenaisons et des moissons. Heureusement, car la chaleur était accablante, et François, en vieillissant, la supportait de plus en plus mal. Charles le trouvait fatigué. Il s'en inquiétait auprès d'Aloïse, sachant que son père serait seul pendant deux ans, au moins, avant qu'Edmond ne revienne. A l'automne, il devrait rentrer les regains, moissonner le blé noir, ramasser les pommes de terre, les châtaignes, labourer des terres qu'ils travaillaient à deux jusqu'à maintenant.

– Comment va-t-il faire ? demandait Charles à sa mère.

– Je l'aiderai. Louise aussi. Elle a plus de sept ans, maintenant.

– Elle ne vous sera pas d'un grand secours.

– Ne t'inquiète pas, nous y arriverons.

Charles essaya d'avancer le plus de travail possible mais, vers la mi-septembre, il dut se rendre à Egletons pour rapporter un dossier d'inscription et acheter les livres de l'année à venir. Il faisait chaud, très chaud, ce jour-là, et des orages tournaient depuis plusieurs jours au-dessus des collines. François et Charles avaient coupé les regains qui séchaient en andains dans les prés. Ce voyage à Egletons tombait mal, car ils avaient envisagé de rentrer le foin avant que le temps ne tourne vraiment à la pluie, mais la date limite de remise du dossier de renouvellement des bourses tombait ce jour-là et, trop pris par le travail, Charles s'en était seulement aperçu la veille. Aussi était-il très mécontent de lui, ce matin-là, en se mettant en route.

Il n'avait pas tort de s'inquiéter. Comprenant que l'orage ne manquerait pas d'éclater avant la fin de la journée, François avait décidé de rentrer le regain. Aidé par Louise et par Aloïse, ils avaient réussi à en mettre les trois quarts à l'abri, dans la chaleur étouffante de la fin de l'après-midi. François revenait avec la dernière charrette, vers six heures du soir, quand la pluie se mit à tomber dru sur le chemin qui le ramenait à Puyloubiers. Il était en sueur, fatigué, et les bêtes, affolées par le tonnerre, se montraient difficiles à maîtriser.

François avait envoyé Aloïse et Louise à l'abri, expliquant que ce n'était pas la peine de se mouiller tous les trois. Ce soir-là, sur le chemin, il pensait à son père, foudroyé un soir d'été, pour avoir, comme lui, rentré du foin sous l'orage, mais il n'avait pas peur, car il s'écoulait encore beaucoup de temps entre l'éclair et le tonnerre. D'ailleurs, comment faire autrement ? On ne pouvait pas perdre ce fourrage, sinon il faudrait en acheter.

Il arriva épuisé, trempé jusqu'aux os, tremblant de tous ses membres. Il se déshabilla, passa des vêtements secs, se chauffa près de la cheminée, retrouva des forces, mais, dès qu'il eut mangé, il se remit à trembler et la fièvre le prit. Il se coucha, ne parvint pas à se réchauffer. C'est dans cet état que le découvrit Charles à son retour, vers huit heures du soir. Il était trop tard pour prévenir le médecin. De toute façon, on savait ce que cela signifiait. Le lendemain matin, le verdict fut sans surprise : pleurésie. Charles ne décolérait pas auprès de sa mère, ne cessait de répéter :

– Si seulement j'avais été là ! Je l'aurais empêché, moi, de rentrer ce foin sous l'orage.

Aloïse ne pouvait pas lui répondre qu'il leur était difficile de perdre du foin, sans quoi il aurait compris que leur situation financière s'était aggravée. Elle préférait soigner François du mieux possible avec les médicaments qu'on était allé chercher à

Ussel. La fièvre, pourtant, ne tombait pas, et François délirait. Le médecin revint plusieurs fois, très inquiet. Il en avait vu, des hommes de la campagne, disparaître à cause d'une pneumonie ou d'une pleurésie ! Et certains étaient plus jeunes et plus résistants que François Barthélémy.

Il y eut une nuit où le destin hésita. Aloïse avait réveillé Charles. Tous deux se tenaient de part et d'autre du lit où François haletait, couvert de sueur, entre deux quintes de toux. C'était la quatrième nuit après l'orage. Ni Aloïse ni Charles n'osaient parler. Vers cinq heures du matin, François, brusquement, après une contraction douloureuse de son corps, se détendit étrangement, s'arrêta de respirer. Aloïse cria, et Charles se pencha sur son père pour le soulever. Celui-ci, alors, toussa, puis se remit à respirer. Ils l'installèrent en position assise contre deux oreillers, et il leur sembla, un peu plus tard, qu'il s'apaisait. Le lendemain, la fièvre diminua un peu. Le médecin, venu comme chaque jour, déclara :

– Si ça se confirme avant demain, il sera sauvé.

La nuit qui suivit fut de nouveau une nuit d'angoisse, mais, au matin, François respirait mieux. Il avait gagné la partie, puisant au fond de lui des forces insoupçonnées. A quel prix ! Sa convalescence dura trois semaines. Il était amaigri, épuisé, et il voulait quand même reprendre le travail que Charles avait assumé seul. Il restait une semaine avant son départ à Egletons. Il n'était pourtant pas question de quitter ses parents dans ces conditions.

Un après-midi, en voyant son père, qui avait voulu à tout prix l'aider, haleter près de lui, il lui dit :

– Je vais rester là. Tu as besoin de moi. L'école attendra le temps qu'il faudra.

François lâcha son outil, s'approcha de son fils, répondit :

– Si tu veux me tuer, c'est exactement ce que tu dois faire.

Ils étaient à l'ombre de trois grands bouleaux blancs dont les feuilles commençaient à se teinter de tavelures roses.

– Tu vois bien qu'il y a trop de travail, ici, reprit Charles, et il faudrait que tu te reposes au moins un mois. Tu ne pourras pas y arriver seul.

– J'ai vu pire pendant la guerre et je m'en suis sorti.

Charles hésita à répondre, puis il murmura :

– Tu étais plus jeune.

François grimaça un sourire, puis :

– Ecoute, petit, dit-il, je t'ai tout donné, tout ce que j'avais, mon temps, mes forces comme tu le dis si bien, et je ne t'ai jamais rien demandé. Alors aujourd'hui, pour la première fois, je vais te demander quelque chose.

– Quoi donc ?

François regarda son fils dans les yeux et dit, d'une voix dure, qui semblait provenir du plus profond de lui :

– S'il te plaît, va-t'en ! Rentre à Egletons, comme prévu, dans deux jours.

Et il ajouta, tandis que Charles hésitait :

– Comprends que c'est la seule chose qui puisse me permettre de rester debout.

Il y avait de la gravité dans cette voix, aussi comme un ultime sursaut d'énergie. Charles murmura, après un soupir :

– C'est entendu. Je partirai.

Les vendanges battaient leur plein dans la Mitidja accablée de soleil. Longtemps on avait craint les sauterelles qui ravageaient les cultures plus au sud, mais la menace s'était estompée. Pour la première fois depuis des années, Mathieu avait été invité à participer aux vendanges avec trois de ses fellahs dans les propriétés voisines, excepté celle de Colonna, le propriétaire le plus proche. Mathieu ne savait s'il devait ces attentions au fait qu'il n'était plus le mari d'une « moukère », ou au fait qu'il était devenu l'un des plus grands producteurs de vin de la Mitidja, depuis que ses plantations de Cinsaut et d'Aramon sur des terres asséchées donnaient à plein.

L'un des colons, qui habitait près de Ben Sari, s'était même pris d'amitié pour lui. Il s'appelait Barthès – Emile Barthès – et possédait une vingtaine d'hectares. Il avait passé la cinquantaine mais travaillait comme un forçat dans ses vignes, malgré la présence d'un fils qui venait juste de rentrer du service militaire. Il avait aussi une fille, cet Emile Barthès, et elle n'était pas mariée. Mathieu avait fait sa connaissance pendant les vendanges : elle s'appelait Marianne, avait une trentaine d'années, n'était pas très belle, mais ses yeux couleur de châtaigne laissaient transparaître une grande douceur. Il avait fallu peu de temps à Mathieu pour comprendre que les invitations de Barthès n'étaient pas désintéressées. Le dernier jour des vendanges, celui-ci s'en ouvrit d'ailleurs directement à Mathieu qui n'en fut pas étonné :

– Ecoute, Barthélémy, tu n'as qu'un bras et ma fille n'est pas la plus belle. Mais c'est une bonne petite, tu sais, qui te ferait de beaux enfants.

Il ajouta, après un silence soigneusement pesé :

– Et elle te tiendrait la maison, parce que, tu sais, elle a été bien dressée par sa mère, ma fille.

Et, comme Mathieu ne répondait toujours pas, il chercha un argument qui lui parut décisif :

– Nos propriétés ne sont pas éloignées. Qui sait si un jour elles ne seront pas regroupées par nos enfants, si elles n'en formeront pas une seule : la plus grande de toute la Mitidja ? Tu vois ce que je veux dire ?

Mathieu voyait très bien.

– Tu imagines ? Ils vivraient tous ensemble, frères et sœurs réunis, sur soixante hectares de vignes, d'oliviers et d'orangers. Ce serait pas beau, ça ?

– Je réfléchirai, répondit Mathieu pour s'en sortir sans dommages.

Depuis ce jour, effectivement, il réfléchissait, surtout le soir, quand il se retrouvait seul chez lui, après le départ de Nedjma. Celle-ci semblait lui en vouloir, il se demandait bien pourquoi. Peut-être le considérait-elle comme responsable de la mort de sa fille ? Elle glissait silencieusement près de lui en apportant son repas, repartait chez elle, revenait desservir, disparaissait de nouveau, sans un mot.

Hocine, lui, semblait un peu plus distant, comme si pesait sur cette maison une malédiction. Il avait des soucis, en fait, qu'il cachait avec soin à Mathieu. Il y avait eu une rixe entre les fellahs du domaine et les saisonniers de Colonna. Les seconds, qui étaient d'origine européenne, s'en étaient pris aux Arabes à propos d'une limite soi-disant dépassée, les traitant de tous les noms qu'ils avaient à disposition : bicots, ratons, melons, et tant d'autres qualificatifs du même genre. Mais ce n'était pas là l'essentiel des préoccupations d'Hocine. Il y avait plus grave : Ali, son fils, avait approché d'un peu près la femme d'un de ces saisonniers et il y avait eu des représailles. A ces représailles avait succédé une expédition des fellahs sur le domaine de Colonna. Au moment des vendanges, en effet, il y avait tellement de monde dans les vignes qu'on y circulait facilement, une fois la nuit tombée. La fatigue et le vin aidant, la tension était montée dangereusement.

Une nuit, il y eut une véritable bataille rangée à la frontière des deux domaines et un homme y laissa la vie, poignardé de trois coups de couteau : Ali, le fils de Hocine. Mathieu n'apprit la nouvelle que le lendemain matin en ne voyant pas arriver Nedjma. Elle veillait son fils près de ses autres enfants, en pleurs et gémissante. Hocine, lui, demeurait sans expression, le visage grave, tendu à l'extrême.

— Faut la justice, monsieur Mathieu, dit-il seulement en raccompagnant son maître chez lui. Sinon, ce sera le sang pour le sang.

– Tu as raison, dit Mathieu qui voulait éviter d'entrer dans un tel engrenage. Je m'en occupe tout de suite.

Il partit pour la gendarmerie de Boufarik, trouva comme par hasard Gonzalès sur son chemin. Manifestement, celui-ci l'attendait. Il était arrêté à l'ombre d'un eucalyptus, apparemment occupé à vérifier l'écrou d'une charrette, mais il se redressa bien vite en apercevant Mathieu.

– Où tu vas, ce matin ? demanda-t-il. Tu as fini les vendanges, Mathieu ?

– Et toi ?

– Non, pas encore.

– Moi non plus.

– Et tu t'en vas quand même. C'est pas sérieux, Mathieu.

– J'ai à faire à la gendarmerie.

Gonzalès prit un air affligé, s'approcha, pointa son index sur la poitrine de Mathieu, et demanda :

– Pourquoi tu es toujours du côté des Arabes, Mathieu ? C'est pas possible, avec toi. Je te l'ai déjà dit : un jour, quand tu leur auras fait du bien, que tu leur tourneras le dos, ils te couperont la gorge.

– Pour le moment, ce sont tes saisonniers qui se sont servis du couteau.

– Ecoute, Mathieu, fit Gonzalès, je te l'ai déjà dit : qu'est-ce qu'il y avait ici, avant nous ? Des marécages, de la maladie, et ils crevaient de faim. Aujourd'hui on leur donne à manger, on les soigne, on accueille même leurs enfants dans nos écoles. Et pourtant on est toujours pour eux des chiens de roumis. Tu peux pas comprendre ça, toi, Mathieu ?

Pourquoi tu veux toujours leur donner raison contre nous ?

— Je veux donner raison à personne. Le fils d'un de mes fellahs a été tué et je veux savoir qui a fait le coup.

— T'as pas besoin d'aller voir les gendarmes, pour ça. On peut s'arranger.

— C'est Colonna qui t'envoie ?

— Si tu veux.

Eh bien, tu lui diras qu'il s'expliquera avec les gendarmes.

Mathieu voulut passer son chemin, mais Gonzalès se mit au milieu de la route.

— Tu vas vers les ennuis, Mathieu, dit-il, de graves ennuis et ça me fait de la peine. Tu le sais, que je t'aime bien, Mathieu, et je voudrais pas qu'il t'arrive malheur.

— Des menaces ?

— Non, un conseil d'ami, c'est tout.

Gonzalès libéra le passage et reprit :

— Les accidents, Mathieu, quelquefois c'est vite arrivé.

— Ne t'inquiète pas pour moi, dit Mathieu en s'en allant, encore plus décidé à ce que la mort d'Ali ne reste pas impunie.

Ce ne fut pas facile, car il trouva les gendarmes de Boufarik très réservés sur cette affaire et il eut l'impression qu'ils étaient déjà au courant. Le capitaine promit d'envoyer des enquêteurs qui ne vinrent pas avant trois jours. De mauvaise grâce, ceux-ci recherchèrent le coupable, mais sans grande conviction. Enfin ils emmenèrent un saisonnier, qui ne réapparut pas. Jamais on ne sut s'il avait été jeté en prison ou s'il avait simplement quitté la région.

A Ab Daïa, Ali fut enterré près de sa sœur, à proximité des gourbis des fellahs, mais la tension demeura grande entre les deux domaines. Un jour, le feu prit en bordure des vignes de Mathieu, alors que le vent venait de la côte. Heureusement, l'alerte fut donnée assez tôt et il y avait suffisamment d'eau à proximité dans les canaux d'irrigation, car il avait plu pendant quelques jours à la fin de septembre.

Un matin, il découvrit cinq de ses orangers renversés, comme s'ils avaient été déracinés par un treuil, ou par des chevaux attelés. Mathieu comprit qu'il ne pouvait pas rester seul, isolé, et qu'il devait nouer des alliances avec d'autres colons, sans quoi, un jour ou l'autre, il se trouverait en danger. Il revint trouver Barthès et demanda à parler à sa fille. Quand il se fut assuré qu'elle voulait bien de lui, que ce n'était pas seulement un souhait de son père, il donna son accord pour un mariage, et ils décidèrent qu'il aurait lieu au printemps.

Avec l'approche de l'hiver, la situation se calma un peu. Les grands travaux étaient terminés. En rentrant, le soir, Mathieu se sentait très seul. Un soir, il décida d'écrire à François, en France, pour l'informer qu'il irait passer Noël à Puyloubiers. Il avait l'intention à cette occasion de lui annoncer son mariage. Après l'agitation et la fièvre des derniers mois, il lui était venu le besoin de reprendre contact avec un pays, une région, une famille qu'il n'avait pas revus depuis plus de quinze ans.

A Paris, Lucie attendait toujours des nouvelles de Jan à l'hôtel de la rue Saint-Sulpice où elle avait trouvé du travail. La patronne, qui la connaissait, lui avait confié la charge de faire le ménage dans les chambres chaque matin. Ainsi, elle ne payait pas la sienne et elle gagnait quelque argent pour manger. Elle attendait avec angoisse le facteur qui passait à midi, mais aucune lettre de Jan n'était arrivée depuis cinq mois qu'elle s'était enfuie. L'après-midi, elle allait promener son fils Heinz qui, à quatre ans, gardait assez de souvenirs d'Allemagne pour réclamer son père.

– Il va venir, lui disait-elle. Tu vas le voir bientôt.

Mais elle désespérait au fur et à mesure que les jours s'écoulaient. Non qu'elle crût à la mort de Jan, mais elle craignait qu'il n'eût été condamné à une longue peine de prison. Comment, dans ce cas-là, ferait-elle pour vivre ? Pour le moment, la patronne de l'hôtel lui donnait du travail, mais ce travail n'était que provisoire, car elle avait promis d'embaucher sa nièce de province au mois de janvier prochain. Si rien ne se passait, Lucie avait décidé de se réfugier à Puyloubiers, chez François, et elle demanderait à sa patronne de faire suivre les lettres qui arriveraient – du moins, elle l'espérait.

En attendant, elle retrouvait non sans un certain plaisir les rues de Paris, les quais de la Seine, les grands boulevards, et le quartier dans lequel elle avait vécu si longtemps. Elle rôdait dans la rue de Tournon et dans les alentours, espérant rencontrer

Madeleine, qui aurait pu lui donner des nouvelles de sa fille. Car elle n'avait pas oublié Elise, au contraire. L'éloignement la lui avait rendue encore plus précieuse, malgré ce qui était arrivé lors de leur dernière entrevue au Champ-de-Mars.

Au fil des jours, ses promenades avaient entraîné Lucie de plus en plus près de l'avenue de Suffren. C'était loin, pourtant, et Heinz ne marchait pas très vite, mais elle ne pouvait pas lutter contre ce besoin de se rapprocher de celle qui lui manquait tant. Plus que de l'accablement, c'était un sentiment d'injustice qui l'habitait dans ces moments-là : être privée de sa fille alors qu'elle s'était battue, avait tout fait, depuis toujours, pour ne pas la perdre, lui était insupportable. En Allemagne, la distance avait estompé quelque peu la douleur, mais, depuis qu'elle avait regagné Paris, celle-ci était revenue, insidieuse, et ne la laissait pas en repos.

Pour gagner du temps, pour tenter de surprendre, d'apercevoir Elise, ne fût-ce qu'une seconde, elle n'hésitait pas à porter son fils dans ses bras jusqu'au Champ-de-Mars, car elle en était à économiser le moindre ticket de métro. Un jour, en fin d'après-midi, elle vit une jeune femme sortir de l'immeuble voisin de celui où habitaient les de Boissière, avenue de Suffren, mais c'est à peine si Lucie reconnut Elise car elle n'avait pas imaginé combien une jeune fille pouvait changer en cinq ans. Or Elise avait vingt ans, aujourd'hui, et elle était méconnaissable par rapport au souvenir qu'en avait gardé Lucie. Ce ne fut qu'à sa démarche, tandis qu'elle s'éloignait en direction de l'avenue de la Motte-Picquet, que Lucie reconnut sa fille dans cette femme élégamment vêtue, qui marchait avec grâce, en toute insouciance. Elle la suivit, traversa le carrefour, la vit rentrer dans une boutique dont elle devina de loin qu'il s'agissait d'une boutique de vêtements. Lucie attendit quelques minutes, puis, comme Elise ne ressortait pas, elle se décida à passer devant la boutique, sur le trottoir d'en face. De là, elle jeta un rapide coup d'œil et il lui sembla deviner la silhouette d'Elise derrière la caisse, pas loin de la porte.

Elle s'arrêta un peu plus loin, attendit encore, mais vainement. Elise ne ressortait pas. Le petit Heinz s'impatientait, et Lucie s'apprêtait à repartir quand, à sept heures, elle aperçut Elise qui sortait de la boutique au bras d'un homme jeune, très beau, lui sembla-t-il, vêtu d'un élégant costume agrémenté d'une pochette bleue et fumant le cigare. Ils venaient vers elle. Elise riait, se penchait vers l'homme avec qui elle semblait familière. Lucie se rencogna dans une porte, tourna la tête pour ne pas être reconnue, puis elle les vit un peu plus loin monter dans une très belle voiture aux chromes luisants, et passer devant elle sans qu'elle trouve la force d'esquisser le moindre geste.

Pourquoi ? Elle n'aurait su exactement le dire, mais il lui semblait tout à coup qu'elle n'était plus digne de sa fille, ni à la hauteur de ce luxe et de cette aisance, ou plutôt qu'elle n'avait plus le droit, par sa présence soudaine, stérile, de venir contrarier, ternir, en quelque sorte, une telle réussite. Car il était évident qu'Elise était heureuse, comblée par la vie. Lucie repartit tristement, lentement, vers la station de métro, car ses jambes ne la portaient plus : elle venait de comprendre, ce soir-là, qu'Elise était vraiment perdue pour elle.

Les jours suivants, elle ne revint pas avenue de Suffren. Elle se contenta d'errer dans le quartier de l'Odéon en se disant qu'elle ne pouvait pas rester à Paris. C'était trop douloureux. Elle allait partir à Puyloubiers, chez son frère, au moins pour y passer les fêtes de fin d'année. Pendant quelques jours encore, elle chercha à rencontrer Madeleine, qui était à ses yeux le seul lien qui subsistait avec son passé, mais Madeleine ne se montra pas. Sans doute avait-elle regagné son hameau des environs d'Orléans, auprès de sa mère et de sa sœur. Ou peut-être s'était-elle mariée. En tout cas, Lucie se sentit seule, très seule, et elle décida de revenir dans le haut pays où elle était née, vers l'unique famille qui lui restait.

Trois jours avant son départ, alors qu'elle achevait de faire le ménage dans les chambres, sa patronne l'appela pour lui donner une lettre. Reconnaissant l'écriture de Jan, elle monta précipitamment dans sa chambre et déchira fébrilement l'enveloppe.

– C'est lui, dit-elle à Heinz. C'est ton papa, il est vivant, il nous a écrit !

Le petit se rapprocha d'elle tandis qu'elle parcourait les lignes écrites par son mari, des mots qui lui paraissaient irréels mais qui, cependant, lui rendaient l'espoir au fur et à mesure qu'elle les découvrait. Jan avait été condamné à trois mois de prison puis avait été relâché. Il avait enfin compris qu'il ne pouvait plus rester en Allemagne où, désormais, il risquait sa vie. Pourtant, du fait qu'il craignait d'être considéré en France comme un ennemi et de ne pas trouver de travail, il était passé en Suisse par les Alpes bavaroises, et il habitait Vevey, sur les bords du lac Léman, où on lui avait confié un poste de professeur. Il demandait à Lucie de le rejoindre le plus tôt possible.

La joie étouffait Lucie qui ne pouvait cacher ses larmes à son fils et qui bredouillait :

– Il est vivant, il est vivant, on va le revoir bientôt.

Heinz pleurait aussi, ne comprenant pas le chagrin de sa mère, que démentait le ton de sa voix.

Le plus urgent était d'écrire à Jan, pour le rassurer. Elle allait bien, Heinz aussi, et elle le rejoindrait dès la fin du mois, après avoir passé Noël à Puyloubiers, puisqu'elle avait promis à François d'y aller. Lucie se disait d'ailleurs qu'elle n'y retournerait pas avant longtemps, et elle en avait besoin, après tant d'années vécues si loin de son pays. Ensuite, une nouvelle vie l'attendait. Sans menaces, du moins l'espérait-elle. Quand elle prit le train pour la Corrèze, le monde lui parut tout à coup moins hostile, et il lui sembla, tout au long du voyage entre les bois, les prés et les collines blanches, que le bonheur était encore possible.

Dans le haut pays, le neige, cette année-là, avait hésité plusieurs fois, tombant début novembre avant de fondre, puis revenant définitivement les premiers jours de décembre. Ce Noël ne serait pas un Noël ordinaire : pour la première fois depuis très long-temps, en effet, toute la famille Barthélémy serait réunie à Puyloubiers. C'était une joie pour François qui, depuis la fin de l'été, peinait seul chaque jour sur ses terres. Il avait cru renoncer plusieurs fois, surtout quand, en plus du travail, il avait dû trouver de l'argent pour payer l'annuité. Il regrettait encore d'avoir acheté tant de terres et de s'être endetté. Puis il songeait qu'Edmond reviendrait un jour, qu'il devait seulement tenir le coup jusque-là. Mais cette année, pour faire face, il avait dû vendre à un bûcheron de Port-Dieu la dernière parcelle de forêt qu'il possédait. C'était la première fois, depuis qu'il avait emprunté, que François était contraint de vendre un peu de sa propriété, et il en avait été affecté, comme si c'était là le commencement d'un échec. Il s'était bien gardé d'en parler à Charles, qui, cha-que fois qu'il revenait d'Egletons, s'inquiétait de voir son père à bout de forces et hésitait à repartir. Aloïse, quant à elle, disait, pour le rassurer :

– De toute façon, on ne s'occupait plus des cou-pes. Alors autant se débarrasser de cette dernière parcelle.

Heureusement, les grands travaux s'étaient ache-vés à la mi-novembre, et François se disait que le plus dur était passé. Il avait tenu le choc. C'était le plus important à ses yeux. Il aurait le temps, pendant l'hiver, de se refaire une santé. D'autant que Lucie était bientôt arrivée avec son fils. Elle paraissait heu-reuse, Lucie, en tout cas rassurée sur son sort et celui de son mari. C'était étrange d'entendre quel-ques mots d'allemand dans la grande cuisine, quand le petit Heinz parlait avec sa mère, et aussi étonnant d'entendre Lucie s'exprimer dans cette langue. Mais la guerre était loin, désormais, et ce n'était pas parce que l'on entendait vociférer ce fou d'Hitler à la T.S.F. qu'on s'inquiétait, ici, sur ces hautes terres recouvertes de poudre blanche et inaccessibles à toutes les armées du monde.

Le 20 décembre 1935, Mathieu était lui aussi arrivé, comme il l'avait annoncé par lettre. Chaque fois que François le revoyait, son regard s'attardait un moment sur cette manche repliée sur l'épaule de son frère, et quelque chose en lui se glaçait. Et puis il s'habituait, puisque, aussi bien, Mathieu paraissait ne plus y songer. Il avait appris à travailler avec un seul bras, se débrouillait ainsi, ou du moins faisait comme si.

Ils étaient tous réunis, le soir, pour écouter Lucie parler de l'Allemagne, de Cologne, du Rhin, de Nuremberg, de toutes les angoisses vécues aux côtés de Jan. Mathieu, lui, parlait de la Mitidja, de ses vignes, d'Hocine, de Nedjma, de la vie qu'il menait là-bas, entre ses orangers et ses cyprès, dans la grande maison blanche. Seul Edmond était absent, n'ayant pu obtenir de permission. Mais Charles était là, lui, comme Louise, et Aloïse, bien sûr, qui avait fort à faire pour nourrir tout ce monde.

La veille de Noël, François montra à son frère et à sa sœur, non sans une certaine fierté, les terres dont il était désormais propriétaire, et ils évoquèrent le chemin parcouru depuis le Pradel. Ensuite, François et Mathieu s'en allèrent chercher la bûche de Noël qui devrait brûler depuis la tombée de la nuit jusqu'à l'heure du réveillon, après la messe de minuit. C'était une énorme souche de chêne qu'ils transportèrent dans une brouette jusqu'à la cheminée. Aloïse et Lucie avaient décoré un petit sapin qu'elles avaient placé dans un angle, assez loin de la cheminée pour éviter que les étincelles ne l'embrasent.

Le réveillon fut très gai, arrosé de cidre et de vin apporté par Mathieu. Ils chantèrent, écoutèrent la T.S.F., puis ils se couchèrent tard, très tard, après avoir déposé les cadeaux destinés aux enfants devant la cheminée.

Le lendemain matin, vers neuf heures, François et Mathieu marchèrent un moment dans la neige, puis se dirigèrent vers le point le plus élevé, au-delà de la sapinière, dont François expliqua à son frère ce qu'elle représentait pour lui et pour Aloïse. Ils regardèrent les lointains où les bois noirs tranchaient sur la neige, puis François demanda à Mathieu :

– Tu te souviens de ce premier jour du siècle ? Nous avions quel âge ? Toi, six ans, et moi huit. Nous croyions que quelque chose avait changé dans la nuit et nous cherchions les signes.

– Oui, je me souviens très bien, dit Mathieu. Je n'ai jamais rien oublié du Pradel.

– Rien n'avait changé ce matin-là, reprit François, mais ce n'est pas le cas aujourd'hui. Nous sommes propriétaires tous les deux. Toi tu vis en Algérie, Lucie en Allemagne, l'un de mes fils va devenir sans doute instituteur. Qui l'aurait dit, à l'époque ?

– Pas moi, en tout cas, fit Mathieu.

– Il n'y a guère que les Noëls ici qui ne changent pas, reprit François, pensif. Ils sont toujours blancs.

Ils regardaient devant eux l'étendue superbe sur laquelle le vent faisait lever une poussière de neige, laissant apparaître l'éclat vif des cristaux gelés.

– C'est le père et la mère qui auraient été contents de voir ça, souffla Mathieu.

– Qui sait s'ils ne le voient pas, fit François.

Mathieu soupira :

– C'est ce que je me dis aussi, quelquefois.

Au loin, le ciel était de marbre gris, et les sapins verts, immobiles, semblaient veiller sur le haut pays. On eût dit que le temps s'était arrêté pour toujours, qu'en ces lieux et en cette saison le monde se fondait dans une sorte d'éternité heureuse. Mathieu et François s'étaient tus. Ils ne savaient plus, soudain, s'ils se trouvaient au Pradel ou si la vie les avait emportés vers d'autres montagnes. Ce qu'ils savaient seulement, c'est qu'ils étaient restés eux-mêmes, fidèles à la mémoire de tous leurs disparus, de ces parents qui n'étaient plus là, mais qui demeuraient vivants, cependant, et ce matin, leur semblait-il, plus que de coutume.

– Viens ! dit brusquement François en souriant. Ils doivent nous attendre, en bas.

Ils partirent après un dernier regard vers les sommets blancs, que la limpidité de l'air rendait proches et précieux comme des rêves réalisés.

La composition de cet ouvrage
a été réalisée par I.G.S. Charente Photogravure,
à l'Isle-d'Espagnac,
l'impression et le brochage ont été effectués
sur presse Cameron dans les ateliers
*de **Bussière Camedan Imprimeries***
à Saint-Amand-Montrond (Cher),
pour le compte des Éditions Albin Michel.

Achevé d'imprimer en décembre 2001.
N° d'édition : 20470. N° d'impression : 015835/4.
Dépôt légal : octobre 2000.